D0656649

# SHIRLEY
# MacLAINE
### Ihre Filme - ihr Leben

von FRAUKE HANCK / LOTHAR JUST

**Originalausgabe**

WILHELM HEYNE VERLAG
MÜNCHEN

HEYNE-FILMBIBLIOTHEK
Nr. 32/86


Herausgegeben von Bernhardt Matt

*Für meine Mutter*
*F. H.*

Redaktion: Bodo Fründt

Copyright © 1986 by Wilhelm Heyne Verlag GmbH & Co.KG, München
und Autor
Umschlagfoto: Archiv Dr. Karkosch, Gilching
Rückseitenfoto: Stiftung Deutsche Kinemathek, Berlin
Innenfotos: Archiv Lothar Just, München
Umschlaggestaltung: Atelier Ingrid Schütz, München
Printed in Germany 1986
Satz: Fotosatz Völkl, Germering
Druck und Verarbeitung: Ebner Ulm

ISBN 3-453-86086-1

# Inhalt

Vorwort
6

Der Star, der aus dem Leben kommt
7

**1.**
Chippendale und eine kleine grüne Erbse
im gelben Sonnenanzug
13

**2.**
Dinner-Parties mit Baby und Oscar-Anlauf
mit dem Ratten-Clan
55

**3.**
Karriere auf vollen Touren und ein Stück
Familien-Kino
85

**4.**
Ein Telegramm von Kennedy und neue Erfahrungen
in Bordell und Politik
137

**5.**
Ein bißchen Charakter und viel Engagement
jenseits von Hollywood
193

**6.**
Endlich eine böse Satire und ein zärtlicher »Oscar«
214

Filmographie
243

Bibliographie
317

Register
318

# Vorwort

»Mit einem Interview geht es wie mit einem Beischlaf. Zuerst sagt man sich, meine Güte, es wird halt wieder so ein Beischlaf. Dann kommt man langsam so rein, und plötzlich macht es viel Spaß.« Originalton Shirley MacLaine. Mir war dieser Spaß leider nicht vergönnt. Bodo Fründt hat ihn gehabt, und ich finde es toll, daß er mir sein Interview zur Verfügung gestellt hat. Mein Spaß mit Shirley MacLaine war etwas distanzierter, aber vielleicht sogar nicht weniger heftig. Beim Sehen und Wiedersehen ihrer Filme und vor allem beim Lesen ihrer brillant geschriebenen Bücher stellte sich mehr und mehr eine leidenschaftlich platonische Partnerschaft ein.

»Es war schwieriger, nicht zu schreiben, als zu schreiben. Und es gibt nichts Schwierigeres als Schreiben.« Auch dies Originalton Shirley. Verdammt wahr. Ich könnte sie küssen für diese zwei Sätze. Sie haben mir viel geholfen bei dem berühmten Problem der Faszination des weißen Papiers. Geholfen haben mir aber auch Walter Bockmayer als nimmermüder Video-Cassetten-Überspieler, Werner Rochau als schlitzohriger Geschichtenerzähler in Sachen Shirley herself, Rolf Thissen mit seinen stillen Nicht-locker-lassen-Aufmunterungen, Jürgen Tiedt mit seinen US-Slang-Kenntnissen, MacLaine-Fan Pit Schröder mit Shirleys Buch »You Can Get There from Here«, Paul Sahner mit einem Billy-Wilder-Buch, Angie Dullinger mit aufopfernden Recherchen, Hanno Rehm mit unermüdlichem Fündigwerden im »tz«-Archiv, Robert Fischer und Uwe Wilk mit ihren Archiven, Micky Glässge vom Deutschen Institut für Filmkunde, Norbert Stresau mit seinem Video-Archiv und seinem »Oscar«-Buch, Rainer Seipel mit seinem beruhigenden Parkbank-Versprechen und Adam Olech, der liebevoll für mein leibliches Wohl sorgte.

*Frauke Hanck*
*München, August 1986*

# Der Star, der aus dem Leben kommt

> Ich bin es nicht gewöhnt, mich zurück-
> zuhalten in Dingen, die mich interessieren
> oder an die ich glaube. Ich bin in der
> Öffentlichkeit großgeworden.
>
> *Shirley MacLaine*
> *in »Zwischenleben«, 1984*

Sie ist seit 30 Jahren ein Star. Sie war es gleich mit ihrem ersten
Film »Immer Ärger mit Harry« von Alfred Hitchcock – und
paßte doch nie so richtig in Hollywoods besitzergreifendes Sche-
ma der Machbarkeit und Manipulation von Schauspielern, die,
als Material be- und verhandelt, zu Superwesen von Traumfa-
briks Gnaden gedrillt, geschönt und oft synthetisiert, ent-
menscht wurden.
Shirley MacLaines Star-Qualität liegt weniger im Glamour, den
sie in vielen – und keineswegs immer ihren besten – Filmen auch
gezeigt hat, sondern in der Stärke ihrer Persönlichkeit, die sie
mit Eigensinn kontinuierlich entwickelt hat. »Schauspielerin –
das ist das, was ich tue, nicht das, was ich bin«, hat sie einmal
von sich gesagt. Sie ist eine intelligente, unabhängige, selbstbewußte und selbstkritische Frau. Sie lebt mit wachen, offenen
Sinnen und hat eine grenzenlose, unstillbare Neugier auf Menschen, andere Länder, die Welt, alles, was mit Leben zu tun hat.
Und sie begann, fast 50, sich sogar für das zu interessieren, was
jenseits der sichtbaren, greifbaren Hier-und-Heute-Lebendig-
keit liegt: die Reinkarnation. Sie macht das mit der ihr eigenen
leidenschaftlichen Aktivität des Hinterfragens, Nachbohrens,
Ausprobierens, immer unter vollem Einsatz der ganzen Person.
Sie ist offen für alles Neue – nicht, um sich darin zu versenken,
sondern um es aufzunehmen und mitzunehmen in die eigene
Gegenwart, sie dadurch zu bereichern und neu zu verstehen.
Dieses Offensein ist es, das Shirley MacLaine befähigt hat, aus
ihrer traditionsbewußten Kleinbürgerherkunft auszubrechen
und sich ein Leben nach ihren höchsteigenen Interessen aufzubauen, die mit jeder neuen Erfahrung neue Nahrung erfuhren –
und auch heute noch immer weiter erfahren. Schon mit drei Jahren bekam sie Ballettunterricht, weil ihre Mutter Angst hatte,

*Zu Beginn der Karriere: Shirley MacLaine, mädchenhaft und unschuldig*

daß ihre Gelenke zu schwach waren. Mit zwanzig sprang sie als »Dritte von links« in einer Broadway-Show plötzlich für den Star ein, der sich den Knöchel verletzt hatte. Ohne eine einzige Schauspielstunde sprach sie bei Meister Hitchcock vor. Ihr Ehe- und Familienleben mit dem Regisseur und Produzenten Steve Parker und der Tochter Stephanie Sachiko führte sie als Long-Distance-Beziehung zwischen Kalifornien und Tokio: Shirley MacLaine beschritt nie ausgetretene Pfade, sondern Neuland, wagte Unerprobtes, um es zu erproben, machte das, was sie intuitiv für richtig hielt. Und zog daraus ihre gedanklichen und praktischen Schlußfolgerungen über die Veränderbarkeit, die das Leben in Bewegung hält.

Bewegung hat es im Leben und in der Karriere dieser großen In-

dividualistin genug gegeben, und sie sorgt auch heute noch dafür, daß sie sich ständig bewegt. Als »Workaholic« sieht sie sich
dennoch keineswegs: »Ich habe eben nur ein großes kreatives
Potential. Und da das nun einmal so ist, muß ich es auch benutzen.« Und sie benutzt es eben nicht nur für ihr professionelles
Tun, die Schauspielerei, sondern auch für ihr eigenes Sein, Denken und Fühlen. Die Wechselwirkung hat sie klug – oder vielleicht intuitiv? – erkannt, sie ist das offene Geheimnis ihres Erfolges, ihres Startums, ihrer Persönlichkeit. Shirley MacLaine
weiß – und sie strahlt das auch aus –, wie wichtig es ist, über sich
selbst Bescheid zu wissen, um andere und anderes begreifen zu
können. Um kreativ sein zu können. Im Beruf und im Leben.
Schauspielerin, Entertainerin, politische Aktivistin, Schriftstel-
lerin und schließlich doch noch, kurz vor ihrem 50. Geburtstag,
»Oscar«-Preisträgerin – von Midlife-Crisis nie eine Spur. Reifer
und gescheiter werden hat für Shirley MacLaine nichts mit Krise
zu tun, es ist vielmehr ein Beweis für intensives Lebendigsein.
All ihre Aktivitäten waren und sind immer Ausdruck und
Selbstausdruck. Und eine Entwicklung in ihrer gut 30jährigen
Karriere ist dabei deutlich abzulesen. Zu Beginn ihrer Filmkarriere wurde sie ähnlich gehandelt wie Doris Day, als »girl next
door«. Aber sie strahlte auch schon damals ihre Natürlichkeit
aus – nicht die aseptische Sex-Abstinenz der blonden »Bettgeflüster«- und Frauenvereins-Heroine, sondern den ganz irdi-
schen Wunsch nach Liebe ohne verlogene Romantik. Die jungen Mädchen und Frauen, die sie spielte, waren ganz instinktiv
eher individualistisch als konformistisch, natürlich und nie
künstlich und zogen die aufrichtige Liebe dem gesellschaftlichen Aufstieg vor. Dabei waren diese Filme bei weitem nicht alle bedeutend. Viele kann man vergessen. Doch Shirley Mac-
Laine machte aus den Figuren, die sie zu spielen hatte, über die
schlechten Drehbücher hinaus, interessante, lebendige, viel-
schichtige Personen. Sie verdeutlichte den in den fünfziger und
sechziger Jahren herrschenden Zwiespalt zwischen dem Bild,
das sich die männliche Gesellschaft von der Frau machte, wie
man sie sich wünschte, und wie die Frau wirklich war.
Dieser Doppelaspekt des wahren und falschen Frauenimage
durchzieht Shirley MacLaines Filmrollen bis zu Beginn der siebziger Jahre. Sie spielte Prostituierte – in insgesamt 14 von 34 Filmen, wie sie selbst sagt – und darstellende Künstlerinnen,

Schauspielerinnen, Tänzerinnen: von »Irma la Douce« bis »Can-Can«. Und die Verkleidungen standen deutlich für die Kritik an dem falschen Frauenbild der Männer, das am Ende immer demaskiert wurde und den wahren Charakter erkennen ließ: überlegen, klug und vital. Shirley MacLaine war in Hollywood die erste, die das geschafft hat – aufgrund der Kraft ihrer Persönlichkeit. Aber erst in den siebziger Jahren, in denen sie sich zunächst eine ganze Zeitlang vom Film zurückzog und Reisen unternahm, sich politisch engagierte und Bücher schrieb, fand sie mit »Am Wendepunkt« eine Rolle, in der sie nicht mehr mit diesem Doppelaspekt jonglieren mußte, sondern die Synthese einer facettenreichen, erfahrenen Frau spielen konnte. Da war sie bereits 42 Jahre alt und im Mutter-Fach angelangt. Und sie hatte auch selbst in all den Jahren, in denen sich vieles in Amerika und der Welt verändert hatte, mehr Lebenserfahrungen gemacht, hatte neben ihren Familien-Reisen nach Japan, auch Afrika, Indien und den Himalaja-Staat Bhutan bereist. Bei Gurus hatte sie die Kunst des Meditierens gelernt. An der Spitze einer zwölfköpfigen amerikanischen Frauendelegation war sie auf Einladung Tschu-en-Lais in die Volksrepublik China gefahren und hatte darüber mit Claudia Weill einen Film gedreht. Sie hatte gegen die Hinrichtung von Caryl Chessman protestiert, Waisenkinder in Indien und Japan unterstützt, sich für die Frauenbewegung stark gemacht, am Engagement gegen den Vietnamkrieg teilgenommen und ebenso an den Wahlkampagnen von Robert Kennedy und George McGovern. Sie hatte ihre Autobiographie geschrieben und ein zweites Buch, in dem sie über ihre desaströsen Erfahrungen mit einer Fernsehserie und über ihre China-Reise berichtet. Und sie hatte ihre ersten Nightclub-Shows als perfekte Entertainerin gemacht, nach 15 Jahren Pause wieder ihre Tanzkünste aktiviert – und war sich auch auf diesen für sie neuen Brettern treu geblieben: Mit Witz und Selbstkritik verarbeitete sie in den Shows ihre Autobiographie.

Als sie endlich 1984 den »Oscar« für ihre hinreißende Witwen-Mutter-Spätgeliebten-Rolle in dem ziemlich unsäglichen Komik-Tränen-Drama »Zeit der Zärtlichkeit« erhielt, sagte sie in gerechter Überzeugung: »Den habe ich auch verdient.« Falsche Dankbarkeit oder Höflichkeit sind ihr immer fremd gewesen. Mit ihrer Meinung hat sie nie hinter dem Berg gehalten. Angst,

*Vorläufiger Höhepunkt der Karriere: Shirley MacLaine in ›Zeit der Zärtlichkeit‹*

verlacht zu werden, hat sie nie gekannt. Sie ist in der Öffentlichkeit großgeworden – und diese Öffentlichkeit muß mit ihr rechnen. Einen Klatschkolumnisten hat sie einmal öffentlich geohrfeigt und wurde dafür von John F. Kennedy persönlich beglückwünscht. Über ihre Long-Distance-Ehe, die 1983 geschieden

11

wurde, haben sich die amerikanischen Klatschmäuler und Frauenvereine jahrelang aufgeregt – sie hat das kalt gelassen und höchstens gemeint, man möge sich doch lieber um die eigenen Belange kümmern.

Shirley MacLaine ist eine faszinierende Frau und Persönlichkeit, weil sie nie aufgehört hat, mit beiden Beinen, die mindestens so schön wie die von Marlene Dietrich sind, im Leben zu stehen. Weil sie sich Gedanken macht, Dingen und Zusammenhängen auf den Grund geht und dies alles mitteilt und lebt. Und dadurch ist sie eine Person geworden, für die andere sich interessieren können, an der andere teilhaben können, deren Stärken und Schwächen sie kennenlernen können. Nicht zuletzt darüber gibt ihr 1984 erschienenes Buch über die Liebesaffäre mit einem englischen Parlamentarier und über ihre Erfahrungen mit Okkultismus und Reinkarnation Aufschluß. Von Shirley MacLaine ist sicher auch in Zukunft noch viel zu erwarten.

# 1. Chippendale und eine kleine grüne Erbse im gelben Sonnenanzug

»He, Sie mit den langen Beinen! Sie – die Rothaarige mit den Beinen, die an den Schultern losgehen – kommen Sie mal an die Rampe!« Als dieser ruppige Aufruf aus dem dunklen Zuschauerraum ertönte in Richtung der zum Vortanzen auf der Bühne angetretenen Girl-Truppe, hatte Shirley Beaty bereits 15 Jahre hartes Ballett-Training hinter sich. Sie war ganze 18 Jahre jung und total pleite. Es war 1952 in New York, und das Engagement, das Shirley auf diese hemdsärmelige Weise erhielt, galt einer Reklame-Show-Tournee für Eismaschinen. Es brachte ihr – wie sie in ihrer Autobiographie »Don't Fall Off the Mountain« (1970; deutsch: »Raupe mit Schmetterlingsflügeln«) mit anschaulicher Erzählbegabung beschreibt – auch ihren Künstlernamen ein. Und zwar wie im Screwball-Dialog: Nachdem der Rufer aus dem Zuschauerraum ihren Nachnamen Beaty dreimal falsch ausgesprochen und sie schließlich gefragt hatte, ob sie nicht noch einen anderen Namen hätte, war ihre prompte Antwort: »Shirley MacLaine« Und ebenso prompt kam es zurück: »Okay, Shirley MacLaine, Sie sind engagiert.«
Sie mußte Pirouetten um eine Speiseeismaschine drehen, so lange bis das Eis fertig war. Und wenn die Maschine mal versagte, mußte sie sich unverzagt weiter drehen. Diesen inspirierenden Job, der sie durch die Südstaaten führte, verlor sie schlagartig, als sie sich eines Tages etwas Besonderes ausgedacht hatte. Zu Tschaikowskis »Schwanensee«-Musik hatte sie sich – in duftigweißem Tütü und Spitzentanzschuhen – eine klaffende schwarze Zahnlücke geschminkt und selig lächelnd getanzt. Das ging den humorlosen Eismaschinenvertretern über die Hutschnur: Shirley wurde gefeuert.
Den Schalk im Nacken, eine gesunde Portion Aufmüpfigkeit und genügend Phantasie für effektvolle Streiche und kleine Schläge gegen das Familien-Establishment hatte Shirley MacLaine schon im frühen Kindesalter mit unverhohlener Leidenschaft gezeigt. Das traditionsbewußte Kleinbürger-Elternhaus in Richmond, Virginia, in das sie am 24. April 1934 unter

*Shirley 1961*

dem Sternzeichen Stier hineingeboren wurde, bot ihr reichlich
Anlaß zur Gegenwehr. Vater Ira O. Beaty war in seiner Jugend
Musiker und Bandleader, dann, während Shirleys Kindheit in
Richmond, Lehrer und Schuldirektor und später, als die Familie
nach Arlington umzog, Grundstücksmakler. Mutter Kathlyn

MacLean hatte vor ihrer Ehe an kleinen Theatern gespielt und Schauspielunterricht am Maryland College gegeben. Der Vater war das uneingeschränkte Oberhaupt der Familie und wachte mit gebieterischer Strenge über seine Lieben: Als Shirley drei Jahre alt war, bekam sie einen Bruder, Warren, der aber wegen seiner Ähnlichkeit mit einer bekannten Comic-strip-Figur nur »Little Henry« genannt wurde. Schon bald war er, der später als Warren Beatty selbst Hollywood-Karriere machte, der verschworene kindliche Kampfgefährte seiner temperamentvollen Schwester. Die Mutter, eine eigentlich heitere, romantisch veranlagte Natur, hatte sich den ehernen Gesetzen des Konformismus unterworfen, der nun mal die erste Lebensregel aller Baptisten ist: Man lebte immer im Hinblick darauf, den Nachbarn

*Schauspieler, Casanova, Regisseur, Produzent und Bruder: Warren Beatty*

nicht negativ aufzufallen. Wichtig war, was die anderen von einem dachten, daß sie nur Gutes dachten und daß sie am besten der gleichen Meinung waren wie man selbst. Materielle Güter – als Beweise harter Arbeit – zählten viel im Hause MacLean-Beaty: Wedgwood-Porzellan, eine altchinesische Vase, eine Gainsborough-Kopie im Goldrahmen, ein historischer Tisch, auf den man kein nasses Glas stellen durfte, ein Chippendale-Spiegel im Eßzimmer, den anzufassen strengstens verboten war, der aber, wie Shirley erst sehr viel später herausfand, gar nicht echt war.

Kein Wunder also, daß sich in einem aufgeweckten und phantasiebegabten Mädchen schon früh die Neugier regte zu erfahren, was es wohl jenseits dieser strikten Einzäunung spießiger Ordnung mit ihren bei Vater und Mutter deutlich erkennbaren Unterdrückungs- und Verdrängungsmechanismen noch alles gab. Wenn die Vorstellungskraft auch noch nicht ausreichte, so spürte Shirley doch instinktiv, daß diese strenge Reglementierung nicht die einzige Lebensform sein könnte. Sie reagierte, entwickelte Widerstandsgeist und, mit dem kleinen Bruder als Bundesgenossen, sogar eine regelrechte Strategie: Zu Hause waren sie die Musterkinder, und nur außerhalb des Chippendale-Umkreises lebten sie wirklich. Wenn der Vater nach dem Essen Pfeife rauchend über sein Lieblingsthema sprach, daß alle Kinder bis zum 21. Lebensjahr am besten eingefroren werden sollten, nickten Shirley und Warren begeistert Zustimmung und zogen sich – scheinbar – zu ihren Hausarbeiten zurück. In Wahrheit brüteten sie die nächsten Streiche aus. Und die waren eigentlich ganz normal, wenn sie vielleicht auch in dieser züchtigen Baptisten-Gesellschaft möglicherweise einen gefährlich aufrührerischen Stellenwert hatten: Shirley und ihr Bruder klauten Bonbons beim Kaufmann, schnitten Autoreifen auf, warfen Mülltonnen um, brachten Feuermelder in Gang, klingelten an fremden Haustüren und liefen davon. Sie legten sich mitten auf die Fahrbahn, um erst im letzten Moment beim Auftauchen der Polizei wegzurennen.

Wer kann schon von sich sagen, daß er solches oder ähnliches als Kind nicht gemacht hätte?

Shirley MacLaines Lebensweg, ihr manifester Drang, der kleinbürgerlichen Enge zu entfliehen, bekam aber schon bald andere, deutlichere Konturen. Mutter Kathlyn hatte sie bereits im

*Schwesterchen Shirley*

Alter von etwa drei Jahren zum Ballett geschickt wegen ihrer angeborenen Fußgelenk-Schwäche und weil sie »gottserbärmlich über den großen Onkel lief und bei der kleinsten Unebenheit hinfiel«, wie Shirley sich in ihrer Autobiographie erinnert. Und was als Therapie gedacht war, entpuppte sich schon bald als Leidenschaft und vorläufiges, greifbares Ziel: Shirley wollte Tänzerin werden. Als die Familie von Richmond nach Arlington in Virginia zog, nahm Shirley Unterricht bei zwei hochquali-

17

fizierten Ballettmeisterinnen, von denen die eine, Lisa Gardiner, noch mit der Pawlowa getanzt hatte. Sie war es auch, die ein entscheidendes Credo in Shirleys Bewußtsein pflanzte: »Wenn du dir etwas vorgenommen hast, tu es mit deinen äußersten Kräften. Erwarte nie, daß das Leben dir etwas schenkt. Dann wird es samtweich werden.«

Zunächst war es natürlich alles andere als samtweich, wofür auch Lisa Gardiners um 15 Jahre jüngere Partnerin Mary Day als temperamentvolle, unerbittliche Lehrerin sorgte. Die Ballettschule befand sich in einer ehemaligen Villa jenseits des Potomac in Washington, D. C. Dorthin fuhr Shirley jeden Nachmittag nach der Schule mit dem Bus. Anderthalb Stunden dauerte die Fahrt, und als die Amateur-Ballettgruppe während des Krieges für ihre Auftritte mit dem nationalen Sinfonieorchester in der Constitution Hall probte, erreichte Shirley ihren Bus erst um Mitternacht. Wenn sie dann gegen 2 Uhr morgens todmüde nach Hause kam, schlief die Familie bereits, von der sie in dieser Zeit wenig zu sehen bekam, weil sie schon um 6.30 Uhr wieder aufstand, um zur Schule zu gehen. An den wenigen Schlaf, mit dem sie damals auskommen mußte, hat sie sich auch im späteren Leben gewöhnt: Noch heute reichen ihr, die ständig damit beschäftigt ist, die eigenen Möglichkeiten voll auszuschöpfen, vier Stunden Schlaf pro Nacht.

Mit 16 sah Shirley sich plötzlich an einem entscheidenden Wendepunkt. Weil sie in ihrer Ballettklasse die Längste und Dünnste war, hatte sie im »Nußknacker«, dem »Wizard of Oz« und in »Hänsel und Gretel« immer die Hosenrollen getanzt. Und nun nahmen ihre beiden Ballettmeisterinnen ihr für die Weihnachtsvorstellung auch noch die Rolle der Cinderella weg, weil sie zu groß und eckig geworden war. Ihre Verzweiflung darüber trieb der unerbittliche Vater noch mit demoralisierenden Vorhaltungen ins Unermeßliche: Sie solle endlich aufhören, das Unmögliche zu versuchen; wie hätte sie sich nur einbilden können, Cinderella je tanzen und spielen zu können; blamiert hätte sie sich: Übermut tue schließlich selten gut. Und als sie sich dann auf der Bühne der Constitution Hall in Washington bei der »Cinderella«-Aufführung, wo sie die gute Fee tanzte, den Knöchel verletzte und in dieser Zwangs-Tanzpause über das, was sie bisher erreicht hatte, nachdachte, kam sie zu einem wichtigen Entschluß. Sie wollte nach New York, raus aus der provinziellen

*... lausbübisch, 1956*

Enge, weg vom klassischen Ballett, hin zur Show, zum Broadway. Ihre Ballettlehrerinnen hatten sie ohnehin gerügt, daß sie ihr Mienenspiel nicht kontrollieren könne. Wenn es ihr nicht gelänge, ihre Mimik zu zügeln, solle sie lieber zum Film gehen. Obwohl sie an Film noch gar nicht gedacht hatte, nahm sie den Tadel ihrer Meisterinnen jedoch als Zeichen. Sie wollte gar nicht dagegen angehen, daß ihr Gesicht die Musik widerspiegelte, daß sie bei lustigen Klängen lächeln oder lachen mußte. Das Gespräch mit der Mutter, die zu Shirleys Überraschung ganz aus sich herausging und Verständnis für die Tochter zeigte, bestärkte sie in ihrer Absicht, sich endgültig auf eigene Füße zu stellen. Sie beendete noch die Washington and Lee High School in Arlington und verabschiedete sich dann eines Morgens von ihrer Familie, von einem behüteten und rebellischen Leben, um zum erstenmal ins Unbekannte aufzubrechen. Sie mußte die eigenen Möglichkeiten erforschen. Das war der entscheidende Ausdruck einer Leidenschaft, die charakteristisch für ihr ganzes weiteres Leben werden sollte.

»Achtzehnjährig, mit großen, staunenden Augen, voller Optimismus und Tapferkeit langte ich in New York an, die Gewißheit im Herzen, über Nacht das ganze Show-Business auf den Kopf zu stellen. Solche Naivität ist lebensnotwendig, um New York zu ertragen, und dazu ein guter Schuß masochistischen Humors«, erinnert sie sich, nicht ohne Selbstironie. Es war das Jahr 1952. Im fünften Stock eines alten Backsteinbaus zwischen der 116. Straße und dem Broadway fand sie für 64 Dollar im Monat zwei Mini-Zimmer, Bad und Küche mit Blick auf den Hudson River durch einen schmalen Spalt zwischen zwei Nachbarhäusern. Das Geld für diese ziemlich schäbige Unterkunft, in die sie auch immer wieder Mitbewohnerinnen aufnahm, die ebenso glücklich wie sie darüber waren, die Miete zu teilen, verdiente sie sich als Babysitter. Für das junge Mädchen aus geordneten Kleinbürger-Verhältnissen ein schockierendes Wechselbad: In den umliegenden dunklen Hauseingängen trieben sich nachts merkwürdige Gestalten herum, Drogensüchtige wohnten im Haus, und in ihrer eigenen Behausung machte Shirley die Bekanntschaft von Wanzen und Küchenschaben. Durch die fehlenden Fensterscheiben wirbelte im Winter der Schnee ins Schlafzimmer, so daß sie selbst unter der Bettdecke Mühe hatte, nicht zum Eiszapfen zu erstarren. Wahrscheinlich hat sie sich damals bereits so abgehärtet, daß sie auch heute noch am liebsten bei weit geöffneten Fenstern Interviews gibt, was nicht wenige Journalisten zur Winterzeit merklich erzittern läßt.

Die äußerlichen Mißlichkeiten ihres neuen Lebensabschnitts konnten Shirley MacLaine jedoch nicht davon abhalten, eisern und kontinuierlich an ihrer Karriere weiterzuarbeiten, zumin-

*Shirley, klassisch, 1960*

dest auf die erste kleine Chance eines Auftritts hin. Sie hätte ihre Eltern um finanzielle Unterstützung bitten können, aber ihr Stolz ließ es nicht zu. Es war doch schließlich ihr eigener freier Entschluß gewesen, unabhängig zu werden und sich selbst durchzuschlagen. Außerdem hatte sie schon während ihrer entbehrungsreichen Teenager-Ballettzeit erkannt, was für ihr weiteres Leben seine Gültigkeit behalten sollte: Sie genießt nichts, was sie sich nicht redlich erarbeitet hat. So gab sie in New York jeden Penny für Tanzunterricht aus und fand auch Essen – sie aß immer leidenschaftlich gerne und tut es auch heute noch – damals nicht so wichtig. Not machte auch Shirley MacLaine erfinderisch: Aus zehn Cents holte sie mit ihrer angeborenen Pfiffigkeit weit mehr heraus, als sich ein Normalbürger träumen läßt. In einem Automatenrestaurant nahm sie die bereits mit einer Zitronenscheibe und Zucker vorbereiteten Teegläser und füllte sie am Brunnen mit klarem Wasser – auf diese Weise konnte sie sich an einer Unmenge von Limonade erfrischen, zu der sie sich dann, für besagte zehn Cents, ein Erdnußbutter-Rosinenbrot leistete. Ein Jahr lang betrieb sie diesen spartanischen Ernährungssport – und konnte danach zehn Jahre lang keine Erdnußbutter mehr sehen.

In diese Zeit der realistischen Bescheidenheit fällt dann das Engagement an die Eismaschinen-Reklame-Show und dessen vorzeitig provoziertes Ende durch Shirleys eigene Clownerie. Danach ereignet sich wirklich Entscheidendes: In einer New Yorker Bar der 45. Straße lernt Shirley MacLaine den Schauspieler, Regisseur und Producer Steve Parker kennen. Shirley gehörte inzwischen zum Corps de Ballet von »Me and Juliet« von Rodgers und Hammerstein am Broadway und spürte bereits beunruhigt die Wonnen der Wochengagen-Sorglosigkeit, als eine Ballettfreundin ihr den 13 Jahre älteren Mann vorstellt, der augenblicklich einen unauslöschlichen Eindruck auf sie machte. In ihrer Autobiographie beschreibt sie die Szene: »Er war mittelgroß, und als ich aufstand, damit er sich einen Stuhl heranrücken konnte, streifte ich heimlich meine hochhackigen Schuhe ab. Er merkte es aber doch und lächelte. Unsere Blicke trafen sich. Er hatte die blauesten Augen von der Welt, und ich kroch beinahe hinein. Seine Nase und seine Backenknochen waren wie gemeißelt, und seiner festen Kinnpartie sah man an, daß er genau wußte, was er wollte. Mir blieb vor Bewunderung der Mund offen.« Der Mann, in den sich Shirley bei dieser ersten Begegnung sofort verliebte, machte ihr vier Stunden später einen Heiratsantrag, den sie »als wohlerzogene junge Dame aus Virginia« erst am nächsten Morgen mit ihrem Jawort beschied. Und Steve Parker kommentierte »ohne Überraschung«, wie Shirley sich erinnert: »Fein, das wäre also abgemacht. Es war ja sowieso nur eine Frage der Zeit.« Zeit aber nahmen sie sich dann noch zwei ganze Jahre: »Unsere gegenseitige Zuneigung war so intensiv, daß wir bis 1954 reinweg vergaßen, zum Standesamt zu gehen«, notiert Shirley 16 Jahre später in ihrer Autobiographie. Sie schreibt damals auch – nach so vielen Jahren einer unkonventionellen, aber glücklichen Ehe, von der später die Rede sein wird und die dann doch 1983 in gegenseitigem

*Shirley mit Ehemann Regisseur Steve Parker*

Einvernehmen geschieden wird –, daß Steve Parker sie vom ersten Augenblick an richtig erkannt und eingeschätzt hat, inklusive des Zeitpunkts ihres Ja zur Heirat: »Er hatte damals wie immer recht. Er war und ist der einzige Mensch in meinem Leben, der sich nie in mir getäuscht hat. Er kennt mich besser, als ich mich selber kenne. Er weiß, was mir Leben gibt und nimmt. Und mit unserer Begegnung begann mein wahres Leben.«

In diesem wahren Leben spielte dann bald der Zufall eine wichtige Rolle – ein Phänomen, das es in Shirleys Leben immer wieder geben sollte und an das sie mit fast mystischer Inbrunst glaubt. War nicht auch die Begegnung mit Steve Parker ein Zufall? Es kommt schließlich nur darauf an, genügend Instinkt zu haben, um die zufällige Situation zu erkennen und dann aus eigener Kraft mit ihr und aus ihr etwas zu machen. Und das hat Shirley MacLaine, die Neugierige, Wissensdurstige, Aktive, immer verstanden. Untätigkeit war ihr schon von klein auf fremd. »Mir zu sagen, ich solle nichts tun, nichts arbeiten, ist genauso, wie von einer 747 zu verlangen, sie solle nicht fliegen«, erklärte sie 1978 Janet Maslin in einem Interview, für die New York Times. Also hörte sie trotz der Verliebtheit und des inspirierenden Zusammenseins mit Steve Parker nicht auf zu arbeiten – obwohl sie all das Neue, das sie durch Steve kennenlernte, unglaublich faszinierte und beanspruchte. Sie las Bücher, von deren Existenz sie vorher keine Ahnung gehabt hatte, und der erfahrene Weltenbummler Steve weckte ihre Abenteuerlust und ihren Erlebnishunger, die sich gerade etwas beruhigt hatten, wieder aufs neue. »Du mußt Menschen studieren, um dich selbst zu erkennen«, sagte er, und Shirley erinnerte sich an das wunderbare Gespräch, das sie mit ihrer Mutter hatte, als sie ihr ihren Entschluß mitteilte, nach New York zu gehen. Die Mutter hatte ihr etwas ganz Ähnliches über ihre Zukunft als Tänzerin und Darstellerin gesagt, was Steve jetzt eigentlich nur noch ergänzte: Durch das Studieren von Menschen findet man nicht nur einen Weg zur Rollendarstellung, sondern auch zu sich selbst.

Shirley war wieder Chorus-Girl – ein Job, den sie bereits bestens beherrschte. Noch während ihrer Schulzeit mit 16 in den Sommerferien war sie am New Yorker City Center in »Oklahoma!« aufgetreten und dann später, bereits vor »Me and Juliet«, in »Kiss Me, Kate« am Music Circus in Lambertsville, New Jersey. Diesmal hatte sie sich auf Betreiben von Steve bei der

*Talent aus Disziplin und Training – Shirley bei der Bühnenprobe*

Hal-Prince-Broadway-Produktion von »The Pyjama Game« (»Picknick im Pyjama«) beworben. Sie wurde engagiert und, nach dem üblichen Probelauf der Inszenierung in der Provinz, am Tag vor der New Yorker Premiere zur zweiten Besetzung für den Star Carol Haney ernannt. Regisseur George Abbott und Producer Prince versicherten Shirley allerdings, dies sei eine reine Formsache, da die Haney dafür bekannt war, selbst noch halbtot auf der Bühne zu stehen. Am 9. Mai 1954 war Broadway-Premiere – rauschender Erfolg, vor allem auch für den Star, so daß Shirley bereits ihr Schicksal für die nächsten Jahre als »Pyjama«-Chorus-Girl für besiegelt hielt: sichere Wochengage, ja, aber dafür auch die unendliche Eintönigkeit frustrierend inspirationsloser Routine. Nach der ersten Mittwochsnachmittagsvorstellung saß sie mit Steve beim Abendessen, als das Telefon klingelte und man ihr die zweite Besetzung der Operette »Can-Can« anbot. Shirley bat um Bedenkzeit, besprach sich mit Steve und entschloß sich, das Angebot anzunehmen. Es war die einzige Chance, dem voraussichtlich jahrelangen Hupfdohlen-Dasein als Dritte von links beim »Picknick im Pyjama« zu entkommen. Gedacht – getan: Noch während des Essens schrieb sie die Kündigung, die sie bei der Abendvorstellung abgeben wollte. Sie machte sich auf den Weg zum Theater, die U-Bahn blieb in einem Tunnel stecken, und kam eine halbe Stunde zu spät an – am Eingang von einem nahezu hysterischen Hal Prince empfangen. Der berühmte Zufall war eingetreten, die Wirklichkeit hatte wieder einmal die kühnsten Vorstellungen übertroffen: Carol Haney hatte sich den Fuß gebrochen, und Shirley mußte für sie auf die Bretter. Und das, ohne eine einzige Probe.

Shirley MacLaine schaffte es. Bei ihrem ersten Text merkte sie schnell, daß sie Pausen einlegen mußte, um den Pointen und dem Publikum eine Chance zu geben; Carol Haneys ersten Song »Hernando's Hideaway« übernahm ihr Partner; und der Höhepunkt im zweiten Akt mit der Tanz- und Gesangsnummer »Steam Heat« für zwei Männer und eine Frau ging publikumswirksam schief: Die drei hatten nach einem Crescendo-Finale in der Musik einen kunstvoll-präzisen Jongleur-Akt mit ihren Melonen in absoluter Stille zu absolvieren – Shirley ließ ihren Hut fallen, er rollte bis zur Rampe, wo sie ihn abfing und ihr ein bis in die ersten Reihen wohl hörbares »Shit!« entfuhr. Mit einem

Schwung knallte sie sich die Melone auf den Kopf und grimassierte mit leichtem Schulterzucken eine Art Entschuldigung ins Publikum. Beim Schlußapplaus tobten die Zuschauer vor Begeisterung, und das Ensemble auf der Bühne trat einen Schritt zurück und applaudierte mit. Immer wieder hob sich der Vorhang für den langanhaltenden Beifall. Shirley erinnert sich: »Alles war anders geworden. Training, Arbeit und Kampf waren auf eine höhere Stufe gerückt. Talent besteht bekanntlich aus 99 Prozent Transpiration.«

Einen Monat lang stand sie als Star in »Picknick im Pyjama« auf der Broadway-Bühne – und hatte Erfolg, nicht zuletzt dank ihrer eisernen Willenskraft, mit der sie täglich und allnächtlich mit Steve an der Perfektion dieser Rolle weiterarbeitete, erbarmungslos gegen sich selbst an jeder Nuance feilte und probte, probte, probte. Wieder einmal erwies sie sich als »Kraftwerk« – ein Spitzname, den sie schon als Kind in Richmond hatte, weil sie, durch Baseball trainiert, auf die Jungs losging, die ihren drei Jahre jüngeren Bruder Warren verprügeln wollten. Und Shirleys Ehrgeiz machte sich bezahlt: Hollywood meldete sich, und das Märchen, das ihr der Zufall eröffnet, das Glück, das ihr das Pech des Show-Stars Haney gebracht hatte, setzten sich fort.

Schon bei ihrem zweiten Einspringen für Carol Haney kam Produzent Hal Wallis, der Entdecker von Dean Martin und Jerry Lewis, in die Vorstellung. Am Ende wartete er vor dem Bühneneingang auf Shirley und teilte ihr lakonisch mit daß er sie heute abend entdeckt hätte. Er bot ihr – bei einem gemeinsamen Essen im Plaza-Hotel, an dem auch Steve Parker teilnahm – einen Siebenjahresvertrag mit Nebenrechten, die der millionenschwere Hollywood-Produzent allerdings größtenteils sich selbst vorbehielt. Die Parkers hielten ihn eine Weile hin, andere Agenturen meldeten sich, ein dringend notwendiger Manager wurde gefunden, der schließlich mit Hal Wallis einen leicht modifizierten Fünfjahresvertrag aushandelte. Shirley unterschrieb, obwohl ihr Broadway-Produzent Hal Prince sie warnte, es sei für sie noch zu früh, nach Hollywood zu gehen, man werde sie dort nur als kleines Starlet unter unendlich vielen handeln.

Doch Shirley MacLaines Glückssträhne dauerte an. Carol Haney, die nach vier Wochen wieder auf der Bühne stand und Shirley erneut in den Chorus-Hintergrund verwies, erkrankte nach weiteren zwei Monaten an einer Kehlkopfentzündung – wieder

*Gruppenbild mit Leiche: Mildred Natwick, Edmund Gwenn, Shirley MacLaine mit Übeltäter Jerry Mathers und John Forsythe in ›Immer Ärger mit Harry‹*

stand Shirley als Star im gleißenden Scheinwerferlicht. Hollywood saß auch an diesem Abend im Publikum – in Gestalt eines Agenten des Suspense-Meisters Alfred Hitchcock. Der suchte nämlich eine Hauptdarstellerin für seinen nächsten Film *The Trouble With Harry* (Immer Ärger mit Harry), und sein Agent hielt Shirley für die Richtige. Daß sie bereits einen Vertrag mit Hal Wallis hatte, wußte Hitchcock, und er wußte auch, daß er sich mit Wallis einigen würde, falls Shirley ihm gefiel.

Und sie gefiel. Hitchcock-Agent Herbert Coleman, der erst nach der Vorstellung hinter der Bühne gemerkt hatte, daß er gar nicht die im Programm angekündigte Hauptdarstellerin Carol Haney gesehen hatte, lud Shirley für den nächsten Tag zu Probeaufnahmen ins New Yorker Paramount-Büro. Kein Geringerer als Hollywood-Regisseur Daniel Mann leitete den Screen-Test; er hatte zwei Jahre zuvor erfolgreich seinen ersten Film *Kehr zurück, kleine Sheba* gedreht, mit Burt Lancaster und Shirley Booth, die dafür den weiblichen Hauptrollen-»Oscar« bekommen hatte. Manns Kommentar zu Shirley MacLaines Probeaufnahmen: »Nahezu genial!«

Hitchcocks Reaktion muß ähnlich gewesen sein. Jedenfalls bestellte er Shirley zu einem Gespräch in seine Hotelsuite im St. Regis. Er fragte, in welchen Filmen sie bisher gespielt hätte. Sie antwortete wahrheitsgemäß, daß sie leider noch in gar keinem gewesen war. Auch seine Frage nach einer Fernsehshow mußte sie dem gedankenvoll im Zimmer auf und ab schreitenden

*Der Beginn mit einer schwarzen Komödie: Mildred Natwick, Shirley MacLaine, Edmund Gwenn in ›Immer Ärger mit Harry‹. Sheriff Royal Dano mit abgeschnittenem Kopf*

29

»Hitch« verneinen. Sie sah ihre Felle schon davonschwimmen und stellte mutig die bange Frage: »Soll ich nicht lieber gehen?« Woraufhin der schlaue, im Filmbetrieb erfahrene und pragmatische Hitchcock heftig Einspruch erhob: »Von wegen! Ihre Aussagen zeigen mir, daß ich Ihnen weniger schlechte Angewohnheiten austreiben muß als den anderen. Sie sind engagiert. Ich brauche Sie in drei Tagen in Vermont. Können Sie das schaffen?«

Shirley konnte, obwohl ihre Broadway-Produzenten sie nur ungern entließen und unkten, sie werde sowieso bald wieder zurückkommen. Zwischen ihren beiden letzten *Picknick im Pyjama*-Auftritten ging sie mit Steve Parker aufs Standesamt – ihre Flitterwochen waren die Dreharbeiten zu *Immer Ärger mit Harry*. Hitchcock, der Shirley nach Drehschluß als »große dramatische Schauspielerin« lobte, war als Filmprofi über ihren frischen Ehestatus ziemlich ungehalten: »Warum, zum Teufel, mußte sie gerade am Start ihrer Karriere heiraten? Sie hätte sich von nichts und niemandem aufhalten lassen dürfen!« Er konnte damals freilich weder ahnen, daß sie sich tatsächlich in der Folgezeit durch nichts und niemanden von ihrer Karriere abhalten lassen würde, noch daß diese Ehe sich als eine der unkonventionellsten – nicht nur für Hollywood – herausstellen sollte.

Einen Vorgeschmack auf Hollywood bekam Shirley noch unmittelbar vor ihren ersten Filmerfahrungen, ausgerechnet in der Hochzeitsnacht. Es hatte sich in Windeseile herumgesprochen, daß Hitchcock sie engagiert hatte, und die Vertreter diverser Agenturen von Famous Artists bis William Morris rannten dem frisch getrauten Paar buchstäblich das Brautgemach ein. Das heißt: Sie warteten schon am Bühneneingang nach Shirleys letzter Broadway-Vorstellung, rasten dann in das bescheidene kleine Hotel, das Mr. und Mrs. Parker gebucht hatten, und von dort begann die große Umzugs-Karawane zu Fuß zum Sherry-Netherland-Hotel, wo die Famous Artists die Hochzeitssuite für den aufgehenden Star gemietet hatte – selbstverständlich mit einem pompösen kalten Buffet, Kaviar reichlich, Champagner in Strömen. An romantische Zweisamkeit war in dieser Nacht nicht mehr zu denken. Steve Parker animierte die Agenten-Meute erfolgreich zum Trinken, und morgens um sieben war die Welt der Luxussuite in schönster Unordnung. Die überall schlafend herumliegenden Agenten konnten Shirley und Steve nun

*Da rührt sich nichts mehr: Shirley MacLaine mit dem Übeltäter Jerry Mathers in ›Immer Ärger mit Harry‹*

nicht mehr daran hindern, sich schnell umzuziehen, die Koffer zu packen und zum Flughafen zu fahren – nicht ohne vorher noch auf dem Prunkbett herumgesprungen zu sein, um es nicht total unbenutzt zu hinterlassen. Das Flugzeug brachte sie nach Vermont, wo am nächsten Tag die Dreharbeiten von *Immer Ärger mit Harry* begannen.

Hitchcock nannte diesen Film später den englischsten seiner amerikanischen Filme. Der makabre Humor, so erklärte er gegenüber François Truffaut, sei ein rein britisches Genre: »Ich habe diesen Film gedreht, um zu beweisen, daß auch ein amerikanisches Publikum englischen Humor goutieren kann, und das hat dann auch gar nicht so schlecht geklappt, da, wo der Film das Publikum erreicht hat.« Erfolgreich war *Immer Ärger mit Harry* seinerzeit jedoch nicht, weder in Amerika noch sonstwo in der Welt. Man hatte sich vom Meister mehr Suspense erwartet –

auch in Deutschland, wo die Süddeutsche Zeitung den Film bei-spielsweise »merkwürdig harmlos« fand. Nur in England und Frankreich, wo die Leute einen Sinn dafür haben, sich über Din-ge zu amüsieren, die andere gewöhnlich völlig ernst nehmen, wie etwa den Tod, kam der Film gut an. Erst heute, rund 30 Jah-re später, lernt man die hintersinnigen Qualitäten dieser heiter-sanften Komödie mit ihren leuchtenden Herbstfarben der Ver-monter Landschaft schätzen.

Die Story beginnt damit, daß der vierjährige Arnie Rogers bei einem Spaziergang durch den Wald plötzlich drei Schüsse hört und kurz darauf über einen toten Mann stolpert. Erschrocken läuft er nach Hause und holt seine Mutter Jennifer (MacLaine), die in dem Toten ihren zweiten Ehemann Harry erkennt. Sie hatte ihn seinerzeit, nachdem er in der Hochzeitsnacht nicht aufgetaucht war, am Morgen danach verlassen und war unter anderem Namen in dem kleinen Ort in Vermont untergetaucht. Jetzt hatte Harry sie wieder besucht, und sie hatte ihn kurzer-hand mittels eines Schlages mit einer Milchflasche auf den Kopf vertrieben. Infolgedessen ist sie beim Anblick des Toten nicht besonders berührt und geht mit ihrem kleinen Sohn wieder nach Hause. Jetzt findet der alte Captain Albert Wiles (Edmund Gwenn) die Leiche – und glaubt, daß er diesen Mann tödlich ge-troffen hat, während er auf Hasen schoß, verbotenerweise vor der Jagdsaison. Ein abgerissener Tramp taucht auf, der Harrys Schuhe stiehlt. Captain Wiles beobachtet ihn aus seinem Ver-steck hinter einem Baum und sieht gleich darauf, wie der kurz-sichtige Dr. Greenbow über Harry stolpert, ohne ihn zu sehen. Als die Luft rein ist, zieht der Captain die Leiche aus der offenen Lichtung in die Büsche und wird dabei von Miß Gravely (Mil-dred Natwick) überrascht. Die schrullige alte Jungfer fragt ihn ungerührt: »What seems to be the trouble, Captain?« und ver-spricht, ihm zu helfen – nach einer heißen Tasse Tee und Blau-beertörtchen in ihrem Haus. Jetzt taucht Sam Marlowe (John Forsythe – bei uns zu spätem Ruhm gekommen als Blake Car-rington im TV-*Denver Clan*) auf, ein junger, erfolgloser Maler, der sich sofort hinsetzt und Harry porträtiert. Der Captain kommt hinzu, gesteht »sein Verbrechen«, gewinnt Sams Sym-pathie, und die beiden begraben Harry unter den Ahornbäu-men. Inzwischen ist in der Gegend ein Tramp mit neuen Schu-hen aufgefallen, was den Deputy Sheriff auf den Plan ruft. Und

*Der Meister zeigt, was gemacht werden muß: Alfred Hitchcock mit Shirley MacLaine und John Forsythe bei den Dreharbeiten zu ›Immer Ärger mit Harry‹*

Miß Gravely gesteht dem Captain, daß sie es war, die Harry durch einen kräftigen Schlag auf den Kopf mit einem ihrer Wanderschuhe getötet hat – in Notwehr, sozusagen. Beide beschließen, die Leiche zu exhumieren. Sam, der sichtlich Gefallen an Jennifer findet und sich von ihr die Geschichte ihrer Ehe – oder besser: Nicht-Ehe – mit Harry erzählen läßt, wird nun auch von Miß Gravely, die ihre vermeintliche Schuld gesteht, als Komplize eingeweiht. Er gibt überzeugend zu bedenken, daß das Auffinden der Leiche für die beiden Damen einen öffentlichen Skandal bedeuten würde. Also begraben sie Harry aufs neue. Doch Sam und Jennifer entdecken ihre gemeinsame Liebe füreinander und beschließen zu heiraten. Dafür allerdings brauchen sie wieder die Leiche – als Beweis für Jennifers Witwenstand. Harry wird wieder ausgegraben. Durch diese mehrmalige Behandlung sieht er inzwischen reichlich ramponiert aus, und die vier beschließen, ihn wieder herzurichten. Zu Hause bei Jennifer waschen und bügeln sie in Windeseile seine Kleidung und legen Harry solange in die Badewanne. Mitten in dieser Arbeit erscheint der Deputy Sheriff mit Sams Harry-Porträt – es gleicht der Beschreibung, die der Tramp von dem Toten gegeben hat, aufs Haar. Die drohende Gefahr kann von den vier komischen Leichenfledderern noch einmal abgewendet werden. Dr. Greenbow kommt und stellt als Harrys Todesursache ein ganz banales Herzversagen fest. Von jeglicher Schuld befreit, können die handelnden Personen einem Happy-End entgegensehen. Ein dafür immer brauchbarer Millionär tritt auch noch rechtzeitig auf und kauft Sam alle Gemälde ab. Für ein unkonventionelles Entgelt: Jeder bekommt ein Geschenk nach seinen eigenen Wünschen. Der Heirat von Sam und Jennifer steht nichts mehr im Wege, und auch der Captain und Miß Graveley sind sich entscheidend nähergekommen. Die vier bringen den restaurierten Harry wieder in die Waldlichtung, so daß der kleine Arnie ihn wieder entdecken kann – so, als wäre alles, was sich ereignet hat, nie geschehen. Und während die zwei frisch zusammengefundenen Paare auf Arnies Ankunft warten, erfährt man endlich, was Sam sich, leise flüsternd, von dem Millionär gewünscht hat: ein Doppelbett.

So hat Hitchcock am Ende dieses innerhalb seines Gesamtrepertoires ungewöhnlichen Films doch noch einen kleinen Frage-Suspense hineingebracht. Das sei, wie Hitchcock zu Truffaut

*Auf der Lauer: Edmund Gwenn, Mildred Natwick, John Forsythe und Shirley MacLaine in ›Immer Ärger mit Harry‹*

sagte, die Idee des Drehbuchautors John Michael Hayes gewesen und die einzige Veränderung des dem Film zugrundeliegenden englischen Romans von Jack Trevor Story. Hitchcock: »Das entspricht dem Crescendo oder der Coda in meinen anderen Filmen.«

Shirley MacLaine erhielt, im Gegensatz zum Film, gute Kritiken für ihr Leindwand-Debüt. Die New York Times lobte ihre »besonders entwaffnende Screwball-Sanftmut«. Eine offene, unbefangene junge Frau, so natürlich wie das Mädchen von nebenan – das war das Image, das Shirley durch diesen ersten Film lange blieb. Doch es ist nur eine der vielen Seiten ihrer facettenreichen Persönlichkeit. Hitchcock sagte mit trockenem britischen Understatement zu Truffaut: »›The Trouble With Harry‹

war Shirley MacLaines erster Film. Sie war ausgezeichnet, und sie hat es ja hinterher auch zu etwas gebracht.«

Shirley selbst betrachtete ihren Eintritt in die Welt des Films mit ziemlich gemischten Gefühlen. Schon die strenge Hierarchie am Drehort irritierte sie maßlos. Als sie ihr Mittagessen unter einem der farbenprächtigen Bäume im herbstlichen Vermont zusammen mit ihrem Maskenbildner und ihrer Friseuse einnahm, wurde sie von dem Regieassistenten gerügt – sie hätte gefälligst an dem Tisch mit dem extra für sie aufgelegten Silberbesteck zu essen. Schließlich sei sie der Star. Aber sie fühlte sich immer noch als Chorus-Girl, sah voller Trauer, daß sich ihre zwei bis dahin einzigen Freunde im Team zurückzogen und zog widerwillig ihre hochhackigen Schuhe an: »Ein Star kann nicht barfuß zum Tisch der Herren gehen.« Dieser Tisch – und das war auch eine neue Erfahrung für Shirley – war immer reichlichst für sie gedeckt, ohne daß sie jemals eine Rechnung sah. Dieser angenehme Umstand der bezahlten Spesen und ihr angeborener, höchst irdischer Appetit zeitigten eine untrügliche Erfolgswirkung. Hinzu kam, daß man beim Gourmet Hitchcock natürlich kein phantasieloses Kantinen-Essen vorgesetzt bekam, sondern neben Hummer und gewaltigen Steaks mit gebackenen Kartoffeln und Sauerrahm auch alle süßen Köstlichkeiten von Apfelkuchen über Sahnetörtchen bis zu Eiscreme und Borkenschokolade. Shirley notiert: »Nach drei Wochen hatte ich 25 Pfund zugenommen. Bei Beginn der Dreharbeiten war ich noch elfenhaft schlank, aber als wir den Film-Harry zum letztenmal begruben, glich ich einem Luftschiff.«

In Hollywood, wo *Immer Ärger mit Harry* im Studio zu Ende gedreht wurde, kam das junge Ehepaar Parker mit ganzen eineinhalb Dollar an. Shirleys Gage war für die Bezahlung der New Yorker Schulden draufgegangen. Auf Kredit kauften sie sich für 45 Dollar einen gebrauchten grünen Buick und mieteten sich eine winzige Einzimmerwohnung in einem Pfahlbau an der Küste von Malibu. Die Hollywood-Villen, die sie zum erstenmal mit staunenden Augen sahen, waren damals noch nicht ihre Welt – und sollten es auch später nie wirklich werden.

Aber Hollywood, der Film, bestimmt jetzt den weiteren Verlauf von Shirley MacLaines Leben und Karriere. Nach der Premiere von *Immer Ärger mit Harry,* zu der sie sich noch ein abgelegtes Abendkleid von Joan Crawford aus dem Fundus geliehen hatte, wurde sie schnell als aufsteigender junger Stern bekannt. In den Kritiken, die ihr knuspriges frisches Gesicht und ihr komödiantisches Talent lobten, stieß sie auch immer wieder auf das Modewort »kooky«, das ihr bald wie eine Klette anhaften sollte und mit dem man schlichtweg alles bezeichnete, was sie an sich hatte, tat und sagte. Die Bedeutung dieses Wortes liegt irgendwo zwischen fröhlich, spinnert und komisch. Shirley selbst versuchte mit der ihr eigenen Neugier, der Herkunft und damit auch dem wahren Sinn dieses merkwürdigen Wortes auf den Grund zu kommen. Das Stammverwandteste, was sie im Lexikon fand, war der australische Vogel »Kookaburra«, den man auch »Lachender Hans« nannte.

Für die Regenbogenpresse, die Filmmagazine und die Klatschkolumnisten war Shirley jedenfalls ein willkommenes neues Objekt der Schreib-Begierde. Daß sie mit einem netten Mann verheiratet ist und beide sehr verliebt ineinander sind, aber nicht in einer Villa mit Swimmingpool, sondern in einem Einzimmer-Pfahlbau am Strand wohnen, daß sie kein Abendkleid und keinen Nerz besitzt – das alles hatte es auch bei einem neuen Star in Hollywood noch nicht gegeben. Und ein Star war Shirley – sie hatte schließlich die weibliche Hauptrolle in einem Hitchcock-Film gespielt –, auch wenn sie selbst diesen Status mit den spezifischen Begleiterscheinungen dieser Art von Berühmtheit nicht wahrhaben wollte. Sie wollte nichts anderes als das, was sie konnte, mit allen ihr zur Verfügung stehenden Kräften tun – in diesem Punkt hatte sie sich nicht geändert. Bis heute hat sie, dank ihres starken Charakters, diese Einstellung beibehalten.

Nach ihrem so erfolgreichen Kino-Debüt trat Hal Wallis, bei dem sie ja noch unter Vertrag stand und der sie nur an Hitchcock ausgeliehen hatte, auf den Plan. Er war ihr Boß und betrachtete sie als sein Eigentum. Aber sie wollte nicht »wie eine Büchse Erbsen verkauft werden«. Vielmehr war sie bereit, hart zu arbeiten und mit aller Energie ihre Leistungen zu verbessern. »Eine Büchse Erbsen hat das gar nicht nötig«, schreibt Shirley in ihrer Autobiographie. »Sie wird von einem Regal aufs andere geschoben und je nach Marktlage weiterverkauft. Ab und zu wird das Etikett aufgefrischt, um die Käufer anzulocken. Das Markenzeichen wird eingepreßt, und wenn das Stempeleisen weh tut ... Nun, Gemüsekonserven spüren ja nichts. Statt empfindlicher Nerven haben sie ihren Produzenten, und der weiß alles am besten. Sollte eine kleine grüne Erbse eines Tages zu denken anfangen, so gäbe es einen schönen Aufruhr in der Fabrik. Meine kleine, runde Grüne-Erbsen-Rebellion mußte eines Tages kommen, aber ich brauchte noch etliche Jahre, um genügend Munition zu sammeln.«

Wallis also nahm die Erbse Shirley MacLaine vom Regal und gab ihr eine Rolle neben Dean Martin und Jerry Lewis in *Artists and Models (Maler und Mädchen)*. Und die Rolle war haargenau so, wie Shirley bei ihrer ersten Begegnung mit Wallis befürchtet hatte: eines dieser Mädchen, die in seinen Filmen »immer in gelben Sonnenhöschen treppauf und treppab rennen«. Mit wenig Begeisterung ging sie also in diesen Film, der ein typisches Dean-Martin-Jerry-Lewis-Vehikel war, aber durch den Regisseur und Drehbuch-Coautor Frank Tashlin einen charakteristischen Witz und brillanten Humor voller In-Jokes erhielt. Es wurde Shirleys erster Film mit Dean Martin, mit dem sie noch in vier weiteren Filmen spielen sollte. Die beiden freundeten sich miteinander an. Diese Freundschaft, die bis heute ungebrochen andauert, erblühte jedoch erst richtig drei Jahre später, 1958, mit dem Film *Some Came Running (Verdammt sind sie alle)*, in dem auch Frank Sinatra mitspielte: Shirley wurde – als einzige Frau – in die »Rat Pack« genannte Clique aufgenommen, zu der außerdem noch Sammy Davis jr. und Peter Lawford gehörten. In »Maler und Mädchen« hatte Shirley MacLaine zum erstenmal Gelegenheit, auf der Leinwand zu singen: In besagtem gelbem Sonnenanzug nimmt sie den Refrain von Dean Martins »Innamorata« auf. Obwohl ihre Stimme ziemlich dünn ist, serviert sie diesen Song in fröhlicher Ungezwungenheit, drapiert sich dabei auf der Treppe und streckt dekorativ ihre langen Beine, um Jerry Lewis' Aufmerksamkeit auf sich zu ziehen.

Sie selbst aber konnte, auch im nachhinein, dieser Rolle nicht viel abgewinnen. In ihrer Autobiographie schreibt sie: »Meistens rannte ich durch die Szenen und kreischte: ›In welcher Richtung sind sie abgehauen?‹ Und wenn ich Jerry dann endlich erwischte (ich bekam Jerry zugeteilt, meine Mitspielerin kriegte Dean), mußte ich mich auf ihn stürzen, ihn zu Boden reißen und festhalten. Damit verkörperte ich all die armen Mädchen im Publikum, die nie zu einem Mann kommen, wenn sie ihn nicht fest-

*Shirley MacLaine in ihrem zweiten Film ›Der Agentenschreck‹*

nageln. Ich glaube, damals merkte ich zum erstenmal, daß es
möglich ist, die Leute gleichzeitig zum Lachen und zum Weinen
zu bringen.«

So hatte Regisseur Frank Tashlin seinen Film *Artists and Models*
sicher nicht gemeint ...

Den ehemaligen Comic-Zeichner Tashlin, Miterfinder von

»Porky Pig« und »Bugs Bunny«, Gagman bei den Marx Brothers, Laurel & Hardy, Bob Hope, Red Skelton und anderen, interessierten die Grotesk-Elemente des Stoffes. Zusammen mit Hal Kanter und Herbert Baker schrieb er das Drehbuch nach dem Stück »Rockabye Baby« von Michael Davidson und Norman Lessing. *Maler und Mädchen,* der – sozusagen als Jerry-Lewis-Film – auch noch den deutschen Titel *Der Agentenschreck* trug, ist ein charakteristischer Tashlin-Film. Die Personen sind Typen eines Karikatur-Amerika – fleischgewordene Comics, die den gleichen Gefahren, Angriffen, Manipulationen und Destruktionen ausgesetzt sind wie die Figuren der gezeichneten Welt. Außerdem ist der Film Tashlins erste Zusammenarbeit mit Jerry Lewis, der damals noch mit Dean Martin zu haben war, bevor sich das populäre Duo ein Jahr und zwei Filme später nach zehnjähriger Show- und Kino-Zweisamkeit trennte. Tashlin, der in Jerry Lewis seinen idealen Protagonisten gefunden hatte, sollte in den folgenden Jahren einen großen Einfluß auf den einzigartigen Komiker haben.

Als Eugene Fullstack ist Jerry Lewis in *Maler und Mädchen* ein tolpatschiger und naiver Verfasser von Kinderbüchern, die nie einen Verleger finden. Eugene verschlingt Comics, vorzugsweise blutrünstige, voller Vampire und Dämonen. Sein Freund Rick Todd (Dean Martin) ist ein smarter Frauenheld und frustrierter Maler. Beide leben im New Yorker Künstlerviertel Greenwich Village in ständiger Geldnot.

Eines Tages aber winkt Rick die große Chance: Mr. Murdock (Eddie Mayehoff), marktbeherrschend auf dem Gebiet der von Eugene so manisch verschlungenen Comics, bietet ihm einen Job als Illustrator. Rick hat für diese Trivial-Kunst eigentlich nicht viel übrig, aber Geld ist schließlich Geld. Und außerdem hat er ja Eugene, der ihn inspiriert – denn dessen Comic-Lektüre löst die wildesten, schrecklichsten Alpträume aus, die Eugene jede Nacht, die Greenwich Village werden läßt, lautstark träumt. Rick muß nur aufmerksam zuhören, dann hat er die aufregendsten Stories, die ihm seine eigene, auf diesem Gebiet ohnehin nicht besonders ausgeprägte Phantasie nie liefern könnte. Bei Murdock lernt Rick die Zeichnerin Abigail Parker (Dorothy Malone) kennen, die Erfinderin der »Bat Lady«, jener Comic-Figur, die Eugene zur großen Liebe seines Lebens erklärt hat. Frauenheld Rick setzt seinen ganzen unwiderstehlichen

Charme in Bewegung und verfolgt Abigail mit so rasender Leidenschaft, daß sich der Erfolg seiner Bemühungen tatsächlich einstellt. Eugene hingegen macht die Bekanntschaft von Mr. Murdocks quirliger Sekretärin Bessie Sparrowbush (MacLaine), die sich ihm wie wild an die Fersen heftet und alle Register erotischer und sexueller Hochspannung zieht, um seine Aufmerksamkeit auf sich zu ziehen. Doch Eugene, der so sehr in seiner Comic-Welt lebt, daß er der Realität eines leibhaftigen Mädchens gegenüber blind ist, erkennt in Bessie nicht das lebende Vorbild für seine angebetete Heldin. Niemand anders als Bessie nämlich stand ihrer Freundin Abigail Modell für die »Bat Lady«.

*Jerry Lewis und Shirley MacLaine in ›Maler und Mädchen/Der Agentenschreck‹*

Und trotzdem – die vier werden Freunde, und alles könnte seinen guten Gang gehen, hätte Eugenes Unterbewußtsein nicht eines Nachts in einem Traum die Hälfte einer streng geheimen militärischen Formel eines neuen Raketenantriebs ausgeplaudert. Als Rick diesen Traum Eugenes zu Papier bringt, gerät nicht nur die United States Army in Aufruhr, sondern auch die Russen nehmen die Spur auf und entsenden ihre Spionin Sonia (Eva Gabor), um die andere Hälfte der Geheimformel herauszufinden.

Beim großen Ball der Maler und Mädchen treiben die Turbulenzen der Handlung ihrem Höhepunkt entgegen. Im großen Auftrieb und allgemeinen Gewirr der aufwendigen Veranstaltung hilft Sonia beim Kidnapping von Bessie, die natürlich als »Bat Lady« verkleidet ist. Dieses Kostüm zieht nun Sonia an, um so problemlos an Eugene heranzukommen, der sich für diesen Ball in die Comic-Figur »Freddie the Fieldmouse« verwandelt hat. Es gelingt Sonia, Eugene in ein verlassenes Haus zu lotsen, in dem bereits wilde Gesellen warten, die Eugene das letzte Geheimnis des neuen Waffensystems entlocken wollen. In der Zwischenzeit findet Rick die gekidnappte Bessie, und gemeinsam rasen sie los, um Eugene zu retten. Gerade noch rechtzeitig zum großen Finale des Balls sind sie zurück – und aus dem Quartett der Hauptpersonen werden nun happyendgültig zwei Paare, während die Kamera sich langsam ausblendet.

In *Maler und Mädchen* war Shirley MacLaine nur eine Garnierung für einen Film mit Dean Martin und Jerry Lewis. Das stört jedoch nicht ihr Image des aufsteigenden Stars. Hollywood interessiert sich für sie, und sie ist fest entschlossen, an ihrer Filmkarriere weiter zu arbeiten. Steve Parker, der sie von Anfang an dazu ermutigt hat und immer im Hintergrund geblieben ist, hält nun den Zeitpunkt für gekommen, wieder an eigene Aufgaben zu denken. Shirley erinnert sich in ihrer Autobiographie, daß die »Flammenschrift« bereits an der Wand stand: »Mister MacLaine«. Und so verkündet Steve ihr eines Abends nach einem langen Strandspaziergang – sie wohnen immer noch in ihrem Pfahlbau – behutsam, aber bestimmt, daß er beruflich seine eigenen Wege gehen möchte. »Als wir heirateten«, sagt er, »wußte ich noch nicht genau, ob du das Zeug hättest, dich durchzusetzen. Jetzt weiß ich es, und das ist gut so, es ist wunderbar. Ich bin stolz auf dich, stolzer, als du ahnst. Aber ich will

*Shirley als Comic-Figur mit Jerry Lewis in ›Maler und Mädchen/Der Agentenschreck‹*

auch auf mich selbst stolz sein dürfen. Ich muß es. Ich möchte als Eigenpersönlichkeit gewertet werden und nicht nur dein Manager sein. Und ich weiß, daß auch du das gar nicht von mir verlangst. Wenn ich in Hollywood bleibe, bin ich immer und ewig Mister MacLaine. So ein Stigma wird man nie wieder los. Ich habe mir den Betrieb hier lange genug mit angesehen, um es zu wissen. All den armen Schweinen, die in derselben Lage wie ich sind, ergeht es so. Mir – uns – soll das nicht passieren. Ich brauche deine Hilfe und dein Verständnis, um wenigstens das zu bewahren, was wir haben. ... Ich sage dies alles, um unsere Ehe zu retten, nicht, um sie auffliegen zu lassen.«

Steve Parker hatte seine japanischen Verbindungen wieder aufgenommen und wollte am Theater in Tokio arbeiten. Als Sohn eines Schiffsingenieurs war er als Kind viel in der Welt herumgekommen und in Yokohama lange zur Schule gegangen. In Japan hatte er sich schon damals besonders wohl gefühlt. Später war er bei den ersten Truppen, die Hiroshima nach dem Abwurf der Atombombe sahen – voller Verzweiflung, daß sein eigenes Land die geliebte Wahlheimat seiner Kindheit so grausam zerstört hatte. Er fühlte sich beiden Welten zugehörig, und es stand für ihn fest, daß er eines Tages wieder in den Osten zurückkehren würde. Jetzt, an diesem Abend am Strand von Malibu, war dieser Tag in greifbare Nähe gerückt. Auf Shirley, die sich zwar darüber klar war, daß die gemeinsame Ehe problematisch geworden war, wirkte Steves Japan-Entschluß dennoch »wie ein betäubender Schlag«.

Von Steve getrennt zu sein konnte sie sich einfach nicht vorstellen. Bisher waren sie nie länger als maximal acht Stunden ohne einander gewesen. Und doch hörte sie sich, mitten in die abendliche Brandung hinein, mit gezwungener Leichtigkeit sagen: »Warum nicht? Wir können es ja mal versuchen.«

Steve Parker ging also nach Japan – und damit nahm Shirley MacLaines Leben eine Wendung, die ihr viel Kraft abforderte, aber auch eine große Stärke gab, die ihrem Naturell entsprach, neue Erfahrungen wie große Abenteuer zu erleben. Die Klatschkolumnisten schrieben sich die Finger in wildesten Spekulationen wund, aber Shirley ließ sich nicht beirren. Und sie sollte ihren Steve schon ziemlich bald wiedersehen – in Tokio, dem Drehort ihres nächsten Films *Around the World in 80 Days (In 80 Tagen um die Welt)*. Weihnachten 1955, nur eineinhalb Jahre, nachdem Shirley für Carol Haney auf der Bühne eingesprungen war, war das Ehepaar Parker in Japan wieder vereint.

Produzent Mike Todd, der in der Hollywood-Szene mitten im Todeskampf des Studio-Systems während des Wettrüstens um die größte Leinwand auftauchte, warf sich mit aller Kraft, Temperament, Talent und Chuzpe in das Jules-Verne-Projekt. *In*

*80 Tagen um die Welt* sollte der größte Film aller Zeiten werden. Was den Aufwand an Drehorten – 25 Locations rund um den Erdball – und an Stars – rund 50 in kurzen, prägnanten Gastauftritten – betrifft, ist es ihm gelungen. Und mit dem damals unerhörten Budget von sieben Millionen Dollar war *In 80 Tagen um die Welt* auch eine der teuersten Produktionen. Für sie wurde das Todd-AO-Verfahren erfunden, das ein optisch hoch qualitätsvolles Breitwand-Bild erzeugt. Der Film wird dabei im 65-mm-Format aufgenommen und auf 70 mm kopiert. Der verbleibende Raum auf den Kopien steht für sechs stereophonische Tonspuren zur Verfügung.

Jules Vernes klassischer Abenteuerroman war der ideale Stoff für spektakuläre Kino-Unterhaltung – damals, in den fünfziger Jahren, als man noch weit entfernt von High-tech-special-ef-

*Shirley als indische Prinzessin mit dem englischen Gentleman David Niven ›In 80 Tagen um die Welt‹*

fects war. Viel guter Suspense, eine Menge verschiedenartigster, schillernder Figuren und Schauplätze. Im Film – unter der Regie von Michael Anderson – wurde daraus eine spannende, kurzweilige Reisebeschreibung mit atemraubenden Ansichten exotischer Orte unter ständigem, pittoreskem Szenenwechsel. Todd besetzte den unerschrockenen Phileas Fogg, Inbegriff des korrekten Engländers, mit David Niven. Für dessen komischen Diener Passepartout fiel seine Wahl auf den mexikanischen Schauspieler Cantinflas, den Chaplin den »größten Komiker der Welt« nannte. Zur persönlichen Extravaganz, die Mike Todd sich mit diesem Film selbst gestattete, gehörte neben den Starauftritten von Marlene Dietrich, Charles Boyer, Peter Lorre, Fernandel, George Raft, Red Skelton und Frank Sinatra auch das Engagement der Newcomerin Shirley MacLaine in der Rolle der Maharani Aouda.

Shirley erinnert sich an die erste Begegnung mit Mike Todd: »Ich saß an einem riesigen Mahagonischreibtisch einem großmäuligen, aber bezaubernden Mann gegenüber. Seine Zigarre war länger als er, und er konnte in fünf Telefone zu gleicher Zeit sprechen. Er war eine kurzgewachsene, aber konzentrierte Ballung von Witz und Energie. Schon wie er hereinkam, war denkwürdig. Die Zigarre zwischen die Zähne geklemmt, noch damit beschäftigt, den Reißverschluß seiner Blue Jeans hochzuziehen, stürmte er wie ein Hurrikan in sein Büro, wo, wie aufs Stichwort in einem gut geprobten Bühnenstück, sofort alle fünf Telefone zu klingeln begannen. Während er, noch im Stehen, seinen Anzug vervollständigte und mit den Hörern jonglierte, führte er zwischendurch seine Unterhaltung mit mir.« Die verlief ziemlich lakonisch. Ohne lange Erklärungen teilte Todd Shirley mit, daß er sie für die Rolle einer entführten Hinduprinzessin brauche. Ihren Einwand, daß sie mit roten Haaren und Sommersprossen wohl nicht die richtige Besetzung dafür sei, wischte er mit der Anordnung weg, daß sie sofort zum Friseur gehen und sich die Haare schwarz färben lassen solle. Um die Sommersprossen würden sie sich in Tokio kümmern, wohin sie ebenfalls sofort fliegen müßte, um den Drehbeginn nicht zu verpassen. Shirley fügte sich und wischte ihrerseits alle weitere Skepsis über ihre Rollenbesetzung hinweg, hatte sie doch auf diese Weise die Möglichkeit, Steve wiederzusehen und noch dazu Japan, das Land, das er so liebte, zum erstenmal zu erleben.

Die Handlung von *In 80 Tagen um die Welt* beginnt am 2. Oktober 1872 abends. Pünktlich um 19.45 Uhr verlassen zwei Reisende London: Phileas Fogg (David Niven), ein ebenso untadeliger wie unerschütterlicher englischer Gentleman, und sein getreuer Kammerdiener Passepartout (Cantinflas). Um eine Wette von 20.000 Pfund zu gewinnen, wollen sie versuchen, eine Reise um die Welt in der unglaublich kurzen Zeit von 80 Tagen zu machen.

Ihre erste Station ist Paris. Ein Droschkenkutscher (Fernandel) bringt sie zum Reisebüro, von dessen Chef (Charles Boyer) sie erfahren, daß die Straße nach Marseille von einer Lawine blokkiert ist. Fogg mietet daraufhin einen Freiballon und fliegt mit Passepartout südwärts, nachdem dieser fast dem Charme einer Pariserin (Martine Carol) erlegen wäre. Zu ihrem Schrecken landen sie allerdings nicht in Marseille, sondern in Spanien. In der Taverne »Zu den sieben Winden« machen sie die Bekanntschaft des arabischen Scheichs Achmed Abdullah (Gilbert Roland), dem Passepartouts improvisierte Stierkampf-Imitation so gut gefällt, daß er den Weltreisenden seine Segelyacht bis Marseille zur Verfügung stellt – unter einer Bedingung: Passepartout muß seinen Mut vor einem echten Kampfstier in der Arena beweisen. Fogg zittert um seinen Diener, doch der Stier ist von Passepartouts unorthodoxer Kampfweise so irritiert, daß der Kammerdiener als Sieger hervorgeht und zum Held des Tages wird. Die Weiterreise ist gesichert.

In Suez bekommen Fogg und Passepartout Gesellschaft. Der Scotland-Yard-Detektiv Fix (Robert Newton) schließt sich ihnen an, in der Überzeugung, daß Fogg der Mann sei, der die Bank von England auszurauben versuchte. Da Fix jedoch keinen Haftbefehl hat, bleibt ihm nichts anderes übrig, als die beiden nicht aus den Augen zu lassen, bis sich die Möglichkeit einer Verhaftung ergibt.

Die nächste Etappe ist Bombay, wo Passepartout im letzten Moment den fahrenden Zug erwischt, der ihn vor einer wütenden Volksmenge in Sicherheit bringt. Völlig ahnungslos hat er ein heiliges Rind zu einem Stierkampf herausgefordert und außerdem einen Tempel mit Schuhen betreten. Dieses zweifache Sakrileg erregte den Zorn der Hindus. Die beiden Weltreisenden finden in Indien einen neuen Gefährten, den englischen Brigadegeneral Sir Francis Cromarty (Sir Cedric Hardwicke).

Plötzlich jedoch endet die Eisenbahnfahrt im Dschungel – der letzte Streckenabschnitt von 50 Meilen bis Allahabad wurde noch nicht fertiggestellt. Fogg und seinen Begleitern bleibt nichts anderes übrig, als sich dem Rücken eines riesigen Elefanten anzuvertrauen, um das Schiff nach Kalkutta nicht zu versäumen.

Unterwegs stoßen sie auf eine religiöse Prozession. Ihr Elefantentreiber erklärt ihnen, daß die Leiche eines alten Maharadschas verbrannt werden soll und mit ihm, der grausamen Landessitte entsprechend, seine junge, schöne Witwe, Prinzessin Aouda (MacLaine). Als Fogg und der General hören, daß sie in England erzogen worden sein soll, sind sie entschlossen, Aouda vor dem Verbrennungstod zu retten. Gesagt, getan. Fast wird Fogg in Kalkutta wegen Entführung der Maharani noch verhaftet, aber er hinterlegt eine Kaution und besteigt mit Aouda und Passepartout das Schiff nach Hongkong. Fix ist ihnen immer noch auf den Fersen. Während Fogg die Prinzessin in Hongkong ins Hotel begleitet, macht Passepartout sich auf den Weg, um Kabinenplätze für die Weiterreise nach Yokohama zu beschaffen. Auf einem Strauß reitet er durch die Stadt, gefolgt von Fix, der ihn unter einem Vorwand in ein Gespräch verwickelt und ihm dabei anvertraut, daß Fogg ein gesuchter Bankräuber sei und er den Auftrag hätte, ihn zu verhaften. Passepartout weist diese Verdächtigung seines Herrn energisch zurück und wird daraufhin von Fix zu einem angeblichen Versöhnungstrunk eingeladen. Doch Fix schüttet ihm ein Schlafmittel in den Wein. In einer Kajüte der »Carnatic« mit Kurs auf Yokohama erwacht Passepartout und erfährt vom Steward (Peter Lorre), daß er von der Polizei an Bord gebracht wurde, die ihn betrunken auf der Straße mit einer Schiffskarte nach Yokohama aufgelesen hätte. Fogg, der vergeblich auf seinen Diener gewartet hat, mietet schließlich eine chinesische Dschunke und kommt gerade noch rechtzeitig, um Passepartout in einem Zirkus in Yokohama aufzugabeln und das Schiff nach Amerika zu erreichen. Der Plan des Scotland-Yard-Detektivs Fix, Foggs Weiterreise zu verhindern, ist gescheitert. Gemeinsam mit Aouda ziehen die Reisenden weiter.

In San Francisco geraten sie in politische Unruhen, in deren Verlauf sogar der reservierte Fogg in eine Schlägerei verwickelt wird. Kühn beendet er sie durch einen wohlgezielten Schlag mit

*Reisende sind neugierig: David Niven, Shirley MacLaine und Cantinflas*
*>In 80 Tagen um die Welt<*

seinem Regenschirm auf den Kopf seines Gegners. Fogg und
Passepartout landen in einer Kneipe, wo ein Nimmersatt (Red
Skelton) sich auf Kosten anderer am kalten Buffet selbst be-
dient, was mit einem Rausschmiß endet. Die Wirtin der Kneipe
(Marlene Dietrich) lädt alle zu einem Drink ein, während der
Pianist (Frank Sinatra) die Gäste mit seiner Musik unterhält.
Die angenehme Stimmung wird jedoch plötzlich ungemütlich,
als ein Messer durch den Raum schwirrt und Fogg nur um Haa-
resbreite verfehlt. Die Weltreisenden verlassen die ungastliche
Stätte.
In der Pazifik-Eisenbahn, die sie quer durch den amerikani-

schen Kontinent führt, kommt es zu einem neuen Zwischenfall. Beim Whistspiel wird Fogg von einem amerikanischen Obersten beleidigt – der Engländer fordert ihn auf Pistolen. Vorsorglich geleitet der Schaffner (Buster Keaton) die beiden Duellanten in ein leeres Abteil – doch zum Duell kommt es nicht, weil der Zug von Indianern angegriffen wird. Der Lokführer wird von den Rothäuten überwältigt, und ein Indianer übernimmt die Führung des Zuges, der nun die tollsten Kapriolen aufführt. Schließlich gelingt es Passepartout, unter höchster Gefahr über die Waggondächer zur Lokomotive zu turnen und sie wieder in weiße Hände zu bringen. Als man endlich in Fort Kearney angekommen ist, wird Passepartout vermißt – er ist mittlerweile den Sioux in die Hände gefallen. Fogg erhält auf seine Bitte vom Kommandanten des Forts eine Handvoll Kavalleristen und kann mit ihnen den armen Passepartout im letzten Augenblick vor dem sicheren Feuertod retten. Kostbare Zeit aber ging durch dieses Abenteuer verloren. Eine Weiterfahrt mit der Bahn würde zu lange dauern und die Wette gefährden. Der Zufall bringt Fogg auf eine geniale Idee: Sie setzen ein Segel auf den Gepäckwagen und brausen in voller Fahrt auf dem Schienenweg dem nächsten Ziel entgegen. In New York hat das Schiff jedoch bereits abgelegt. Fogg besticht den Kapitän eines für Venezuela bestimmten Dampfers, Kurs auf England zu nehmen. Unterwegs geht dem Schiff die Kohle aus: Fogg, der mit seinen letzten Banknoten den Dampfer gekauft hat, gibt den Befehl, alles Brennbare in den Kessel zu stecken. Die Schiffseinrichtung, die Planken, die Gallionsfigur und selbst Foggs Hut und Regenschirm, untrügliche Zeichen seiner britischen Würde, wandern in die Flammen. Mit Erfolg – das Schiff legt in Liverpool an.

Fogg, Aouda und Passepartout rüsten sich zur letzten Etappe ihrer Reise – höchste Zeit, wenn sie die Wette gewinnen wollen. Da taucht Inspektor Fix wieder auf – diesmal mit dem Haftbefehl für Fogg, der wegen Bankraub ins Gefängnis kommt. Ein paar Stunden später aber klärt sich der Irrtum auf: Der tatsächliche Bankräuber konnte bereits einige Tage zuvor gefaßt werden. Phileas Fogg wird wieder auf freien Fuß gesetzt, und Inspektor Fix entschuldigt sich tief betreten. Die Wette aber scheint verloren, denn als die drei in London ankommen, ist es fünf Minuten zu spät. Immer optimistisch, versucht Aouda, den

*Weltreisende beim Whistspiel: Robert Newton, Shirley MacLaine, Cantinflas und David Niven ›In 80 Tagen um die Welt‹*

deprimierten Fogg aufzuheitern, der seine Ehre beschmutzt und sein Vermögen dahin sieht. Zuerst macht sie sich selbst Vorwürfe, daß Fogg und Passepartout durch ihre Schuld verspätet aus Indien wegkamen. Und dann, nach dem Motto geteiltes Leid ist halbes Leid, schlägt sie vor, daß Fogg und sie heiraten. Überglücklich nimmt der englische Gentleman diesen Vorschlag an, nicht ohne sich gewissenhaft für seine momentane Finanzknappheit zu entschuldigen. Passepartout wird beauftragt, die Hochzeitsvorbereitungen zu treffen. Dabei entdeckt er, daß sie die Wette doch noch gewinnen können – sie haben sich im Datum geirrt und nicht bedacht, daß sie durch die Reise von Ost nach West einen ganzen Tag gewonnen haben. Am 21. Dezember 1872, pünktlich um 19.45 Uhr betreten Fogg und Passepartout, gefolgt von Aouda, den Londoner Reform-Club: Erstaunen und Entsetzen bei den Herren Mitgliedern, die ihren vermeintlichen Sieg bereits feiern wollten und noch nie eine Frau die Schwelle zu ihrem reinen Männer-Club haben übertreten sehen. Auf die Frage der verwirrten Aouda, warum Frauen hier ausgeschlossen seien, antworten sie: »Weil das das Ende des britischen Empire bedeuten könnte.« Dennoch sind diesmal die Herren einsichtig zu einer Ausnahme bereit – und dem großen Happy-End steht nichts mehr im Wege. Phileas Fogg hat seine Ehre wieder, noch dazu Prinzessin Aouda und den Wettgewinn von 20.000 Pfund.

Nach der Premiere von *In 80 Tagen um die Welt* am 18. Oktober 1956 im New Yorker Rivoli Theatre fanden die amerikanischen Kritiker für dieses Mammut-Spektakel ganz gegen ihre sonstigen Gepflogenheiten lobende Worte. Die galten vor allem dem gelungenen Entertainment des häufig wechselnden Schauplatz-Arrangements. Die Schauspieler waren da eher sekundär. Und wenn, dann wurde das Hauptrollen-Duo David Niven/Cantinflas gefeiert. Nur wenige Kritiker erwähnten Shirley MacLaine – und die, die es taten, waren sich einig darin, daß sie eine Fehlbesetzung war. Schwarzes Haar und Make-up konnten nicht ihre frischen amerikanischen Gesichtszüge und schon gar nicht ihre mädchenhaft naive Stimme übertünchen. Sie selbst gefiel sich in diesem Film überhaupt nicht und war sich klar darüber, daß sie – wenn sie vielleicht auch ein gewisses komödiantisches Naturtalent hätte – zu einer wirklich guten schauspielerischen Leistung nur durch viel mehr Praxis kommen könnte.

Trotz des großen, weltweiten Erfolges von *In 80 Tagen um die Welt* – fünf »Oscars« für Kamera, Schnitt, Musik, Drehbuch und als bester Film – wirkte sich der Film wenig auf Shirleys weitere Karriere aus. Mike Todds Traum von einem der größten Kassenknüller hatte sich allerdings erfüllt: Ziemlich schnell stand der Film auf der Liste der Box-Office-Hits gleich unter *Vom Winde verweht* und hielt sich dort bis 1959. Dann rutschte er für weitere sieben Jahre auf immerhin noch Platz vier hinter *Die zehn Gebote* und *Das Gewand*. Im Laufe der Jahre hat er 23 Millionen Dollar eingespielt. Mike Todds fabelhafter Karriere aber setzte der Tod bei einem Flugzeugabsturz 1958 ein frühes Ende. War der Japan-Ausflug künstlerisch alles andere als befriedigend für Shirley MacLaine ausgefallen, so war er für sie privat entscheidend wichtig. Mit der ihr angeborenen Neugier sog sie all das Fremde in sich auf. Sie lernte durch ihren Mann Steve die Japaner und deren Sitten und Gebräuche kennen. Und sie begann zu begreifen und zu spüren, was Steve an diesem Land faszinierte. Hektik und Zeitdruck hatten im japanischen Leben keine Chance – wichtig waren nur die menschlichen Beziehungen. Und die sprichwörtliche Höflichkeit ist in Wahrheit eine große Achtung vor den Gefühlen der Mitmenschen. Das Bemühen der Japaner um Einklang mit der Natur beeindruckte Shirley besonders – vielleicht wurde hier bereits die Wurzel gelegt für ihre späteren Neigungen zu Meditation, Spiritismus und Ok-

*Der Diener und die Prinzessin: Cantinflas und Shirley MacLaine in ›In 80 Tagen um die Welt‹*

kultismus. »Sei wie der Bambus, beuge und biege dich anmutig, wie der Wind es will, und du wirst niemals brechen« – dieses Sprichwort über die Art, mit Sanftmut zu siegen, hat es ihr angetan. Nicht mit Brachialgewalt verändern, die Wildnis zähmen, Raum gewinnen, sondern das lebensnotwendige Gleichgewicht finden, indem man sich den Elementargewalten beugt. Japan als zweite Heimat, denn Steve trug sich mit konkreten Theaterplänen in Tokio, konnte sie sich ganz gut vorstellen – »dieses Land, in dem niemand für geistesgestört gehalten wird, wenn er einen ganzen Feiertag damit verbringt, die Strukturen eines Blütenblattes zu studieren«. Die fremde, unbekannte Welt kam ihr mit jedem Tag ein bißchen näher, und dabei erfuhr sie auch immer ein bißchen mehr über sich selbst. Sie begann zu verstehen, warum sie Schauspielerin geworden war und immer schon gern in die Haut anderer geschlüpft war – weil sich ihr eigenes Wesen dadurch weitete.

# 2. Dinner-Parties mit Baby und Oscar-Anlauf mit dem Ratten-Clan

Bei den Außenaufnahmen zu *In 80 Tagen um die Welt* in Japan, nach einem Drehtag auf einer Fischerdschunke, wurde Shirley MacLaine krank. Was sie zunächst für eine Seekrankheit hielt, was der nach einigen Tagen hinzugezogene Arzt als asiatische Grippe diagnostizierte, war in Wahrheit nichts anderes als »ein Andenken made in Japan«: Shirley war schwanger. Ihre damit verbundene Hoffnung, Steve würde sich als künftiger Familienvater wieder in Kalifornien niederlassen, erwies sich als trügerisch. Vielmehr verstand er seine neue Verantwortung so, daß er sich jetzt erst recht auf eigene Füße stellen müßte. Er kehrte nach Japan zurück, stieg dort aktiv ins Theater- und Showgeschäft ein und entwickelte sich bald zu einem Experten für asiatische Kultur. Er organisierte, auf höchsten kaiserlichen Wunsch, den alljährlichen Hofball in Tokio, stellte die Show »Holiday in Japan« für mehrere US-Tourneen zusammen, brachte das koreanische Theater nach dem Sturz von Syngman Rhee mit staatlicher Unterstützung wieder auf die Beine, arbeitete auf den Philippinen und sorgte für Gastspiele des Philippinischen Festivals in Amerika.

Zur Geburt der Tochter aber kehrte er selbstverständlich nach Kalifornien zurück. Shirley hatte nach Beendigung der Dreharbeiten bei Mike Todd kein Angebot mehr erhalten. Ihre Ungeduld nahm mit jedem Tag der Schwangerschaft zu. Sie hätte gern noch eine richtig schöne Rolle gespielt, bevor *In 80 Tagen um die Welt* herauskam und Kritiker und Publikum sie als »exemplarischen Fall von Fehlbesetzung« endgültig abschmettern konnten. Doch setzte ihr Zustand sie schon bald außer Gefecht, so daß sie den Gedanken an einen schnellen Film ohnehin aufgeben mußte.

Am 1. September 1956 war es endlich soweit – ihre Tochter Stephanie Sachiko wurde geboren. In der Aufregung gleich nach der Geburt und unter den Nachwirkungen der Narkosemittel hatte die kurzsichtige Shirley sich verguckt und telefonierte noch aus dem Kreißsaal ihrem erschöpft vom Transpazifikflug im Wartesaal der Entbindungsstation sitzenden Mann Steve durch, daß es ein Junge sei. Der Arzt wies sie auf ihren Irrtum hin, und sie sagte, noch am Draht: »Es ist ja ein Mädchen!« Steve glaubte daraufhin an Zwillinge und war begeistert, bis ihn die Hebamme aufklärte, es sei ein gesundes, sechs Pfund schweres Mädchen mit einem feuerroten Haarschopf. Shirley empfand, daß ihr Baby aussah »wie eine Kreuzung zwischen Pablo Casals und Winston Churchill«. Und blitzartig zogen ihr Gedanken über ihre neue Situation als Mutter durch den Kopf: »Was hatte ich mir dabei gedacht, ein hilfloses Kind in meine liederliche, experimentelle, unsichere Welt zu setzen? Saß mein Kind nicht von vornherein zwischen zwei Stühlen? In welche unserer beiden Welten würde es gehören?«

Der japanische Name der Tochter, die auch heute noch Sachie gerufen wird, geht zurück auf ein Erlebnis, das Steve Parker in Hiroshima hatte und das ihn so tief bewegt hatte, daß es ihn nie wieder losließ. Mit seiner Fallschirmeinheit war er unter den ersten gewesen, die die Stadt nach dem Abwurf der Atombombe sahen. Unter den Tausenden von verwaisten Kindern schaute ihn ein etwa zweijähriges Mädchen mit großen, verschreckten Augen an. Weil die Kleine nicht wußte, wie sie hieß, nannte Steve sie Sachiko, was soviel wie »glückliches Kind« bedeutet. Und weil sie an ihm wie eine Klette hing, setzte er sich über alle Vorschriften hinweg und besorgte ihr Essen, Kleidung und einen Platz zum Schlafen. Bald hatte er sich so sehr an sie gewöhnt, daß er sich nicht mehr von ihr trennen wollte. Er stellte einen Adoptionsantrag, der auch bewilligt wurde. Zwei Wochen später jedoch wurde er ins Krankenhaus gerufen, wo das Mädchen an den Strahlenauswirkungen der Atombombe starb. Als Shirley schwanger wurde, stand es für sie ebenso wie für Steve außer Frage, daß das Kind, sollte es ein Mädchen werden, Sachiko heißen sollte – zur Erinnerung an die kleine Japanerin und in der Hoffnung, daß die kleine MacLaine-Parker auch wirklich ein glückliches Kind wird. Eine schöne, ehrlich sentimentale Namensgebung.

Da aus der Gemeinschaft nun eine Familie geworden war, galt es, eine richtige Wohnung, ein Haus mit mehreren Zimmern zu finden, sich sozusagen normal zu etablieren. Aus dem romantisch-spinnerten Pfahlbau also zogen die Parkers in ein großes Haus in der Malibu-Künstlerkolonie, in dem Shirley sich »wie in einem abgelegten Kleid, das für mich ein paar Nummern zu

*Shirley als Lady in ›Immer die verflixten Frauen‹, 1959*

groß war«, vorkam. Steve flog schon bald nach dem Umzug nach Tokio zurück, um dort seine eigene Theatergruppe aufzubauen. Shirley hungerte geradezu nach Arbeit. Für die kleine Sachie, die gesund und munter war, hatte sie ein Kindermädchen engagiert. Doch das Telefon schwieg. Kein Produzent meldete sich, nicht mal Hal Wallis, bei dem Shirley schließlich noch immer unter Vertrag stand.

Untätig rumzusitzen und sich Komplexe wegen ihrer Fehlbesetzung in dem Mike-Todd-Film einzureden war jedoch nicht Shirley MacLaines Sache. Sie besann sich auf das Fernsehen, wo sie immerhin schon 1955 in mehreren Shows aufgetreten war – bei Bob Hope, Sheila Graham, Ethel Merman und zuletzt im April 1956 in der George Gobel Show. Sie aktivierte die TV-Kontakte wieder und trat im November 1956 neben dem Star Dinah Shore auf und dann im Dezember in der Steve Allen Show, dort allerdings in einem Premieren-Interview zu *In 80 Tagen um die Welt*. Im Fernsehen fühlte sie sich frei, sehr viel spontaner zu sein und lockerer als im Film. »In diesem Medium kann man seine Unvollkommenheiten zeigen«, sagte sie. »Und das lieben die Leute. Frauen sind fantastisch im Fernsehen, das wirklich ein ideales Medium besonders für Frauen ist.« Shirleys zweiter TV-Auftritt im Februar 1955 war übrigens ähnlich zustande gekommen wie ihr Musical-Debüt, bei dem sie für die erkrankte Carol Haney in *Picknick im Pyjama* einspringen mußte. Filmstar Betty Grable hatte sich am Bein verletzt und konnte daher nicht in der Hauptrolle der Revue »That's Life« in der TV-Show »Shower of Stars« auftreten. Das tat Shirley MacLaine für sie am 17. Februar 1955, sang und tanzte zusammen mit Harry James, Larry Storch und Anna Maria Alberghetti und hatte einen Riesenerfolg. Das Medium Fernsehen, bei dem Shirley nach der Geburt der Tochter Zuflucht gesucht hatte, war für sie fortan immer wichtig – wenn es auch bis zu ihrem ersten eigenen Special im Jahre 1974 noch etwas dauern sollte. Gastauftritte in Shows anderer, bei Oscar- und Emmy-Verleihungen oder beim Life Achievement Award des American Film Institute, Familien-Interview mit Mann und Tochter oder ihre politischen Auftritte für die Demokratische Partei – das Fernsehen gehörte fest zu Shirleys Leben. Noch in der Zeit, als sie zu ihrer größten Unzufriedenheit vertraglich Hal Wallis »gehörte«, unterschrieb sie 1958 einen Dreijahresvertrag mit der NBC für 15 TV-Auftritte und 500.000 Dollar Gage, von der ein großer Teil natürlich an Wallis ging.

Keine Filmangebote und nur ein bißchen Fernsehen – da griff Shirley zu, als sich ihr die Chance bot, in einer Tournee-Theater-Aufführung mitzuwirken. Es war Terence Rattigans Komödie »The Sleeping Prince«, später von und mit Laurence Olivier und mit Marilyn Monroe als *The Prince and the Showgirl (Der Prinz und die Tänzerin,* 1957) verfilmt. Die Stars der Theater-Inszenierung waren Francis Lederer und Hermione Gingold. Am 28. November 1956 war Premiere am Huntington Hartford Theatre in Los Angeles. 13 Wochen später endete die Westküsten-Tournee in San Francisco. Dort sah Hal Wallis sich die letzte Vorstellung an, angelockt durch die hervorragenden Kritiken, die Shirley in der Rolle des naiv-schlagfertigen Revuegirls bekam, das sich 1911 in London beim Krönungsfest Georges V. in einen auswärtigen Prinzregenten verliebt. »Variety« schrieb damals über die MacLaine: »Die Aufführung ist ein Triumph für Miß MacLaine und stellt sie als ein brillantes Komödienta-

*Die Lady zwanzig Jahre später 1979 in ›Willkommen Mr. Chance‹*

lent heraus, das mit Intuition und darstellerischer Variationsbreite eine lebendige, schillernde Figur schafft.«

Wallis gratulierte ihr, fügte seinem Lob noch die abartig charmante Bemerkung »Hätte ich von Ihnen nie erwartet« hinzu und – bot ihr tatsächlich eine Filmrolle an! Und zwar in einem dramatischen Stoff, unter der Regie von Daniel Mann, den Shirley von ihren ersten Probeaufnahmen für Hitchcocks *Immer Ärger mit Harry* kannte und schätzte. Der neue Film hieß *Hot Spell (Hitzewelle)* und hatte Shirley Booth und Anthony Quinn als Hauptdarsteller. Die Dreharbeiten begannen am 6. März 1957.

Shirley MacLaine war glücklich, endlich wieder filmen zu können. Die lange Zeit ohne Angebote hatte sie ziemlich zermürbt. In ihren schwärzesten Momenten sah sie ihre Filmkarriere schon mit der Hindu-Prinzessin Aouda beendet. Und die Klatschkolumnisten schrieben sich über sie die Finger wund. Sie heuchelten Mitleid mit ihr, der mit einem so reizenden Kind alleingelassenen jungen Frau, deren Mann sich wahrscheinlich mit einer Geisha verlustierte. Shirley ließ sich von solchen Mutmaßungen nicht aus der Fassung bringen, vielmehr funktionierte sie sie als Studienmaterial für sich um und begann, aus den spießig-schmierigen Unterstellungen und Anspielungen in den Klatschspalten viel über deren Schreiber und die sogenannte Gesellschaft zu lernen.

Die Spielregeln dieser Gesellschaft spielte Shirley MacLaine nun zum erstenmal ein bißchen mit. Nachdem die Dreharbeiten zu *Hitzewelle* begonnen hatten, war sie wieder wer, war sozusagen gesellschaftsfähig und bekam Einladungen zu den zum unbedingten Hollywood-Ritual gehörenden Dinner-Parties. Sie nahm diese Einladungen an und war sich bewußt, daß sie damit zugab, einsam zu sein – übrigens der einzige Punkt, in dem sie den Klatschjournalisten recht gab. Die wiederum hatten natürlich nichts Besseres zu tun, als über Shirleys Party-Besuche zu hecheln, vor allem, wenn sie dazu ihr Baby Sachiko in einem Tragekorb mitbrachte, weil sie es nicht allein zu Hause lassen wollte. Voller Genugtuung perlten da die Kolumnen-Zeilen über mangelnde Muttergefühle und Verantwortungslosigkeit. Shirley fühlte sich auf diesen Parties zwar nicht wohl, aber sie wußte, daß Klappern zum Handwerk gehört, und außerdem fiel ihr allein in ihrem Haus in Malibu manchmal wirklich die Decke auf den Kopf. Aber sie ging mit offenen Augen und Ohren

*Anthony Quinn, Shirley MacLaine, Earl Holliman, Shirley Booth in ›Hitzewelle‹*

durch diese Parties, die ganz und gar nicht ihre Welt waren und auch nie werden sollten. Dank ihrer präzisen Beobachtungsgabe und Kritikfähigkeit ging sie weder den Leuten noch dem Ritual auf den Leim. In ihrer Autobiographie erinnert sie sich daran – in wahren Kabinettstückchen feuilletonistischer Fabulierkunst: »Diese Abendgesellschaften waren eine Szene, die fortwährend wiederholt wurde, unter verschiedenen Adressen zwar, aber immer im gleichen Rahmen: smaragdener Rasen, großzügige Parkplätze, Rolls-Royces auf der kiesbestreuten Einfahrt. Gäste, die nur in Buicks kamen, parkten schamhaft in einer Seitenstraße, wo sie außer Sicht blieben. Ein Butler im Frack oder weißem Jackett macht die Honneurs, ohne ein Wort zu sprechen. Er bittet einen mit stummer Verbeugung herein. … Dann hört man hohe Absätze heranklappern: die Gastgeberin naht über eingelegtes Parkett; ihre Röcke rascheln in genau der richtigen, von der Mode vorgeschriebenen Länge. Brillantengehänge glitzern unter den wohlfrisierten Locken. Sie weiß, wie blendend sie aussieht, und vergißt keinen Moment, was sie dafür bezahlt hat, während sie einen mit charmantem, leerem Lächeln begrüßt und einem ein herablassendes Kompliment über den hübschen Modeschmuck macht, den man anhat. ... Sie führt einen in den Salon ... Dutzende von bekannten Gesichtern drehen sich gleichzeitig um – Stars, Regisseure, Produzenten, Agenten, Frauen berühmter Männer und Männer berühmter Frauen. ... Während der nun anhebenden Plaudereien weiß man, daß niemand sagt, was er wirklich denkt, und daß jeder es von seinem jeweiligen Gesprächspartner weiß. ... Wenn man ... allmählich spürt, daß sich einem der Magen umdreht, wird zu Tisch gebeten. Die berühmten Profile schwenken marionettengleich in Richtung Speisesaal. Jeder fragt sich, mit wem er wohl den Rest des Abends verbringen muß. Einiges Herumirren, gefrorenes Lächeln, gekonnte Freudenschreie von Tischnachbarn, die sich nicht ausstehen können. Dann kommen die delikaten Gerichte: Wildgeflügel, Reis, Artischockenböden mit frischen jungen Erbsen und Perlzwiebeln, gewürzt mit den üblichen Witzen über das figurgefährdende Kartoffelessen. ... Herren und Damen, die sonst nichts miteinander zu tun haben, heucheln Interesse für ihre zufälligen Tischnachbarn. ... Andere Themen als Filme erhöhen die Nervosität. ... Dann kommt das Dessert, meistens eine mit Rum übergossene und angezündete Gala-Angelegenheit von neunhundert Kalorien, die eindrucksvoll aus dem Dunkel lodert und von Mokka in zarten Täßchen begleitet wird, und dann scharren die Füße wieder auf den Orientteppichen.«

Der Film *Hitzewelle* stufte Shirley MacLaine nach drei Hauptrollen nun einerseits zurück in eine Nebenrollen-Position, aber andererseits bot er ihr die Chance einer ersten ernsthaften, dramatischen Rolle. Aus dem Grund nahm sie auch ohne Zögern an, denn sie wollte unbedingt schauspielerisch weiterkommen. Und diese Möglichkeit sah sie durch den Regisseur Daniel Mann, der schließlich nicht nur ihren erfolgreichen Screen Test gedreht, sondern auch in dem Film *Come Back, Little Sheba (Kehr zurück, kleine Sheba,* 1952) Shirley Booth zu einer mit dem »Oscar« ausgezeichneten darstellerischen Leistung geführt hatte. In *Hitzewelle* spielt Shirley (MacLaine) die Tochter von

*Shirley MacLaine und Earl Holliman erholen sich von der ›Hitzewelle‹*

Shirley (Booth) und Anthony Quinn – eine ihrer ganz wenigen
Tochter-Rollen, integriert in einen ganzen Familienkreis mit
Vater, Mutter und zwei Brüdern. In ihrem nächsten Film *The
Sheepman (Colorado City,* 1958) und auch in dem späteren *Ca-*

*reer (Viele sind berufen,* 1959) gibt es nur Väter und keine Mütter, und beide Tochter-Figuren funktionieren ziemlich unabhängig von den familiären Beziehungen.

*Hitzewelle* spielt in New Orleans. Thematisch unterscheidet sich der Film wenig von den klaren, kleinen Melodramen über Sexualität und Alltagsfrustration, von denen Hollywood in den fünfziger Jahren eine ganze Reihe produzierte. Joshua Logans *Picnic (Picknick,* 1955) gehört dazu, dann, ebenfalls von Daniel Mann, die Tennessee-Williams-Verfilmung *The Rose Tattoo (Die tätowierte Rose,* 1955), Elia Kazans *Baby Doll (Baby Doll,* 1956), George Cukors *Wild is the Wind (Wild ist der Wind,* 1957), eine weitere Tennessee-Williams-Verfilmung *Cat on a Hot Tin Roof (Die Katze auf dem heißen Blechdach,* 1958) von Richard Brooks und Martin Ritts *The Long Hot Summer (Der lange heiße Sommer,* 1958) nach William Faulkner. Fast alle diese Filme spielten in den amerikanischen Südstaaten, einer Geographie, die durch Klima und Geschichte ganz offensichtlich anfällig ist für Unterdrückung, auch der Gefühle, und explosionsartige Beziehungskonflikte.

In *Hitzewelle* geht es um die Familie Duval. Alma (Shirley Booth) trifft Vorbereitungen für eine Feier zum 45. Geburtstag ihres Mannes Jack (Anthony Quinn), der sich längst einer Jüngeren zugewandt hat. Alma, eine sehr mütterliche und im Hausfrauen-Streß sich verbrauchende Person, hat Geschenke gekauft, die ihre drei erwachsenen Kinder dem Vater schenken sollen. Sie hofft, daß ihr Mann wieder zu ihr zurückfindet. Die Geburtstagsfeier aber artet in einen heftigen, katastrophalen Familienstreit aus. Einer nach dem anderen verliert, nicht zuletzt unter dem Einfluß der draußen herrschenden Hitze, die Nerven. Der älteste Sohn Buddy (Earl Holliman) will seine Unabhängigkeit vom Vater, der Grundstücksmakler ist, manifestieren, indem er sein eigenes Unternehmen gründen will. Auf seine Bitte, ihm das nötige Startkapital zu leihen, reagiert der Vater mit ablehnender Empörung und herabwürdigenden, niederschmetternden Beschimpfungen des Sohnes. Verletzt und voller Wut rennt Buddy in die Nacht hinaus, um sich zu betrinken. Sein jüngerer Bruder Billy (Clint Kimbrough), der vor den zweifelhaften Wertvorstellungen seines Vaters Jack schon lange Zuflucht in Büchern gesucht hat, folgt ihm.

Jack, ebenfalls im Begriff, das Haus zu verlassen, trifft auf der

Terrasse seine Tochter Virginia (Shirley MacLaine) im trauten Tête-à-tête mit ihrem Freund Wyatt (Warren Stevens). Entrüstet über das Benehmen der beiden, stellt er Wyatt hochnotpeinliche Fragen über seine Absichten mit Virginia, die ihrerseits in Tränen ausbricht über das unmögliche Verhalten des Vaters und in ihr Zimmer rennt. Virginia empfindet, im Gegensatz zu ihren Brüdern, noch Liebe für die Eltern, obwohl sie von den Affären des Vaters weiß und sieht, daß die Enttäuschungen der Mutter zu nichts führen. Auf der Suche nach Vertrautheit, Wärme und Intimität hat Virginia zuerst scheu, aber dann leidenschaftlicher den Avancen des Medizinstudenten

*Zwei Charakterdarstellerinnen: Shirley Booth und Shirley MacLaine in ›Hitzewelle‹*

Wyatt nachgegeben und sich von ihrem ständigen Boyfriend Harry getrennt. Wie ihre Mutter fühlt sie sich in der Szene auf der Terrasse durch die Fragen des Vaters erniedrigt. Erst später, im Wald, erkennt sie Wyatts wahre Motive. Er gesteht ihr, daß er nur eine Frau mit Geld und gesellschaftlichem Ansehen heiraten wird. Voller Tränen der Verzweiflung kehrt Virginia nach Hause zurück.

Jack hat inzwischen seinen Sohn Billy zum Billardspiel und zu einem längst überfälligen Vater-Sohn-Gespräch mitgenommen. Doch die Situation wird eher schlimmer, denn Jack kann Billy seine Frustration als Ehemann und Vater nicht begreiflich machen. Er spürt, daß sie sich beide vollkommen fremd sind und verabschiedet sich unter dem Vorwand einer geschäftlichen Verabredung. Aber Billy, der seinem Vater heimlich folgt, sieht, wie dieser sich mit der jungen Ruby (Valerie Allen) trifft und mit ihr wegfährt. Wenig später kommt die Unglücksnachricht: Jack und Ruby sind auf dem Highway tödlich verunglückt. Alma beschließt, nach so vielen Jahren in die Stadt ihrer ersten, glücklichen Ehezeit zurückzukehren, nach New Paris. Doch sie muß feststellen, daß auch dort die Dinge nicht mehr so sind, wie sie waren. Nach Jacks Beerdigung begreift sie, daß man nicht zurückgehen und nichts zurückdrehen kann. Tapfer und ohne die sonst gewohnte Sentimentalität faßt sie den Entschluß, mit der Wirklichkeit der Gegenwart zu leben und besteigt den Zug nach New Orleans, zusammen mit ihren Kindern, die sie nun nicht länger als Kinder, sondern als Erwachsene behandeln wird.

*Hitzewelle* war genau der richtige Film, die richtige Rolle, um Shirley MacLaines Karriere wieder in Gang zu bringen. Und die Angebote kamen auch – sie machte im Jahre 1957 noch drei weitere Filme, einen Western, eine Komödie und ein zeit- und gesellschaftskritisches Melodram, das ihr endlich die große schauspielerische Anerkennung in Form einer ersten »Oscar«-Nominierung einbrachte.

Während eines erneuten Aufenthalts in Japan, zusammen mit Steve und der kleinen Sachie, wurde Shirley von Zweifel befallen, ob sie überhaupt das Zeug zu einer Schauspielerkarriere hätte. Sie war schon fast soweit, die Flinte ins Korn zu schmeißen, andererseits aber auch höchst beunruhigt über ihr Gefühl des Nichtausgefülltseins. Andererseits war sie auch nicht fähig,

*Shirley MacLaine und Micky Shaughnessy in ›Colorado City‹*

irgendeine Entscheidung zu treffen. Steve spürte das und gab
ihr Hilfestellung, empfahl ihr dringend, nach Hollywood zu-
rückzufliegen und zu arbeiten. Erst, wenn sie in absehbarer Zeit
nicht weitergekommen sei als jetzt, könne sie sich noch einmal
überlegen aufzugeben. Shirley kehrte zurück und zog als erstes
aus dem großen, leeren Haus in Malibu um in eines, das näher
am Filmgelände lag. Und die Arbeit ließ nicht lange auf sich
warten.
*The Sheepman (Colorado City/In Colorado ist der Teufel los)*,
ein Western voller Witz von George Marshall, der schon den
Marlene-Dietrich-Hit *Destry Rides Again (Der große Bluff,*
1939) inszeniert hatte, bot Shirley die Rolle einer intelligenten,
unabhängigen Frau. Ihre charakteristische ungezwungene, un-

bekümmerte Art, die später zu einem ihrer typischen Marken-zeichen werden sollte, konnte sie hier bereits wunderbar aus-spielen.

Die Hauptfigur in *Colorado City* ist der lässige, zu allem ent-schlossene Jason Sweet (Glenn Ford), der in der deutschen Syn-chronfassung Jakob Lieblich heißt. Als er in Powder Valley auf-taucht, ahnt dort niemand, was ihn in diesen Winkel Colorados führt. Er scheint irgendwie verrückt zu sein, denn ausgerechnet auf den dortigen Rinderweiden will er Schafe züchten – ein Ge-danke, bei dem sich jeder echte Cowboy schüttelt. An mangeln-dem Selbstvertrauen scheint der Neuankömmling nicht zu lei-den – im Gegenteil. Als ob er nur darauf aus sei, in Powder Val-ley Ärger zu bekommen, erkundigt er sich respektlos nach dem stärksten Mann im Ort und bringt es tatsächlich fertig, den be-rüchtigten Rauf- und Saufbold Jumbo McCall (Mickey Shaugh-nessy) zu verprügeln. Was Jakob Lieblich damit bezweckt, ver-rät er gleich darauf selber: Mit dem Mittagszug werden seine Schafe ankommen, die er künftig hier züchten will. Wie die Rancher von Powder Valley darüber denken, kann er sich leb-haft vorstellen. Darum legt er großen Wert darauf, daß man ihn richtig einschätzt. Vor allem der geheime Herrscher des Ortes, der Großrancher Oberst Stephen Bedford (Leslie Nielsen), ist gegen Jakob aufgebracht. Als die beiden Gegner sich zum er-stenmal gegenüberstehen, muß Jakob feststellen, daß es sich um seinen alten Freund Johnny Bledsoe handelt, mit dem er noch eine alte Rechnung zu begleichen hat. Jeder von beiden hat eine Vergangenheit und etwas auf dem Kerbholz, was er lieber ver-schweigt.

Aber Johnny Bledsoe hat sich inzwischen außer dem Oberst-Ti-tel auch noch eine Braut zugelegt, die hübsche und in jeder Be-ziehung wunderbare Dell Payton (Shirley MacLaine). Er gibt nun Order, daß Jumbo und seine Kumpane unbedingt verhin-dern, daß Jakob seine Schafe ausladen kann. Statt dessen muß Jumbo selber die blökende Herde aus den Waggons schaffen, nachdem ihn Jakob mit der unfreiwilligen Hilfe der hübschen Dell überlistet hat. Schäfer Jakob macht sich an seine Arbeit, und für eine Weile scheint alles gutzugehen in Powder Valley. Er bekommt sogar eine Einladung zum großen Dorffest am Na-tionalfeiertag, dem 4. Juli, und amüsiert sich dort königlich. Bis Mitternacht – denn da wird er höflich gebeten, sich zu seinen

*... übertölpelt den Gangster Micky Shaughnessy in ›Colorado City‹*

Schafen zu begeben, die bereits abfahrbereit im Zug auf dem Bahnhof warten. Der Lokführer hat die Anweisung, Jakob und seine Schafe ein paar hundert Meilen weit zu saftigen Schafsweiden zu fahren. Nicht sehr lange können sich der Oberst und die Leute in Powder Valley über den gelungenen Streich der Ver-

69

treibung Jakobs freuen – da steht er samt seiner Schafe wieder auf der Matte. Jetzt wird die letzte Auseinandersetzung zwischen ihm und dem falschen Oberst fällig. Nachdem Jakob die Identität und die unseriösen Geschäftsmethoden seines Gegners offenkundig gemacht hat, erhält er Unterstützung von seiten der Bewohner von Powder Valley. Johnny Bledsoe hat sich drei Killer gedungen, die von Jakob erledigt werden – mit der aktiven Hilfe von Dell, die sich flugs von ihrem Oberst entlobt hat. Aus dem nun folgenden klassischen Showdown geht Jakob als Sieger hervor. Er beschließt, sich in Powder Valley niederzulassen und gibt, da er seinen Dickkopf nun durchgesetzt hat, die Idee der Schaf- zugunsten der Rinderzucht auf. Und auch die attraktive Dell weiß, was sie will: Als zunächst einmal gezähmte Widerspenstige bleibt sie bei Jakob.

Dieses bedauerlicherweise eher reaktionäre Filmende will nicht so recht zu dem sonst durchgehenden ironischen Ton passen, mit dem *Colorado City* an Western-Stereotypen rüttelt. Vor allem Shirley MacLaines Rolle als Dell ist die einer selbstbewußten Frau im Westen. Sie sagt ihre Meinung frei heraus und wird von den Männern mit Respekt behandelt. Das macht sie zu einer passenden Partnerin für Jakob, den Glenn Ford – ebenso wie Shirley ihre Rolle – mit wunderbar ironischer Distanz spielt. Dell ist, wie Jakob, nicht zu stolz, um auch Tricks anzuwenden, wenn sie für sie von Vorteil sind. Und dies erscheint in dem Film auch nirgendwo als destruktives weibliches Ränkespiel, vielmehr verbindet es die beiden Hauptfiguren fast zu Komplizen. Als Dell sich entschließt, Jakob vor möglicher Gefahr zu warnen, beweist sie damit nicht nur Unabhängigkeit, sondern auch Mitgefühl. Sie nennt diese Warnung ihre »eigene dumme Idee« – diese selbstverleugnende Bemerkung hat hier nicht weiter Gewicht, soll jedoch in späteren Filmen so etwas wie ein Markenzeichen der von Shirley gespielten Frauen werden, in *Das Appartement* zum Beispiel, aber auch in *Spiel zu zweit* und *Sweet Charity*. Rein äußerlich erscheint Shirley in *Colorado City* anders als aus ihren vorhergehenden Filmen gewohnt: Sie trägt langes rotes Haar, das in reizvollem Kontrast zu ihrer männlichen Cowboy-Kleidung steht und ihr einen sehr femininen Touch gibt.

Shirley MacLaines nächster Film *The Matchmaker (Die Heiratsvermittlerin)* bot ihr eine weitaus harmlosere Rolle als die der entschiedenen jungen Western-Lady. Der Schauplatz dieser Verfilmung der gleichnamigen Thornton-Wilder-Komödie, die ihrerseits eine Bearbeitung von Nestroys »Einen Jux will er sich machen« ist, liegt in Yonkers im Jahre 1884, damals noch eine recht provinzielle Vorstadt New Yorks. Regisseur Joseph Anthony, der sich nie durch eine besonders individuelle Hand-

*Ein Schafzüchter wehrt sich: Glenn Ford und Shirley MacLaine in* ›Colorado City‹

schrift hervorgetan hat, aber seine Schauspieler zu hervorragenden Leistungen zu führen verstand, arbeitete hier erstmals mit Shirley MacLaine, mit der er dann in den nächsten beiden Jahren noch zwei Filme machen sollte. *Viele sind berufen* und *Alles in einer Nacht.* Für Shirley brachte *Die Heiratsvermittlerin* eine erneute Zusammenarbeit mit Shirley Booth, ihrer Mutter aus *Hitzewelle.*

Die Handlung des Films ist schnell erzählt: Man schreibt das Jahr 1884. Dolly Levi (Shirley Booth), Heiratsvermittlerin in Yonkers, kann den reichen und geizigen Kaufmann Horace Vandergelder (Paul Ford) zu einem Besuch in New York City bewegen. Sie gibt vor, ihn der jungen Modistin Irene Molloy (Shirley MacLaine) zu vermitteln. In Wahrheit aber plant Dolly, den wohlhabenden Geschäftsmann für sich selbst an Land zu ziehen. Während Vandergelders Abwesenheit schließen seine beiden von ihm gehörig ausgebeuteten Angestellten Cornelius Hackl (Anthony Perkins) und Barnaby Tucker (Robert Morse) einfach den Laden und brechen ihrerseits nach New York auf. Abenteuer mit hübschen Mädchen wollen sie endlich einmal erleben. Und sie landen – ganz nach den klassischen Regeln der Komödie – natürlich in dem Hutladen von Irene. Cornelius gibt sich als wohlhabender Yonkers-Charmeur – bis zu dem Moment, wo er sich eilig verstecken muß, weil Vandergelder und Dolly das Geschäft betreten. Der so hoffnungsvoll auf Brautsuche gekommene Geschäftsmann entdeckt natürlich die beiden heimlichen Besucher und stürmt empört aus dem Laden.

Irene, die Cornelius und seinen tollen Geschichten glaubt, besteht auf dem großen Abendessen, zu dem der charmante Schwindler sie eingeladen hatte. Schließlich hat er sie in eine doch ziemlich kompromittierende Situation gebracht, die er wiedergutzumachen hat. Sie laden noch Irenes Freundin Minnie (Perry Wilson) für Barnaby ein und starten so zu viert vergnügt in den Harmonia Club. Dorthin sind wiederum auch Vandergelder und Dolly unterwegs, die ihren verärgerten Klienten pfiffig mit der Aussicht auf eine neue Braut, die – allerdings fiktive – Ernestina Simple, in Stimmung gebracht hat. Im Trubel der Ereignisse verliert Vandergelder seine Brieftasche, die Cornelius glücklicherweise findet, was ihn in die Lage versetzt, das exquisite Abendessen bezahlen zu können. Doch sein Boß kommt ihm wieder auf die Schliche, und voller Wut, daß er bereits zum

*Shirley und Anthony Perkins in ›Die Heiratsvermittlerin‹*

zweitenmal von ihnen geleimt wurde, entläßt er seine beiden lebenslustigen Angestellten Cornelius und Barnaby. Im selben wütenden Atemzug verläßt er Dolly, die nun um ihre Vermittlergebühr und die Aussicht auf einen Ehemann bangen muß, und kehrt voller Groll zurück nach Yonkers.

Aber die zielstrebige Dolly gibt nicht auf. Sie hilft Cornelius, seinen eigenen Laden direkt gegenüber von dem Vandergelders aufzumachen. Das zwingt den reichen Geizhals in die Knie, und in einer plötzlichen Sinnesänderung erklärt er sich bereit, Cornelius als Partner in seine Firma einzustellen und Dolly zu heiraten. Cornelius kriegt Irene, Barnaby kriegt Minnie – und alles endet so glücklich wie nur möglich.

Der Film schließt damit, daß jede der handelnden Personen seine eigene Moral von der Geschicht' verkündet, und Dolly versichert, daß jedes gute Abenteuer sein kleines Risiko wert sei. Der Film ist voll von witzelnden Aphorismen und Lebensweisheiten, die schon Wilders Stück auszeichneten, ihm den würzigen Charakter einer Farce gaben. Im Film wirken diese direkt ans Publikum adressierten Sprüche – die auf der Bühne abseits, aus der Handlung heraustretend gesprochen werden – allerdings zu gewichtig, funktionieren wie mit erhobenem Zeigefinger statt mit leichtem, lockerem Augenzwinkern. Dennoch bietet dieser Schwarzweißfilm mit seinem altmodischen Charme vergnügliche Unterhaltung, die es jedoch nicht aufnehmen kann mit dem Pep und der Power der elf Jahre später gedrehten Musical-Version »Hello Dolly« von Gene Kelly. Die aber hatte wiederum den Makel, daß sie mit Barbra Streisand in der Titelrolle zu jung besetzt war. In der New Yorker Theateraufführung 1955 hatte die großartige Ruth Gordon, 59jährig, die Dolly gespielt. Uraufgeführt wurde Thornton Wilders Stück bereits 1938 unter dem Titel »The Merchant of Yonkers« – in der Inszenierung von Max Reinhardt. Für die Edinburgher Festspiele hat Wilder später das Stück neu bearbeitet und ihm den Titel *Die Heiratsvermittlerin* gegeben.

Shirley MacLaine stand die Rolle der Irene Molloy sehr gut. Sie wirkte schlanker als in ihren vorhergehenden Filmen und brachte den eleganten Charme der viktorianischen Ära, ohne ihre eigene natürliche Spontaneität zu verlieren. Ihre optimistische Ausstrahlung tat der Rolle sehr gut, und der sanfte, damenhafte Humor ließ ihr Gesicht und Mienenspiel blendend zur Geltung kommen. Sie bekam durchweg sehr positive Kritiken. »Films in Review« ließ sich sogar zu einer Prognose hinreißen: »Wenn sie in den nächsten paar Jahren so viel dazulernt wie in den letzten zwei oder drei, müßte sie eine der populärsten Schauspielerinnen der nächsten Dekade sein.«

Wie recht der Autor dieser Zeilen hatte! Shirleys nächster Film *Some Came Running (Verdammt sind sie alle,* 1958) brachte den endgültigen Durchbruch. Ihre erste große Stargage von immerhin 75.000 Dollar aber, die Metro Goldwyn Mayer ihr zahlen wollte, vermasselte ihr Hal Wallis, bei dem sie immer noch unter Vertrag stand. Er erklärte den Metro-Leuten, daß sie Shirley für den halben Preis, aber nur über ihn haben könnten. Das bedeutete, daß sie, wie bisher, ihre vertragsüblichen 10.000 Dollar bekam, während Wallis 29.000 kassierte. Erst Jahre später konnte Shirley sich aus dieser Umklammerung befreien, aber auch nur, indem sie einen Prozeß vor dem Arbeitsgericht anstrengte.

Mit der Rolle der Ginny Moorhead erfüllte Shirley MacLaine alle Versprechungen, die schon Hitchcock in ihr vier Jahre zuvor gesehen hatte. Und sie wollte sie unbedingt spielen, davon hätte sie auch der Gagen-Ärger mit Wallis nie abhalten können. Shirley über Ginny: »Sie ist zwar eine Hure, aber vor allem eine sehr weibliche Person. Sie versteht zu lieben. Das ist für mich das Wichtigste. Ich mußte das Drehbuch nur ein einziges Mal lesen, um dieses Mädchen in- und auswendig zu kennen.« Die Ginny wurde der Prototyp für alle Flittchen, die Shirley MacLaine auf der Leinwand porträtierte – und das waren nicht wenige.

*Die Heiratsvermittler-Runde: Perry Wilson, Shirley MacLaine, Shirley Booth und Anthony Perkins während der Dreharbeiten zu ›Die Heiratsvermittlerin‹*

Regisseur Vincente Minnelli – seine Tochter Liza war damals gerade zwölf – und Frank Sinatra, der die Hauptrolle in *Verdammt sind sie alle* spielte, hatten Shirley in einer Dinah-Shore-Show gesehen und waren sich sofort einig, daß sie ihre Ginny sein müßte. Sinatra erinnert sich: »Ihr Charme, ihre Kraft, ihr Humor – sie hatte alles, was die Ginny nach unserer Vorstellung haben sollte.« Shirley schreibt in ihrer Autobiographie, daß Minnelli und Sinatra sie für die Richtige hielten, eine Rolle zu spielen, »in der sogar sie weiß, wie minderwertig sie ist«. Jedenfalls wurde Shirley am Tag nach der TV-Show engagiert.

*Verdammt sind sie alle* ist die Verfilmung eines Romans von James Jones, des Autors von »Verdammt in alle Ewigkeit«, dessen Film-Version wiederum Sinatra seinen ersten und einzigen »Oscar« eingebracht hatte. Damit hatte »The Voice« seine Karriere als ernsthafter, dramatischer Schauspieler begonnen. In dieser Tradition ist auch die Rolle zu sehen, die Minnelli ihm nun gab.

Aus der Armee entlassen, kehrt der talentierte, sensible, aber nach außen rauhbeinige Schriftsteller Dave Hirsh (Frank Sinatra) in sein heimatliches Provinznest Parkman, Illinois, zurück. Bei sich hat er nichts als ein unveröffentlichtes Manuskript und ein munteres Flittchen namens Ginny Moorhead (Shirley MacLaine), das seine betrunkenen Avancen für echte Zuneigung gehalten hat. Wieder nüchtern, behandelt er Ginny wie Luft, will sie loswerden, doch sie bleibt wie ein treues Hündchen immer in seiner Nähe, voller Hoffnung auf einen Sinneswandel seinerseits.

Daves älterer Bruder Frank (Arthur Kennedy) ist ein wohlhabender Geschäftsmann am Ort und empört über Daves Beziehung zu Ginny, obwohl er selbst eine Affäre mit seiner Sekretärin hat. Und Dave haßt seinen Bruder, weil er ihm nie vergessen kann, daß er ihn vor vielen Jahren in ein Waisenhaus abgeschoben hat.

Die Lehrerin Gwen French (Martha Hyer), Literatur-Dozentin am örtlichen College und typische Vertreterin der bürgerlichen Upper-Class, erweckt Daves Interesse und ist ihrerseits an dessen schriftstellerischer Arbeit interessiert. Er verliebt sich in sie, doch sie verhält sich eher kühl distanziert. Und Dave hält Ginny sozusagen noch immer in der Hinterhand, läßt sie warten, ohne ihr auch nur die Andeutung einer Hoffnung zu machen.

*Ankunft mit Sack und Pack: Shirley MacLaine und Frank Sinatra in ›Verdammt sind sie alle‹*

Ginny ist ein gutmütiges, etwas dümmliches Mädchen, das irgendwie ziellos in der Weltgeschichte herumzieht und nun eben in diesem Provinznest gelandet ist. Halb zickiges Weib, halb Kind, mit zerzausten roten Haaren, rosigen Apfelbäckchen und hellrotem Lippenstift, kaut sie schmatzend Kaugummi und trägt ein paar Habseligkeiten in einem Stofftier, das ihr als Handtasche dient. Nachdem Dave sie mehr oder weniger abgeschoben hat und versucht, einen Platz in dem Heimatort zu finden, den er vor 16 Jahren verlassen hat, vertreibt Ginny sich die Zeit in der Bar des Ortes. Dort macht sie die Bekanntschaft des Glücksspielers Bama Dillert (Dean Martin), der aus Aberglauben nie seinen Hut abnimmt. Als er ihr anbietet, bei ihm zu wohnen, nimmt sie freudig an. Denn obwohl sie nicht viel im Hirn hat, begreift sie gewisse Lebenssituationen sehr genau. Zum Beispiel, daß ihre wirklich echten Gefühle für Dave von diesem nicht erwidert werden. Oder: Obwohl sie aufgrund ihrer »Berufs«-Erfahrung um den Wert der Liebenswürdigkeit weiß, und obwohl sie eine angeborene Anmut ausstrahlt, reagiert sie demonstrativ, wenn sie sich unfair behandelt fühlt. Da kennt sie keine Hemmungen, ihrem Zorn und ihrer Wut Ausdruck zu geben.

Dave, der sich in seiner Unfähigkeit, an der Provinzgesellschaft Gefallen zu finden, und in der Frustration über seine von Gwen unerwiderten Gefühle dem fatalistischen Spieler Bama angeschlossen hat, verbringt mit diesem und Ginny so manche Nacht bei Kartenspiel und harten Drinks. Als Gwen seinen Heiratsantrag endgültig ablehnt – weil sie erkennt, daß sie seinen Lebensstil nicht mitmachen kann trotz aller Hochachtung vor seinem literarischen Talent –, taucht er bei Bama und Ginny auf und veranstaltet mit ihnen eine ziemlich traurige Sauftour in die Umgebung. In Terre Haute treffen die drei Daves Nichte, Franks Teenage-Tochter Dawn (Betty Lou Keim) die mit ihrem Freund von zu Hause ausgerissen ist, nachdem sie die Affäre ihres Vaters mit der Sekretärin entdeckt hat. Dave bringt das Mädchen zu seinen Eltern zurück, wirft ihnen ihre moralische Verlogenheit vor und verläßt das Haus.

Er kehrt zu Bama zurück und überrascht ihn mit der Erklärung, daß er Ginny heiraten wird. Nach einer alkoholisierten Nacht während der gemeinsamen Sauftour hat er Ginny gebeten, seine Frau zu werden. Sie ist überglücklich und irrsinnig aufgeregt bei dem Gedanken, mit Dave ein Heim und ein Leben aufzubauen, und sie verspricht, ihm eine gute Frau zu sein. Dave ist ehrlich berührt von Ginnys selbstloser Liebe und gesteht, daß ihn niemand je so geliebt hat. Mit einem Gefühl der Reue sagt er, daß er ihr vielleicht helfen könne, da er offensichtlich unfähig sei, sich selbst zu helfen. Auf einer anderen Ebene aber ist Daves Entschluß ein Racheakt für seine von Gwen verletzten Gefühle. Er ergreift sozusagen die erste Gelegenheit, sich zu erniedrigen, in der Hoffnung, damit bei Gwen die entsprechenden Schuldgefühle wachrufen zu können. Ginny dient ihm also als Werkzeug für seine Rache.

Der Ehe von Dave und Ginny bleibt jedoch kaum Zeit, sich zu entwickeln. Mitten in einem großen, rauschenden Fest taucht plötzlich Ginnys eifersüchtiger Ex-Lover Raymond Lanchak (Steven Peck) auf, um Dave zu erschießen. Mit einem Sprung versucht Ginny, Dave zu schützen, und wird von der für ihn bestimmten Kugel tödlich getroffen. Sie stirbt in Daves Armen. Und bei ihrer Beerdigung erweist der Spieler Bama ihr die letzte Ehre, indem er seinen Hut abnimmt.

»Sie hat einen so großen Gefühlsreichtum, daß sie eine komische Szene so umdrehen kann, daß man hemmungslos weinen muß«, sagte Frank Sinatra über Shirley MacLaine nach den Dreharbeiten von »Verdammt sind sie alle«. Und Regisseur Vincente Minnelli, der sie besetzt hatte, weil sie nicht die typi-

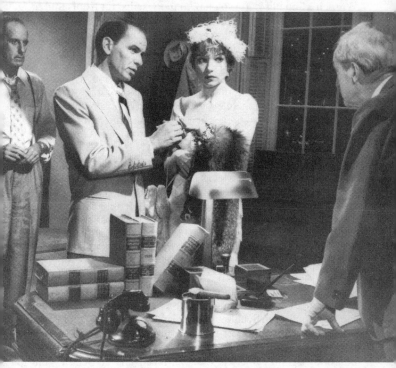

*Frank Sinatra steckt Shirley den Ehering an in ›Verdammt sind sie alle‹*

sche Hollywood-Sexbombe war und weil die Figur der Ginny eher für das Scheitern als für den Triumph des Sex steht: »Sie kann alles.« Minnelli kam es bei Shirleys Rolle auf eine gewisse Übertreibung im Sinne von Verdeutlichung an: Ihr grelles Make-up und die auffällige Kleidung waren beabsichtigt, um sie unverkennbar vulgär erscheinen zu lassen. Bei der Inszenierung ihrer Szenen achtete er besonders darauf, daß sie viel Gefühl, Leidenschaft, Pathos brachte.

Shirley MacLaine, die die Ginny selbst oft und auch noch Jahrzehnte später als ihre Lieblingsrolle bezeichnet hat, sagte in einem LIFE-Interview kurz nach der Premiere des Films Anfang 1959: »Ich habe dieses Mädchen so sehr geliebt, daß ich seine Szenen auf jede nur mögliche Art und Weise ganz nach dem Wunsch Minnellis hätte spielen können, selbst im Kopfstand.« Ihre totale Hingabe an die Rolle wurde von vielen Kritikern hymnisch vermerkt. Andere wiederum fühlten sich durch ihr von Minnelli als Stilprinzip inszeniertes expressives Spiel irritiert. Daß sie ein ebenso großes komödiantisches wie auch dramatisches Talent hatte, dafür tritt Shirley MacLaine erstmals mit diesem Film in vollem Umfang den Beweis an. Ihre Ginny ist nicht einfach irgendein Flittchen mit den üblichen konventionellen Negativ-Attributen. Sie ist zwar dumm, aber deshalb nicht primitiv in ihrer Sensibilität. Sie wehrt sich auf ihre Weise dagegen, die Rolle des gefühllosen Objekts zu akzeptieren. Das zeugt von ihrem natürlichen, ausgeprägt femininen Verhalten, ja Bewußtsein. Shirley MacLaine hat der Figur der Ginny außerdem noch eine gewisse Burschikosität hinzugefügt, die ein ganz charakteristischer Teil ihrer eigenen Persönlichkeit ist. Ihr Gang, ihre Bewegungen, auch ihre Art zu sprechen erinnern an das typische Verhalten kleiner Mädchen, die lernen, mit Jungs zu spielen und von ihnen akzeptiert zu werden. Diese Freiheit der Abweichung vom konventionell damenhaften Verhalten wird zum Markenzeichen vieler späterer MacLaine-Rollen. Und diese Burschikosität paßte zu Ginny, die nicht in erster Linie besonders sexy ist. Sie ist vielmehr ein guter Kumpel und Partner, an dessen Schulter man sich auch mal ausweinen kann, als ein Objekt männlicher Lust. Sie besitzt die Gabe des Zuhörens, lacht gern und scheint immer bereit, sich für irgend jemanden oder irgend etwas ins Zeug zu legen und zu helfen – ein Mädchen mit dem vielzitierten goldenen Herzen. »Man muß

*Nach dem Heiratsantrag: Frank Sinatra und Shirley MacLaine in
›Verdammt sind sie alle‹*

nicht verstehen, um fühlen zu können«, sagt Ginny einmal. Dieser latente Gefühlsreichtum in Ginny bewahrt die Rolle vor ihrem Stereotyp. Ginnys Tod am Ende – eine Veränderung des Roman-Originals – ist daher wirklich bewegend und tragisch.
Die Außenaufnahmen zu *Verdammt sind sie alle* wurden in Madison, Indiana, gedreht. Dort begann Shirleys Beziehung zu dem »Clan«, dem legendären »Rat Pack«. Diese Bezeichnung wurde übrigens – wie so oft, wenn es um kurze, eine Situation treffend umreißende Formulierungen geht – von einem Journalisten erfunden, einem offensichtlich typischen Vertreter des wohl wortschöpferischsten Berufsstandes. Frank Sinatra und

Dean Martin, damals bereits Publikumsidole, bewohnten ein Haus neben dem Hotel, in dem der gesamte Aufnahmestab untergebracht war. Shirley erinnert sich: »Aus unbekannten Gründen war ich die einzige Frau, die dieses Männerreservat betreten durfte, und ich machte oft und lange von meinem Vorrecht Gebrauch. Ich räumte auf, ordnete Blumen und verteilte Appetithappen auf den Tischen. Die Männer waren imstande, fünfzehn Stunden hintereinander zu trinken, zu rauchen und Witze zu reißen. Ich habe mich in meinem Beruf selten besser unterhalten. Unser Regisseur Minnelli war in puncto Ausstattung unheimlich gewissenhaft und rief uns nie, ehe nicht wirklich alles aufnahmebereit war. Wir verdankten ihm daher viel freie Zeit.« Shirley erlebte, wie sich Mädchen und auch Frauen, deren Männer verschreckt im Hintergrund standen, Sinatra und Martin buchstäblich an den Hals warfen, während sie selbst für sie so eine Art Maskottchen zu sein schien. »Kein Mensch stellte mir je unzüchtige Anträge oder zudringliche Fragen. Sie wußten, daß mein Privatleben kompliziert war, ließen mich in Ruhe und schützten mich vor taktlosen Außenseitern. Nach und nach wurden auch Sammy Davis, Peter Lawford, Joey Bishop und ein paar andere in den ›Clan‹ aufgenommen. In den nächsten fünf bis sechs Jahren habe ich mit jedem, oft mehrmals, gefilmt, und unsere Freundschaft blieb stets die gleiche. Sie brachten mir selbstlos alle Komödientricks bei. Manchmal, wenn ich in Japan oder sonstwo auf Reisen war, sahen wir uns monatelang nicht, aber bei der Rückkehr war alles wie früher. Sie fragten kaum, wo ich mich in der Zwischenzeit herumgetrieben hätte. Wir knüpften einfach wieder da an, wo wir aufgehört hatten.«

Neben Trinken, Rauchen und Witzereißen spielten Sinatra und Martin aber auch Karten, Gin Rummy vorzugsweise, eine amerikanische Rommé-Variante, die das Maskottchen Shirley so lernte. Die beiden brachten ihr natürlich auch das Betrügen bei diesem Kartenspiel bei, behandelten sie im besten freundschaftlichen Sinne als Komplizin. Dean Martin sagte damals: »Wir respektieren sie als eine verheiratete Frau. Wir machen Blödsinn, wir nehmen sie in den Arm, das ist alles.« Und Frank Sinatra bestätigte: »Das ist die reine Wahrheit, obwohl viele Leute es einfach nicht glauben wollen. Aber das Gute an Shirl ist, daß sie sich nicht darum kümmert, was andere über sie denken.« Jahre später sagte er über seine Beziehung zu Shirley: »Wir haben

eine Art gegenseitiges Vertrauen. Wenn Shirley mir sagt, ich solle ein Buch lesen, lese ich es. Ich vertraue ihrem Geschmack und ihrem Wissen, und ich glaube, sie vertraut meinem. Sie ist auf eine gewisse Weise exzentrisch, aber sehr warmherzig.«
Die komplizenhafte Freundschaft mit dem Ratten-Clan, die

*Show-Girl, Tänzerin, Sängerin: Rollen-Facetten, die immer wieder dabei sind. Szene aus ›Verdammt sind sie alle‹*

Tatsache, daß sie von so arrivierten Kollegen wie Frank Sinatra und Dean Martin respektiert wurde, sowohl professionell als auch menschlich, hat Shirley MacLaines psychischer Verfassung sicher sehr gutgetan. Und das hat wiederum ihre schauspielerische Leistung positiv beeinflußt, war sie doch damals immer noch unsicher, was ihr eigenes Talent anging. Stimmungen im Team – das ist eine Binsenweisheit – sind entscheidend wichtig für das, was nachher auf der Leinwand sichtbar wird. Shirley war die Rolle der Ginny zwar wie kaum eine andere auf den Leib geschrieben, sie hatte in Minnelli einen exzellenten Regisseur – doch mit einem Gefühl der Unfreiheit hätten sich ihre darstellerischen Fähigkeiten nicht so nuanciert und sensibel entfalten können. Die Academy of Motion Picture Arts and Sciences nominierte sie für einen »Oscar« als beste Hauptdarstellerin für das Jahr 1958 – Susan Hayward bekam ihn für *Laßt mich leben*. Doch die Nominierung – es war Shirleys erste – gilt auch schon als hervorragende Auszeichnung. Und ausgezeichnet wurde Shirley MacLaine jetzt außerdem noch mit dem Hollywood Foreign Press Award als vielseitigste Schauspielerin des Jahres 1958, womit außerdem auch ihre Darstellung in *Colorado City* und *Die Heiratsvermittlerin* gemeint war. Die Tatsache, daß die Zeitschrift »Cosmopolitan« sie bereits vorher neben Anita Ekberg und Kim Novak zu einer von sieben Sexgöttinnen gekürt hatte, amüsierte Shirley eher, als daß sie auch nur eine Sekunde lang an ein solches Selbstbild glaubte.

# 3. Karriere auf vollen Touren und ein Stück Familien-Kino

Die Angebote häuften sich im Frühjahr 1959, nachdem *Verdammt sind sie alle* in den Kinos angelaufen war. »Während ich früher nie die richtigen Rollen kriegen konnte, war ich jetzt plötzlich für jede Rolle richtig«, erinnert Shirley sich. »Die Erfolge jagten sich: *Can-Can, Das Appartement, Infam* – weitere Preise, Geld und vor allem das Gefühl, endlich etwas Ordentliches zu leisten.«

Shirley MacLaines nächster Film, der schon im Mai 1959 herauskam, war *Ask Any Girl (Immer die verflixten Frauen),* eine Komödie, in der sie zum erstenmal die absolute Hauptrolle spielte als zentrale Figur, um die sich alles dreht. Charles Walters führte Regie, und einer ihrer Partner war – bereits zum zweitenmal nach *In 80 Tagen um die Welt* – David Niven. Er freute sich über die neuerliche Zusammenarbeit mit ihr, denn er hatte sie aus der aufwendigen Mike-Todd-Produktion in allerbester Erinnerung: »Sie war eine reizende, frische, unverdorbene junge Frau mit einem ausgeprägten Sinn für Humor und einem starken Gefühl für Würde. Ich habe wirklich nicht geglaubt, daß sie mit ihrer Art von Sensitivität in Hollywood überleben würde.«

*Immer die verflixten Frauen* ist eine Komödie, die ihre Wurzeln ganz deutlich in der Screwball-Tradition der schlagfertigen Dialoge und absurden Situationen hat. Shirley MacLaine hatte endlich Gelegenheit, alle Register ihres spezifischen komödiantischen Talents zu ziehen. Sie konnte ihre persönliche, umwerfend unkonventionelle Art, ihre frappierende Aufrichtigkeit und leidenschaftliche Hingabe voll einsetzen. Sie spielt das Provinzmädchen Meg Wheeler, das mit dem festen Vorsatz nach New York geht, dort sein Glück zu machen, beruflich wie privat. Aber Megs Optimismus erhält bereits gleich bei der Ankunft in der Millionenstadt einen kräftigen Dämpfer: Ihr Gepäck ist weg. Doch für Meg ist das kein Grund umzukehren. Sie mietet sich in einem Hotel für berufstätige Mädchen ein und geht auf die Suche nach einem geeigneten Job. Sie wird Empfangssekretärin in einer Pulloverfabrik. Stutzig macht es sie al-

*Shirley und Gig Young in ›Immer die verflixten Frauen‹*

lerdings, daß der Chef Mr. Maxwell (Jim Backus) wenig nach
den üblichen Fertigkeiten einer Sekretärin fragt und statt dessen
nur meint, daß sie in einem enganliegenden Pullover sehr gut
aussehen würde. Privat bahnt sich ein – allerdings nur vermeintliches – Glück an in Gestalt des gutaussehenden, wohlhabenden
Geschäftsführers Ross Taford (Rod Taylor). Doch schon bald
erkennt sie seine wahren, »unmoralischen« Absichten – bei
einem Wochenendausflug aufs Land zu seinen Eltern, die ihre –
wie Meg insgeheim hofft – zukünftige Schwiegertochter gar
nicht begrüßen können, weil sie gerade auf einem Europa-Trip
sind. Meg ergreift die Flucht. Der nächste Mißerfolg: Sie verliert ihren Job in der Pulloverfabrik, weil sie sich gegen die Zu-
dringlichkeiten des Chefs zur Wehr setzt.
Erneut auf Arbeitssuche, gelangt sie durch die Fürsprache einer

Freundin in eine Werbeagentur. Ausgerechnet für einen Zigarettentest soll sie sich, die Nichtraucherin aus Prinzip, starkmachen. Der Versuch endet in einem fürchterlichen Husten-Desaster direkt vor dem Schreibtisch des Firmenchefs Miles Doughton (David Niven). Dessen jüngerer Bruder Evan (Gig Young),

*Fotografen-Pose: Shirley MacLaine und David Niven in ›Immer die verflixten Frauen‹*

ein Playboy und eingefleischter Junggeselle, sieht Meg und engagiert sie vom Fleck weg. Und auf der Stelle hat Meg sich in den Charmeur par excellence verliebt. Der weist sie zwar persönlich in ihre Arbeit ein, aber dann scheint er sie bereits vergessen zu haben. Meg jedoch will sich nicht so einfach abschieben lassen. In Miles findet sie einen inzwischen väterlich-freundlich gesonnenen Bundesgenossen, dem sie sich in aller Offenheit anvertraut. Und sie hat eine kecke, branchentypische Idee: Sie bietet sich dem versierten Werbefachmann Miles sozusagen als Verkaufsobjekt an, das er im wahrsten Sinne des Wortes an den Mann bringen soll – an seinen Bruder Evan. Bei dessen Damenverschleiß ist das nicht so einfach. Miles greift zu einem nicht ganz seriösen Hilfsmittel: Er beschafft sich des Bruders Notizbuch, in dem der Namen und Adressen seiner vielen Frauen für viele verschiedene Zwecke und Gelegenheiten vermerkt hat. Der Reihe nach besucht Miles die Schönen und studiert deren typische Eigenschaften. Nach dem Gesetz der Marktforschung folgert er, daß eine Frau, die alle diese Eigenschaften in sich vereint, die Idealfrau für Evan sein müßte. Und Meg wird er diesem Idealbild gleichmachen.

Der Erfolg ist durchschlagend. Evan, der Meg so gut wie vergessen hatte, macht ihr jetzt prompt den erhofften Heiratsantrag. Aber Meg spürt auf einmal, daß sie Evan gar nicht wirklich liebt, sondern vielmehr dessen älteren Bruder Miles, der sie so akzeptiert, wie sie in Wirklichkeit ist. Sie ist vollkommen durcheinander und ergreift noch einmal die Flucht – zur Neuauflage des seinerzeit geplatzten Wochenendes mit Ross, der sich überaus geschmeichelt fühlt und sofort dazu bereit ist. Meg ist schon auf dem Weg nach Connecticut, als Miles von ihrem Fremdgehen erfährt. Hals über Kopf rast er hinter ihr her – denn auch er empfindet inzwischen mehr für Meg, als er sich bisher eingestehen wollte.

Regisseur Charles Walters, eigentlich Musical- und Tanzspezialist *(Easter Parade, High Society),* hat mit *Immer die verflixten Frauen* eine reizvolle romantische Komödie gedreht, die auch einige hübsche ironische Seitenhiebe auf die Glücksvorstellungen des »american way of life« austeilt. So läßt er gleich zu Beginn des Films eine trockene Statistik auf die Zuschauer los, referiert von Hauptdarstellerin Shirley MacLaine: »In den USA gibt es fünf Millionen mehr Frauen als Männer. Das heißt: auf

*Shirley MacLaine und David Niven in ›Immer die verflixten Frauen‹*

37 Männer kommen 38,5 Frauen. Jeden Tag strömen 226 Mädchen nach New York. Sie wollen Karriere machen oder einen
Ehemann finden, wenn möglich beides.«
Der Krieg der Geschlechter, der schon Thema der Komödien
der dreißiger Jahre war, taucht in den fünfziger Jahren wieder
als Film-Plot auf. Doch während die Frauen der dreißiger ziemlich verrückt und frei waren – gespielt von Katharine Hepburn,
Rosalind Russell oder Carole Lombard –, sind die Hollywood-
Frauenfiguren nun, gemäß den rückschrittlichen Idealen der Ei-
senhower-Jahre, sexuell eher Küken. Meg Wheeler in *Immer
die verflixten Frauen* entwickelt sich von sexueller Unschuld und
puritanischer Moral – sie trinkt nicht und raucht nicht – zu einer
gewissen Kultiviertheit in Sachen Sex und Erotik. Am Ende des
Films natürlich, denn die Leinwand mußte sauber bleiben, vor-

ehelicher Sex war verpönt. Daher das Hollywood-Märchen-Happy-End: Prinz Miles/David Niven rettet Prinzessin Meg/Shirley MacLaine vor den reißenden Wölfen. Und in seinen Armen sagt sie:»Ich habe gefunden, für wen und was ich mich aufgespart habe und daß es sich gelohnt hat. Wenn du mir nicht glaubst, frag jedes Mädchen!« – »Ask any girl«. Der Titel hat Leichtigkeit und Nonchalance im Gegensatz zu der deutschen, plump fluchenden Version. Der Film unterscheidet sich von den populären Hollywood-Komödien der fünfziger Jahre à la Doris Day/Rock Hudson – ihr *Bettgeflüster* entstand ebenfalls 1959 – durch die Doppeldeutigkeiten vieler Szenen und Situationen und die witzigen Anspielungen auf das amerikanische Alltags-, Geschäfts- und Liebesleben. Und es ist ein genießerischer Schauspieler-Film. Darin und in der Konstellation der Story ist er vergleichbar der Billy-Wilder-Komödie *Sabrina* aus dem Jahre 1953. Damals hießen die Darsteller Audrey Hepburn, Humphrey Bogart und William Holden – jetzt heißen sie Shirley MacLaine, David Niven und Gig Young. Das Vergnügen über ihre Leistungen, ihre Brillanz und ihre hinreißende Ausstrahlung ist gleich groß.

Das »Time Magazine«, das – ebenso wie auch »Life« – Shirley eine Titelgeschichte widmete, bescheinigte ihr »mehr Schönheit, Talent und Publikums-Appeal als jede andere Filmschauspielerin seit Carole Lombard«. »Time« wählte sie zur Repräsentantin des New Hollywood, weil sie nicht mit Cheesecake-Posen zum Star geworden sei, sondern kraft ihrer eigenen Persönlichkeit, ohne vom Studio inszenierte Romanzen, ohne Pin-up-Fotos und sogar ohne Swimmingpool. Im Sommer 1959 bekam Shirley MacLaine für ihre Rolle in *Immer die verflixten Frauen* bei den IX. Internationalen Filmfestspielen in Berlin den Silbernen Bären als beste Darstellerin. Von der British Film Academy wurde sie mit dem Best Foreign Actress Award ausgezeichnet.

Shirley selbst sagte später, während der Dreharbeiten zu *The Apartment,* über ihre Rolle in *Immer die verflixten Frauen:* »Was ich spielte, war Situationskomödie, und es war nach dieser Rolle hier bei Billy Wilder meine zweitschwerste. Die Komödie als solche war nicht so schwierig, aber wenn ich tiefer lotete und mich fragte, was mit Meg Wheeler eigentlich wirklich los war, kam ich nicht weiter, weil sie mir selbst so ähnlich war.«

Künstlerisch weiter kam sie mit ihrem nächsten Film *Career (Viele sind berufen)* leider gar nicht. Der Schwarzweißfilm aus dem New Yorker Schauspieler-Milieu war ihr vierter Film für die Hal-Wallis-Produktion und ihre zweite Zusammenarbeit mit Regisseur Joseph Anthony nach der *Heiratsvermittlerin.* Aber sie hatte wenigstens wieder einen Kumpel aus dem Ratten-Clan dabei: Dean Martin, der einen erfolgreichen, zynischen Broadway-Regisseur spielt. Shirley MacLaine hatte in der Rolle einer verwöhnten, mehrfach geschiedenen und dem Alkohol verfallenen Tochter eines renommierten Broadway-Produzenten ausgiebig Gelegenheit zu kreischen und zu schreien, zu schluchzen und zu weinen, zu lachen und zu kichern – drei emotionale Ausdrucksformen, die zu Markenzeichen all ihrer

*Rod Taylor und Shirley MacLaine in ›Immer die verflixten Frauen‹*
ASK ANY GIRL

91

späteren Filme werden sollten, wenn auch glücklicherweise nicht immer so undifferenziert wie in diesem Film.

*Viele sind berufen* beschreibt 14 Jahre im Leben von Sam Lawson (Anthony Franciosa), einem ehrgeizigen jungen Schauspieler, der aus Lansing, Michigan, nach New York kommt, um zielstrebig Karriere zu machen. Er bezieht eine billige Kaltwasser-Wohnung und schließt sich einer ohne Gage spielenden Off-Broadway-Truppe an, die von dem ebenfalls aufstrebenden jungen Regisseur Maury Novak (Dean Martin) zusammengestellt wurde. Barbara (Joan Blackman), Sams Jugendliebe, kommt aus Lansing zu ihm nach New York, und beide heiraten. Nach einem Jahr aber und nach einer Fehlgeburt hat sie nicht mehr die Kraft für dieses Leben der Armut und Entbehrungen. Die Ehe wird geschieden, und Barbara kehrt nach Michigan zurück. Schließlich bekommt Maury eine Chance in Hollywood und verläßt New York. Sam ist mehr und mehr verbittert. Mit der Zeit findet er kleine Rollen durch die Theateragentin Shirley Drake (Carolyn Jones), die ihm in ihrer Einsamkeit auch privat Sympathie entgegenbringt.

Maury ist inzwischen in Hollywood ein großer Regisseur geworden und kehrt nach einiger Zeit nach New York zurück, um eine Broadway-Show zu besetzen. Sam, der nach wie vor von seinem Talent und auch von der Freundschaft Maurys überzeugt ist, hofft, die Hauptrolle zu bekommen. Doch Maury lehnt ihn ab, er will seinen Ruf nicht durch einen unbekannten Schauspieler riskieren. Zynisch rät er Sam, endlich klüger zu werden oder mit der Schauspielerei ganz aufzuhören. Voller Empörung beschließt Sam, alle ehrlichen Bemühungen über den Haufen zu werfen und um jeden Preis ein Star zu werden, koste es, was es wolle. Er hat Maurys Wink verstanden, daß nur ein Opportunist Erfolg im Showbusiness haben kann. Also macht er sich an Sharon Kensington (Shirley MacLaine) heran, Maurys Ex-Freundin und Tochter eines erfolgreichen Broadway-Produzenten. Sharon ist reich, verwöhnt und unglücklich. Ihren Kummer ertränkt sie in Alkohol. Sam wird Sharons vierter Ehemann. Ein Jahr später jedoch verlangt Sharon, die ein Kind von Maury erwartet, die Scheidung. Sam willigt ein unter der Bedingung, daß er die Hauptrolle in Maurys neuem Stück bekommt. Maury ist einverstanden. Doch während der Proben erfahren er und Producer Robert Kensington (Robert Middleton), Sharons Vater,

*Gig Young und Shirley MacLaine in ›Immer die verflixten Frauen‹*

daß ein Hollywood-Star an der Rolle interessiert ist. Kurzerhand tauschen sie ihn gegen Sam aus, der, blind vor Wut, Maury mit Mord droht. Bevor es jedoch so weit kommt, wird Sam nach Korea eingezogen. Als er aus dem Krieg zurückkehrt, sind gerade die Untersuchungen des Kommunisten-Jägers McCarthy und seines House Un-American Activities Committee in vollem Gange. Sam, der ebenso wie Maury wegen der Zugehörigkeit zu der früheren Off-Broadway-Truppe der ersten New Yorker Jahre auf der schwarzen Liste steht, schlägt sich zunächst einmal als Kellner durch. Dann bietet ihm Maury eine Rolle in einem neuen Off-Broadway-Unternehmen an. Sams erste Reaktion auf dieses Angebot ist ablehnend. Doch nach einem zufälligen Treffen mit seiner ersten Frau Barbara, die ihn ermutigt, weil sie inzwischen sein leidenschaftliches Engagement und seine

Motivation verstehen gelernt hat, ändert er seine Meinung und nimmt die Rolle an. Maurys Inszenierung wird ein Riesenerfolg und nach kurzer Zeit an den Broadway übernommen. Nach 14 Jahren Kampf, Erniedrigung und Unmenschlichkeit ist Sam endlich ein Star. Bevor der Vorhang am Broadway nach dem Ende der Aufführung zum erstenmal wieder aufgeht, fragt ihn Shirley Drake, seine treue Agentin und einzige wirkliche Freundin, ob all das Leid und die Qual sich gelohnt haben. Sam zögert, doch dann antwortet er mit fester Stimme: »Ja, sie waren es wert.« Dann geht er raus, um sich vor dem Publikum zu verbeugen und den donnernden Applaus entgegenzunehmen.

Regisseur Joseph Anthony hat die nicht gerade neue, auch nicht besonders originelle Story vom Existenzkampf und den hart gepflasterten Wegen zum Ruhm eines Künstlers mit einem gewissen melodramatischen Naturalismus inszeniert. In der harten Schwarzweißfotografie konzentriert er sich auf die Schattenseiten des Broadways jenseits der Glitzerfassaden, zeigt schlecht beleuchtete Seitenstraßen, leere, wie schwarze Löcher wirkende Bühnen, düstere Hinterzimmer. In der Rückblenden-Erzähltechnik aus der Sicht Sams werden dessen Verzweiflung und Zynismus so auch visuell, sinnlich spürbar.

Was Shirley MacLaine und ihre Rolle angeht, gehört *Viele sind berufen* allerdings eher zu den Filmen, die man vergessen kann. Als Sharon Kensington hat sie kaum eine Chance, über das Klischee der verwöhnten, reichen, deshalb frustrierten, im Leben scheiternden, deshalb dem Alkohol verfallenen, oberflächlichen jungen Frau hinauszugehen. Die meiste Zeit des Films hat sie betrunken zu sein, sozusagen als ausgedehnte Version jener wunderbaren trunkenen Szene in *Verdammt sind sie alle,* nach der Frank Sinatra ihr einen Heiratsantrag macht. Doch die Figur der Sharon Kensington ist eher unglaubwürdig in ihrer Schwäche und ihrem Selbstmitleid. Sie stolpert von einem Mann zum anderen, unfähig, aus ihren Lebenserfahrungen im harten New Yorker Künstler-Milieu auch nur einen Funken von Cleverneß zu entwickeln. Das letzte, dramaturgisch ziemlich unentschlossene Bild, das man von Sharon im Film sieht, zeigt sie am Abend von Sams Erfolg in einer Totalen – mit zwei Kindern, nüchtern, als typische, biedere Mittelklasse-Ehefrau und -Mutter. Mit der Handlung hat sie als Versagerin nichts mehr zu tun.

Regisseur Joseph Anthony fand dennoch Worte der Begeisterung für Shirleys Darstellung: »Sie hat eine große innere Realität. Sie ist eine methodische Schauspielerin. Bei ihr geht alles über die Empfindung, sie haßt es, eine Rolle vom Verstand her anzugehen.«
Der nächste Film, den Shirley drehte, führte sie wieder mit einem ihrer Kumpels vom »Rat Pack« zusammen, mit Frank Sinatra.

*Shirley, Joan Blackman und Anthony Franciosa in der Partyszene in ›Viele sind berufen‹*

*Can-Can (Can-Can,* 1960) gab ihr auch zum erstenmal auf der Leinwand die Möglichkeit, das Talent zu nutzen, das ihr eigentlich ihren ersten Hollywood-Vertrag eingebracht hatte: Tanzen. Regisseur dieser Kino-Version des gleichnamigen Musicals mit Songs von Cole Porter und der Story von Abe Burrows ist Walter Lang, ein Routinier des Unterhaltungs-Kinos *(Mit einem Lied im Herzen,* 1953, *Rhythmus im Blut,* 1954). Das Budget des im Todd-AO-Verfahren gedrehten Films betrug die für damalige Verhältnisse ungeheure Summe von sechs Millionen Dollar. Mit diesem Aufwand versuchte man offenbar, von der Todesstunde des Hollywood-Musicals, die damals bereits geschlagen hatte, abzulenken, was allerdings nicht gelang. Man hatte sich auch bemüht, durch eine neue musikalische Bearbei-

*Berühmt ist, wer oben auf der Leuchtreklame steht*

*›Can-Can‹ und die Unmoral der Franzosen. Shirley MacLaine als Rechts-außen*

tung von Nelson Riddle, dem genialen Arrangeur und Hausmu-
siker Sinatras, sowie durch Austausch einiger Cole-Porter-
Songs dem Film einen möglichst attraktiven, populären Sound
zu geben. Sechs Gesangs-Nummern des Original-Musicals wurden nicht verwendet und statt dessen drei ältere, zugegeben,
grandiose Porter-Schlager zum Wiedererkennen und zum Mitsingen: »Let's Do It« (gesungen von Sinatra und MacLaine),
»Just One of Those Things« (gesungen von Maurice Chevalier)
und »You Do Something to Me« (gesungen von Louis Jourdan).
Selbst diese beiden Franzosen, denen man noch zwei Jahre zuvor in *Gigi* zugejubelt hatte, kamen in der kraft- und einfallslos
routinierten Inszenierung Walter Langs nicht richtig zum Zuge.
Das Drehbuch vom Dorothy Kingsley und Charles Lederer bestand in einer ziemlich radikalen Umkrempelung des Stückes.
Die Rolle des Anwalts beispielsweise, den Frank Sinatra spielt,

97

gab es in der Broadway-Aufführung überhaupt nicht. Und der wohl populärste Song des Musicals, »I Love Paris«, verkam zur vom Ensemble gesungenen Hintergrund-Musik. Der auf diese Weise verzweifelte Versuch, das Genre des Film-Musicals wiederzubeleben, schlug ins Gegenteil um: *Can-Can* lieferte den eindeutigen Beweis, daß die großen Zeiten von *Singin' in the Rain* (1951), *Ein Amerikaner in Paris* (1951), *Guys and Dolls* (1955), *Funny Face* (1957) und *Gigi* (1958) endgültig vorbei waren.

*Can-Can,* jener berühmte und immer wieder auf seine moralische Gefährlichkeit untersuchte Tanz, ist der dramaturgische Angelpunkt, um den sich die leidlich unterhaltsame Liebe-und-Intrigen-Handlung dreht. Schauplatz ist Paris in den neunziger Jahren des vorigen Jahrhunderts. Aufgrund eines alten französischen Statuts ist das Can-Can-Tanzen verboten. Simone Pistache, (Shirley MacLaine), Chefin des Café »Le Bal du Paradis« und selbst Can-Can-Tänzerin, ist vollauf damit beschäftigt, ihr Etablissement vor Polizeirazzien zu schützen. Denn das frivole Beineschwingen ist natürlich eine der Hauptattraktionen für ihre Kundschaft, die typischen Lebemänner, die sich an der temperamentvoll erotischen Bühnenshow delektieren. Simone hat Glück – ihr Geliebter ist der Anwalt François Durnais (Frank Sinatra), der zusammen mit seinem Freund, Richter Paul Barrière (Maurice Chevalier), dafür sorgt, daß »Le Bal du Paradis« nicht von der Polizei geschlossen wird.

Da taucht ein junger Richter auf, der pflichtbewußt dem Buchstaben des Gesetzes folgt und gegen die Unmoral am Montmartre zu Felde zieht: Philippe Forrestier (Louis Jourdan) besucht eines Abends das Can-Can-Café, um herauszufinden, wie er seine geplante Razzia am besten durchführen kann. Prompt verliebt er sich unsterblich in Simone und macht ihr einen Heiratsantrag. Aber Simone liebt François, der allerdings nach der Devise lebt, daß Liebe und Ehe nicht notwendigerweise zusammengehören. Philippes Antrag bringt Simone auf die Idee, die beiden Männer gegeneinander auszuspielen – in der Hoffnung, auf diese Weise ans ersehnte Ziel mit François zu kommen. Doch so leicht läßt der sich nicht einfangen. Zusammen mit Barrière heckt er einen anderen Plan aus. Beide stiften Simone zu einer Provokation Philippes in Gegenwart von dessen Freunden der gehobenen Gesellschaftsschicht an. Der Plan funktioniert:

Simone gibt während einer Ausflugsfahrt auf einem Seine-Dampfer eine ziemlich vulgäre Gesangs- und Tanznummer zum besten. Doch Philippe gibt nicht auf, er erneuert seinen Antrag Simone gegenüber, die auch diesmal wieder ablehnt, obwohl sie sich über François' gleichgültiges Verhalten ärgert.

Philippe, der seinen Beruf als Gesetzeshüter ernst nimmt, läßt nun eines Abends Simones Lokal ausheben. Bei der Razzia können nur François und Barrière der Verhaftung entgehen, indem sie sich im letzten Moment als Kellner verkleiden. Das Gericht erklärt sich schließlich bereit, eine Vorführung des inkriminierten Can-Can in Augenschein zu nehmen. Bei diesem Lokaltermin entscheidet es sich endlich, im Einklang mit der Liga

*Frank Sinatra, Shirley MacLaine und Maurice Chevalier in ›Can-Can‹*

gegen die Unmoral, daß die Verwerflichkeit dieses Tanzes reine Ansichtssache sei und für einen Straftatbestand nicht ausreiche. Der Can-Can wird freigegeben, und Simone kann ihren François, der endlich als Reaktion auf Philippes insistierendes Werben um sie seinen Gegenantrag gelandet hat, zum Standesamt führen.

Reizvoll sind in *Can-Can* hauptsächlich die Tanzszenen, choreographiert von Hermes Pan. Doch in ihrem einst ureigenen Element enttäuscht Shirley MacLaine – vor allem in dem Adam-und-Eva-Ballett, in dem sie als Eva schwerfällig und plump wirkt, aber auch in ihrem Apachen-Tanz. Sie hat es selbst zugegeben, und es ist ihr bewußt geworden, was es für eine Tänzerin ausmacht, wenn sie mit dem harten Training aufhört. Sie beging diesen Fehler nicht noch einmal, als sie neun Jahre später die Tanz-Hauptrolle in *Sweet Charity* übernahm.

Ansonsten ist diese Simone Pistache eine typische Frauenrolle der fünfziger Jahre: eine gewisse Lebenserfahrung, mal zurückhaltend bescheiden, mal ziemlich direkt bis vulgär, aber letztendlich doch immer darauf ausgerichtet, einen Mann zu finden und ihm zu dienen. Simone gehört der unteren sozialen Schicht an und kompensiert diesen Tatbestand mit Energie. Sie ist selbstbewußt und aggressiv. Sie möchte respektiert werden und zieht doch irgendwie immer wieder den kürzeren – da gibt es wieder Ähnlichkeiten mit der Ginny in *Verdammt sind sie alle*. Shirley MacLaine ist die ideale Darstellerin solcher Rollen – selbst den miesesten Damen gibt sie noch eine Aura von Charme und Sympathie. Sie ist sexy und »good girl« in einer Person. Ihre Lebhaftigkeit und rückhaltlose Extrovertiertheit machen sie für Männer zunächst sehr attraktiv, die jedoch in der Konsequenz des weiteren Verlaufs vor ihrer natürlichen Unabhängigkeit eher zurückschrecken.

*Can-Can* kam unbeabsichtigt zu weltweiten Publicity-Ehren: Sowjet-Premier Nikita Chruschtschow besuchte mit Frau Nina das Studio während der Dreharbeiten, Teil des Programms seiner Amerika-Reise 1959. Shirley schreibt über diesen Besuch in ihrer Autobiographie: »Die Begegnung an sich war denkbar harmlos. Erst durch die Zeitungen wurde alles zur Sensation aufgebauscht. Die Direktion der 20th Century Fox bat Frank Sinatra und mich, als Gastgeber zu fungieren. ... Frank und Louis Jourdan übten den Song ›Live and Let Live‹, der für die Gele-

*Feiern Triumph mit ›Can-Can‹: Choreograph Hermes Panput, Frau Cummings, Regisseur Jack Cummings mit Shirley MacLaine und Juliet Prowse*

genheit besonders passend schien, und ich lernte ein paar Sätze Russisch (rein phonetisch) auswendig und übte die große Can-Can-Nummer mit dem Corps de ballet ein. Das Ganze wurde durchs Fernsehen übertragen, und da ich russisch gesprochen, Chruschtschow angelächelt und ihm die Hand gedrückt hatte, bekam ich alsbald eine Sturzflut von Schmähbriefen: Ich mache gemeinsame Sache mit dem Mörder Ungarns! Chruschtschow selbst lächelte den ganzen Nachmittag fröhlich, tat, als ob er mein Russisch verstünde, und strahlte angesichts der pikanten Tanzdarbietungen übers ganze Gesicht. Seine Frau schien weniger entzückt und behielt ihn scharf im Auge, als ich ihm die einzelnen Tänzerinnen vorstellte und er noch mehr strahlte. Die

*Shirley mit Liebestöter in ›Can-Can‹*

Pressefotografen sorgten dafür, daß ich, mit über den Kopf fliegenden Röcken, und Chruschtschow aufs gleiche Bild kamen. Im übrigen gab er sich in unserer Mitte nett, herzlich und natürlich. Aber das dicke Ende kam nach. Disneyland war nicht das einzige in den USA, was ihn aufregte. Als die Journalisten ihn nach seiner Meinung über mich und die Can-Can-Gruppe fragten, sagte er: ›Das Gesicht der Menschheit ist doch hübscher als ihr Hintern.‹ ... Etwa anderthalb Jahre später saß ich eines Tages bei Sardi in New York City. Chruschtschow hatte gerade während einer UN-Sitzung mit dem Schuh aufs Rednerpult gehauen. Außer dieser historischen Szene war mein Film *Das Appartement* eben angelaufen und von Presse und Publikum gut aufgenommen worden. Ein fremder Herr kam an meinen Tisch, stellte sich als Dolmetscher Chruschtschows vor und sagte, er habe mir etwas auszurichten. ›Der Premierminister möchte Sie wenigstens grüßen lassen, solange er hier ist, und sich in freundliche Erinnerung bringen. Er hat ihren neuen Film gesehen. Und er findet, daß Sie Fortschritte gemacht haben.‹«

*Spielten mehrfach zusammen: Shirley und Sammy Davis Jr.*

Während der Dreharbeiten zu *Das Appartement,* ihrem ersten durchschlagenden internationalen Erfolg, der heute längst ein Klassiker ist, gab Shirley MacLaine einen kleinen pointierten Gastauftritt in der Gaunerkomödie *Ocean's Eleven (Frankie und seine Spießgesellen,* 1960) von Lewis Milestone. Sie flog für einen Tag nach Las Vegas, stand fünf Minuten vor der Kamera, und fertig war die kleine Szene, die im Film dann ganze 20 Sekunden dauert. Shirley spielte diese kleine Gastrolle, die in der Besetzungsliste des Films gar nicht erwähnt wird, aus Freundschaft zum Ratten-Clan, den sie in dieser Produktion erstmals in ziemlicher Vollzähligkeit antraf.

Frank Sinatra hatte sich gleich nach *Can-Can* in dieses Abenteuer für seine eigene Firma Dorchester Productions gestürzt. Er führte die hochkarätige Darsteller-Liste an, auf der nach ihm Dean Martin, Sammy Davis jr., Peter Lawford, Angie Dickinson, Richard Conte, Cesar Romero, Joey Bishop und Akim Tamiroff standen. Der ganze Clan hatte ausgiebig Gelegenheit, sich jeweils selbst darzustellen. Ebenso eine Reihe von Hollywood-Berühmtheiten in prägnanten Gastrollen: George Raft, Red Skelton, Ilka Chase, Buddy Lester, Henry Silva und natürlich Shirley MacLaine, das Clan-Maskottchen. Sie erklärte sich bereit, ein betrunkenes Partymädchen zu spielen, eine Rolle, die sie durch frühere Filme allmählich perfektioniert hatte.

Regisseur Lewis Milestone, weltberühmt durch seinen Antikriegsfilm *Im Westen nichts Neues,* für den er 1930 den »Oscar« bekommen hatte, inszenierte *Frankie und seine Spießgesellen* als routinierte, flotte Komödie, deren besonderer Reiz eindeutig in der Star-Besetzung lag. Frankie Ocean (Frank Sinatra) trommelt seine Kameraden aus der ehemaligen Fallschirmjägerzeit zusammen. Mit diesen elf ausgekochten Burschen will er einen großen Coup landen, bei dem für jeden eine Million herausspringen soll. Die Operationsbasis ist Las Vegas, wo in der Silvesternacht Schlag zwölf fünf der bekanntesten Spielcasinos von ihren Dollarmillionen befreit werden sollen. Nach einem präzisen Zeitplan jagen die Männer ein Elektrowerk in die Luft, wodurch es in der ganzen Stadt zappenduster wird und die elektronisch kontrollierten Tresorkammern ungeschützt offenliegen. Der Überfall funktioniert genau nach Plan. Die Kumpels deponieren das Geld in den Mülltonnen vor den ausgeraubten Casinos, wo Josh Howard (Sammy Davis jr.) es mit seinem

Mülltransporter einsammelt. Alles verläuft perfekt – da passiert etwas, womit keiner der Beteiligten bei diesem bis ins kleinste ausgetüftelten Coup gerechnet hat: Anthony Bergdorf (Richard Conte) ist der Anspannung dieses Raubzugs nicht gewachsen und stirbt auf der Straße an einer Herzattacke. Das kompliziert den Abtransport der Beute aus Las Vegas erheblich. Schließlich gelingt es der Gang, die geraubten Millionen in Bergdorfs Sarg zu verstecken. Allerdings haben sie nicht damit gerechnet, daß die Witwe für ihren Mann eine Feuerbestattung arrangiert. Während der Zeremonie sehen Frankie und sein Clan voll tiefster Trauer ihren Freund und ihre Millionen in Flammen aufgehen.

*Frankie und seine Spießgesellen* ist voll von Insider-Witzen, ironischen Anspielungen und Doppeldeutigkeiten. Shirleys kleine Szene charakterisiert den Film genau. Vor dem Sahara Hotel in Las Vegas steigt Shirley MacLaine völlig betrunken aus einem Auto. Sie trägt ein blaues Seidenkleid und eine weiße Pelz-Stola. Beim Aussteigen verliert sie den Schlüssel, bückt sich auf der Suche nach ihm und hat Schwierigkeiten, wieder hochzukommen. Dean Martin kommt ihr zu Hilfe. Shirley reißt ihn an sich und küßt ihn. Als sie beide wieder auf die Beine gekommen sind, kichert Shirley auf ihre unnachahmliche Art, um gleich darauf den Ausdruck tiefster Enttäuschung auf ihr Gesicht zu bringen, weil sie merkt, daß Dean Martin nichts von ihr will. »Das ist ein schmutziges Geschäft«, lallt sie, »ich passe wohl nicht in deinen Film, was?« Dean Martin, mit den letzten Vorbereitungen für den großen Gangster-Coup beschäftigt, antwortet: »Von diesem Moment an nicht mehr, Schätzchen.« Worauf Shirley schnell erwidert: »So trifft es sich, ich bin sehr gefragt.«

Nach ihrer Stippvisite beim Rat Pack und dem kleinen Insider-Spaß vor der Kamera von Milestones Gaunerkomödie kehrte Shirley MacLaine wieder zu den Dreharbeiten ihres ersten wirklich bedeutenden Films zurück: *The Apartment (Das Appartement,* 1960). Regisseur Billy Wilder, für seine Akribie und Unerbittlichkeit in der Arbeit bekannt, zwang Shirley in die nötige Disziplin und gab ihrem spontanen Stil den richtigen Schliff. Er nahm ihr ihre feschen Manierismen, die sich bereits ein wenig abzunutzen begannen, und bestärkte sie in ihrer Fähigkeit, sowohl komödiantisch als auch dramatisch zu agieren. Als Fahr-

Jack Lemmon, Shirley MacLaine in ›Das Appartement‹

stuhlführerin in einer Versicherungsfirma hat Shirley zum erstenmal Gelegenheit, ein ganz normales Mädchen aus der Ar-
beiterschicht zu spielen – eine willkommene Abwechslung, auch
für das Publikum, nach Hinduprinzessin, Cowgirl, Alkoholike-
rin, Pariser Madame. Fran Kubelik in *Das Appartement* ist ein
Mädchen mit durchaus typischen, identifizierbaren Problemen:
Nach außen fröhlich und gefällig, ist sie in ihrem Innersten tod-
unglücklich. Sie hat ein Verhältnis mit dem Personalchef der
Firma, einem verheirateten Mann, der natürlich nicht daran
denkt, sich scheiden zu lassen, und ihr damit permanent das Gefühl gibt, zweite Wahl zu sein.
Das Drehbuch schrieb Billy Wilder zusammen mit I. A. L. Diamond. Beide hatten schon bei *Ariane – Liebe am Nachmittag*
(1957) und *Manche mögen's heiß* (1959) zusammengearbeitet.

Die Hauptfigur in *Das Appartement* ist ein kleiner Angestellter, gespielt von Jack Lemmon, der sich eine Karriere erhofft, indem er seinen Vorgesetzten seine Wohnung als Liebesnest zur Verfügung stellt.

C. C. Baxter (Jack Lemmon), allgemein »Bud« genannt, arbeitet in der Prämienberechnungsstelle einer New Yorker Versicherungsgesellschaft. Er hofft, bald aufzusteigen – schließlich macht er fast täglich Überstunden. Allerdings ist es weniger der Pflichteifer, der Bud nach Dienstschluß noch geraume Zeit im Büro festhält, sondern ein ganz anderer Umstand: Sein Appartement ist zu dieser Zeit stets besetzt. Vier Abteilungsleiter der Firma, denen Bud reihum seinen Wohnungsschlüssel zur Verfügung stellt, treffen sich dort mit ihren Freundinnen zu heimlichen Schäferstündchen. Als sich die Herren revanchieren und Bud zur Beförderung vorschlagen, durchschaut Personalchef J. D. Sheldrake (Fred MacMurray), was hier gespielt wird, und verlangt ebenfalls den Schlüssel zum Appartement. Er bekommt ihn – und Bud avanciert zum Verwaltungsassistenten. Allerdings ahnt er zunächst nicht, mit wem Sheldrake fortan häufig seine Wohnung aufsucht: Mit Fran Kubelik (Shirley MacLaine), der reizenden Fahrstuhlführerin, in die Bud selber sehr verliebt ist. Zu allem Übel vertraut Sheldrake ihm an, daß er nicht im geringsten beabsichtigt, seinen derzeitigen Ehestatus zu verändern.

Bud ist schockiert und deprimiert. Bei der Betriebs-Weihnachtsfeier in der Firma läßt er sich vor Kummer vollaufen. Als er später betrunken in seiner Wohnung landet, findet er dort Fran besinnungslos in seinem Bett vor. Sie hatte mit Sheldrake, der sie wieder einmal in ein teures Restaurant zum Essen ausgeführt und das Thema Scheidung tunlichst zu vermeiden versucht hatte, danach eine ernsthafte Auseinandersetzung in Buds Wohnung. Sheldrake hatte sie daraufhin in aller Eile verlassen. Fran hatte nichts Besseres zu tun, als in ihrer Verzweiflung alle Schlaftabletten zu schlucken, die sie in Buds Hausapotheke fand.

Trotz seiner alkoholisierten Verfassung übersieht Bud die Lage genau und holt seinen Nachbarn Dr. Dreyfuss (Jack Kruschen) zu Hilfe. Die beiden Männer sind nun für den Rest des Abends damit beschäftigt, Fran wiederzubeleben, indem sie sie packen und mit ihr in der Wohnung hin und hergehen. Natürlich hält

Dr. Dreyfuss Bud für den Wüstling, der Fran in den Selbstmord getrieben hat. Nach einer Weile haben die Bemühungen der beiden Männer Erfolg: Fran kommt wieder zu sich. Mit Hilfe von Hühnersuppe und Spaghetti, die ihr Mrs. Dreyfuss (Naomi Stevens) in rührender Fürsorge einflößt, erholt Fran sich zusehends. Bud, der vom Doktor die Auflage erhalten hat, sie 24 Stunden lang nicht aus den Augen zu lassen, verliebt sich aufs neue in Fran. Beide gewinnen Vertrauen zueinander und spielen Gin-Rummy – ein Insider-Joke, der nicht im Drehbuch stand und den Wilder hinzugefügt hat, weil Shirley ein Fan dieses Kartenspiels ist und es auch während der Drehpausen permanent spielte.

Inzwischen hat Sheldrakes Frau von dessen Verhältnis mit Fran erfahren, und natürlich kennt sie kein Pardon. Vor die vollendete Tatsache gestellt, von der Ehefrau verlassen zu sein, ist Sheldrake plötzlich gewillt, sein Heiratsversprechen Fran gegenüber einzulösen. Zur Versöhnung will er mit ihr den Silvesterabend in Buds Wohnung verbringen. Doch das ist für diesen denn doch zuviel: Er verweigert Sheldrake die Wohnungsschlüssel und kündigt seine Stellung. Als Fran davon erfährt, weiß sie endlich, wen sie wirklich liebt, und rast in Buds Appartement. Vor der Tür erschrickt sie zu Tode über einen lauten Knall, den sie für einen Schuß hält. Sie stürzt hinein und findet Bud, wie er gerade eine Flasche Champagner öffnet. Endlich gesteht er ihr seine Liebe, worauf Fran nur glücklich-lakonisch erwidert: »Halt den Mund und schenk ein!«

Dieses Happy-End wurde von einigen Kritikern als zu sentimental und unglaubwürdig empfunden, lobten sie doch vor allem Wilders genaue und sichere Charakterisierung der beiden Hauptfiguren, für die es in der Konsequenz des Handlungsablaufs und ihres Verhaltens eigentlich keine Motivation für eine dauerhafte Beziehung gäbe. Doch diese Argumentation rührt sicher aus dem zeitbedingten, noch etwas verklemmt moralischen Verständnis, über das Wilder sich souverän und der Zeit vorgreifend hinweggesetzt hat. Denn ein kleiner Angestellter, der Karriere machen will, indem er seine Wohnung für heimliche Liebesstunden an Vorgesetzte freigibt, ist nicht gerade der Inbegriff bürgerlicher Rechtschaffenheit. Und eine kleine Arbeiterin, die sich nicht zu schade ist für eine Affäre mit einem verheirateten Chef und noch dazu einen Selbstmordversuch

*Zwei einsame Herzen: Shirley und Jack Lemmon in ›Das Appartement‹*

macht – ausgerechnet in einer Komödie: Das verlangte schon eine Menge Umdenken konventioneller Wert- und Moralbegriffe. Insofern war *Das Appartement* zu seiner Zeit ein durchaus subversiver Film. Wilder selbst sagte dazu: »Es mag sein, daß ›Das Appartement‹ einiges enthält, was etwas über die Gesellschaft aussagt, aber der Film war nicht als tiefschürfende Erforschung darüber gedacht, wie wir wirklich sind. An bestimmten Stellen, aber nur dann und wann, haben wir ein wenig Botschaft wie Konterbande eingeschmuggelt. Aber wir sind den Zuschauern damit nie ins Gesicht gesprungen, weil dies reine Anmaßung gewesen wäre, vor der sie zurückgewichen wären.« In der Tat markierte *Das Appartement* nach der konservativ-prüden McCarthy-Ära einen ersten entscheidenden Schritt zu mehr Offenheit und Realismus im Hinblick auf sexuelle Beziehungen zwischen Erwachsenen. Vor allem in der Figur der jungen Fran Kubelik, einer durchschnittlichen, alleinstehenden Städterin, wird deren Dilemma deutlich, weder Karriere noch Ehe in Aussicht zu haben. Die Kinoheldinnen bis dato waren entweder verständnisvolle, asexuelle, ihren Männern dienende Ehefrauen oder leicht maskuline, unabhängige, aggressive Karrieredamen, die, zumindest bis zum Happy-End, keinen Mann brauchten. Und unverheiratete Frauen, die mit Männern schliefen, waren Vamps oder Flittchen. Fran Kubelik jedoch ist trotz ihrer sexuellen Bereitwilligkeit ein nettes, sympathisches Mädchen und in ihrer Naivität fast wie ein im Wald von New York unter lauter Wölfen ausgesetztes Kind. Sie schläft mit Sheldrake, weil sie ihn liebt, nicht aus irgendwelchen Hintergedanken an Geld, Macht oder sozialen Aufstieg.

Eine Rolle, die von Shirley MacLaine größte Differenzierung und genaue Zwischentöne forderte. »Was sie in dem Film machte, war erstaunlich«, sagte Regisseur Billy Wilder nach der Premiere. »Sie kam zu uns mit dieser Stegreif-Manier, möglichst nur einen Take von einer Einstellung zu drehen, wie der Ratten-Clan zu arbeiten gewohnt war. Ich war beunruhigt und dachte, sie wäre nicht seriös. Doch als sie sah, wie ich arbeite, hatte sie schnell kapiert und war bereit, wirklich hart zu arbeiten an jeder Bewegung und jeder Textzeile. Sie ist ein bemerkenswertes Mädchen. Ich glaube, sie wird eine lange, erfolgreiche Karriere machen.« Später ergänzte er: »Ich habe das Gefühl, daß wir nur die Oberfläche angekratzt haben. Sie ist enorm talentiert, und die wird immer besser.«

Jack Lemmon, der in *Das Appartement* zum erstenmal mit Shirley spielte: »Sie ist unglaublich frei vor der Kamera. Es ist ihr schnuppe, wie sie auf der Leinwand aussieht. Sie spielt einfach ihre Rolle, und man hat immer das Gefühl einer ganz starken Präsenz.«

Shirley selbst empfand diese erste Arbeit mit Billy Wilder – drei Jahre später machten sie zusammen *Irma la Douce* – »wie einen zehn Wochen langen Schauspielunterricht. Billy kann diszipliniert wie ein Soldat und weich wie Samt sein.« Der britischen Zeitschrift »Films and Filming« sagte sie in einem Interview: »Billy Wilder hat fast immer recht, vielleicht nicht kommerziell, aber künstlerisch. Er ist sehr dominierend. Er weiß genau, was er will und ist sich dessen absolut sicher. Es ist nicht so, daß er den Schauspieler dabei nicht einbezieht. Man kann mit Wilder diskutieren und zu einer Art Einigung kommen. Einmal am Drehort, zählen für Wilder das Drehbuch und die erste Preview. Verglichen damit, ist alles, was am Drehort passiert, unwichtig, weil das Drehbuch ein so durchgefeiltes Produkt ist, daß er haargenau weiß, wie es funktionieren wird.«

*Das Appartement* brachte Shirley MacLaine die zweite »Oscar«-Nominierung, die sie gegen Elizabeth Taylor in *Telefon Butterfield 8* verlor. Viele waren der Meinung, daß diese Auszeichnung für die Taylor eine Sympathie-Geste war, denn sie litt damals an einer schweren Luftröhren-Erkrankung. Shirley, die dieses Ergebnis vorausgeahnt hatte und gar nicht erst zur Verleihung geflogen war, erhielt nach der Zeremonie einen Anruf von Billy Wilder, der ihr in seinem typisch zynischen Humor sagte: »Ich liebe dich, auch wenn du kein Loch in der Luftröhre hast.«

Wilder selbst erhielt drei »Oscars« für *Das Appartement:* als

*Selbstmordversuch aus Liebeskummer: Shirley und Naomi Stevens in ›Das Appartement‹*

111

Produzent für den besten Film 1960, als Drehbuchautor zusammen mit I. A. L. Diamond und als Regisseur. Außerdem errang der Film noch zwei weitere »Oscars« für Ausstattung (Alexander Trauner und Edward G. Boyle) und Schnitt (Daniel Mandell).

Shirley MacLaine wurde mit dem New York Film Critics' Award und mit dem Preis als beste Schauspielerin beim Filmfestival von Venedig 1960 ausgezeichnet. Jetzt war sie endgültig ein Star, rangierte beim Box Office Popularity Poll 1960 an dritter Stelle nach Doris Day und Elizabeth Taylor und war für die Zeitschrift »Look« einer von vier weiblichen Stars mit bleibendem Wert für die Nachwelt. Der große Artikel trug den Titel »Four for Posterity«; die anderen drei Stars waren Marilyn Monroe, Elizabeth Taylor und Judy Garland.

Privat führte Shirley MacLaine das Leben einer alleinerziehenden Mutter, während Steve Parker sich in Japan beruflich fest etabliert hatte. Die kleine Sachie war inzwischen vier Jahre alt und daran gewöhnt, mit ihrer Mutter auf abendliche Parties zu gehen, wo sie problemlos in einem Nebenzimmer schlief, oder auch allein nach Tokio zu fliegen, um ein paar Monate bei dem Vater zu verbringen. Sie war schon so etwas wie ein Maskottchen für die Flugzeug-Crews, ein stilles, aufmerksames und gut erzogenes kleines Mädchen. Nach ein paar Jahren solcher Reisen sprach Sachie mehrere Sprachen. Als sie sieben Jahre alt war, ging sie ganz nach Japan, um bei ihrem Vater zu leben. Ab zwölf besuchte sie ein Internat in der Schweiz, danach Colleges in Australien und Hawaii, wo sie auch nach dem Studium blieb. In all den Jahren aber verbrachte sie Ostern, Weihnachten und die Sommerferien mit ihrer Mutter. Die Zeitungen damals aber schürten die Gerüchte über Shirleys Ehe- und Familienleben weiter, regten sich darüber auf, daß Steve Parker zuviel Zeit in Japan verbrächte und Shirley das Geld für die Familie verdiente. Shirleys Kommentar zu derartigem Klatsch: »Für uns funktioniert das bestens, warum können uns die Leute nicht in Ruhe lassen?« Der Zeitschrift »McCall's« sagte sie in einem Interview: »Ich wollte, daß Sachie überall dort ist, wo auch ich bin. Sie sollte wissen, daß sie so, wie Steve und ich lebten, auch leben müßte. Also mußte sie sich daran gewöhnen zu reisen und an allen möglichen verrückten Orten mit allem möglichen verrückten Lärm zu schlafen. Sie mußte sich daran gewöhnen, mit Dad-

*Shirley MacLaine*

dy zusammen zu sein, ohne daß Mommy da war, und ebenso, Daddy plötzlich zu verlassen und mit Mommy allein zu sein.« Doch trotz ihrer grundsätzlich lebensbejahenden Einstellung machte sie sich Gedanken, die sie der »Washington Post« gegenüber einmal so formulierte: »Es gab Zeiten, in denen ich das Gefühl hatte, ich sollte eine mehr konventionelle Mutter sein. In solchen Augenblicken sprach ich darüber mit Sachie, und sie sagte mir jedesmal: ›Nein, ich finde, was du machst, ist richtig.‹«

113

*Dean Martin und Shirley MacLaine in ›Alles in einer Nacht‹*

Und auch als Sachie erwachsen war, hat sie ihrer Mutter versichert, sie sei froh, daß sie die Möglichkeit hatte, ihre Identität aus eigener Kraft und früher als ihre Altersgenossinnen gefunden zu haben. Shirley: »Wir haben ein sehr gutes Verhältnis zueinander. Sachie ist eine sehr kluge junge Frau, die sich mit Ernsthaftigkeit ihrem Orientalistik-Studium gewidmet hat. Die Zeiten, die wir zusammen verbringen, bedeuten uns beiden sehr viel.«

Der Film, den Shirley MacLaine nach *Das Appartement* machte, führte sie wieder mit dem Regisseur Joseph Anthony zusammen, mit dem sie zwei Jahre zuvor das weniger bedeutende Melodram *Viele sind berufen* gedreht hatte. Ihr Noch-»Eigentümer« Hal Wallis produzierte, und Dean Martin war wieder mal

ihr Partner in *All in a Night's Work (Alles in einer Nacht, 1961)*.
Die Rolle, die sie in dieser Komödie spielt, ähnelt früheren,
ebenso wie gewisse Situationen der komödiantischen Verwicklung. Die Handlung basiert auf einem einzigen großen Mißverständnis, das mit allen Varianten und Konsequenzen durchge-
zogen und erst kurz vor Schluß, gerade noch rechtzeitig fürs
Happy-End, aufgeklärt wird. Das Vergnügen beim Publikum
funktioniert durch den klassischen Trick, daß der Zuschauer
mehr weiß als eine der beiden Hauptpersonen, in diesem Falle
Dean Martin, und zum Komplizen der anderen, Shirley
MacLaine, wird.
Tony Ryder (Dean Martin) ist ein gutaussehender Playboy, der
nach dem Tode seines Onkels die große Werbefirma Ryder and
Company in Manhattan erbt. Ryder erfährt außerdem, daß sein
Onkel eine Freundin hatte, die bei ihm war, als er in einem Ho-

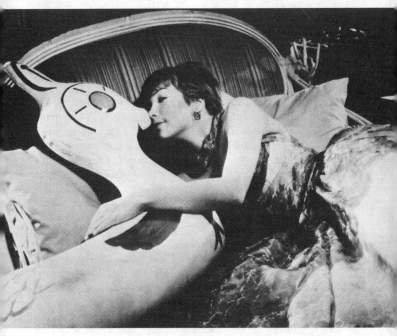

*Statt Mann eine aufgeblasene Ente: Shirley in ›Alles in einer Nacht‹*

telzimmer in Palm Beach starb, und die ihn, Tony, wahrscheinlich demnächst erpressen wird. Ein Detektiv händigt Ryder
einen Ohrring aus, der dieser geheimnisvollen Frau gehört und
dessen chinesisches Schriftzeichen »gut« bedeutet. Bei der ersten Firmenversammlung, die Ryder einberuft, um einen Streit
zwischen Management und Arbeiterschaft zu schlichten, starrt
er wie gebannt auf den einen, genau zu seinem Exemplar passenden Ohrring, den eine intelligente, attraktive junge Markt-
forscherin trägt. Diese Katie Robbins (Shirley MacLaine) lädt
er unter dem Vorwand einer Geschäftsbesprechung zum Lunch
ein und engagiert gleichzeitig den Detektiv O'Hara (Ian Wolfe)
zwecks Überwachung der verdächtigen Dame. Der meint schon
bald darauf, einen entscheidenden Erfolg melden zu müssen: Er
hat herausgefunden, daß Katie versucht, einen Nerzmantel im
Wert von 11.000 Dollar an ein elegantes Pelzgeschäft zu verkaufen.
Doch was O'Hara und Ryder für einen eindeutigen Beweis dafür halten, daß Katie die gesuchte geheimnisvolle Freundin des
Onkels in dessen Todesstunde war, entpuppt sich – zunächst nur
für den Kino-Zuschauer – als ein fundamentaler Irrtum. Katie
hatte während ihres Urlaubs in Palm Beach einen betrunkenen
Millionär vor dem Ertrinken gerettet. Sie hatte ihn in sein Zimmer gebracht, sich die durchnäßten Kleider ausgezogen, als der
Gerettete plötzlich zu aufdringlich liebesbedürftigem Leben er-
wachte. Nur mit einem Handtuch und einem Paar Ohrringe be-
kleidet, hatte Katie die Flucht ergriffen und war zunächst in das
erstbeste, benachbarte Zimmer gestürzt. Dort lag ein alter
Mann mit einem seligen Lächeln regungslos im Bett. Entsetzt
war Katie weitergeflohen, über den Korridor, wo ihr der Hotel-
detektiv auf die Spur kam, die er jedoch gleich darauf wieder
verlor, dafür aber in dem Zimmer, aus dem er sie hatte stürzen
sehen, neben dem Bett des alten Mannes den Ohrring gefunden
hatte. Dieser alte Mann war niemand anders als der tote Fir-
menchef Ryder, was Katie jedoch nicht wußte. Ihr geretteter
Millionär jedenfalls revanchierte sich bei ihr mit dem Nerzmantel, den Katie wegen ihrer Flucht aus dem Hotel ihm nicht mehr
zurückgeben konnte und den sie jetzt loswerden will.
Tony Ryder hält aufgrund des Ohrring-Indizes Katie weiterhin
für die bewußte Freundin seines Onkels und rechnet immer
noch mit ihrer Erpressung. Um diese zu durchkreuzen, bietet er

*Dean Martin als Tröster der verzweifelten Shirley MacLaine in ›Alles in einer Nacht‹*

ihr eine Gehaltserhöhung von 200 Dollar, was Katie naturgemäß völlig verwirrt. Außerdem versucht er, auf Empfehlung O'Haras, sie so schnell wie möglich zu verheiraten, um sich von ihren, wie er meint, geplanten erpresserischen Nachstellungen zu befreien. Tatsächlich ist Katie bereits verlobt, mit dem steifen, pedantischen Veterinär Warren Kingsley jr. (Cliff Robertson). Ihre Ehechancen aber zerstört sie selbst, indem sie einen äußerst negativen Eindruck auf Warrens konservative Eltern macht. Sie begeht einen Schnitzer nach dem anderen, betrinkt sich vor Schreck darüber und endet schließlich in einem wilden

*Shirley in ›Alles in einer Nacht‹*

Cha-Cha-Cha mit dem Koch eines Luxusrestaurants. Die Verlobung wird abrupt aufgelöst.

Als Ryder merkt, daß sein Plan mit Katie fehlschlägt, lädt er sie zu sich nach Hause ein, wieder unter dem Vorwand einer Geschäftsbesprechung. Er serviert Champagner bei romantischer Beleuchtung, und Katie hält das Ganze zunächst für einen Witz. Als sie merkt, daß es Ryder ernst ist, als er ihr erklärt, daß er ihr die beabsichtigte Erpressung verzeiht, verläßt sie wütend die Wohnung. Sie wendet sich wieder Warren zu, der reumütig seine schlechte Meinung über sie geändert hat, diese jedoch entsetzt wieder annimmt, als er Tonbänder mit Katies angeblichen

Geständnissen hört: Stories von früheren Eroberungen, die sie zu Beginn in Ryders Wohnung so drauflos geplaudert hatte, als sie dessen romantisches Gehabe noch für einen Jux hielt. Wieder ist ihr guter Ruf dahin. Doch schließlich kommt die Wahrheit ans Licht, und Ryder begreift Katies Unschuld. Endlich ist er sich klar darüber, daß er sie liebt. Ein Happy-End-Kuß beendet das große Mißverständnis und den Film.

Wieder spielt Shirley MacLaine ein typisches »good-bad-girl«. Wieder ist sie – wie schon in *Immer die verflixten Frauen* – Teil eines romantischen Dreiecks: ein junges, unschuldiges, naives Mädchen, das ehrlich arbeitet, dazu zwei Männer – ein charmanter, leichtlebiger Frauenheld und ein seriöser, pflichtbewußter Berufsmensch. Shirley schafft es, das geordnete Leben von Langweilern durcheinanderzubringen und befreit sie tatsächlich ein bißchen von ihren konventionellen Fesseln. Solch eine Konstellation gab es auch in *Can-Can,* obwohl die Pariserin Simone sich beträchtlich unterscheidet von der unschuldigen Meg Wheeler und der moralischen Katie Robbins. Eklatantester Unterschied: Katie in *Alles in einer Nacht* verliebt sich unsterblich in den Playboy, während Meg in *Immer die verflixten Frauen* ihn letztendlich abweist. Trotzdem haben Katie und Meg einiges gemeinsam: Sie sind beide Angestellte großer Firmen in Manhattan und haben diese besondere Mischung aus Intelligenz und Naivität mit einem gewinnend offenen Wesen einerseits und einer verklemmten Befangenheit andererseits. Shirley MacLaine stattet beide auch mit der gleichen Mimik und Gestik aus – kaum vermeidbare Folge des in Hollywood so beliebten Type Casting.

Als einen »unglückseligen Film« bezeichnet Shirley MacLaine selbst ihre nächste Arbeit, bei der Charles Walters *(Immer die verflixten Frauen)* wieder ihr Regisseur war: *Two Loves (Der Fehltritt,* 1961) ist ein arg konstruiertes Melodram voller falscher Rührseligkeit über eine intelligente, unverheiratete, selbständige junge Lehrerin, deren reaktionäre Sexualmoral gerade im Zusammenhang mit ihren modernen Erziehungsmethoden reichlich unglaubwürdig wirkt. Shirley hatte das Drehbuch (Ben Maddow, nach dem Roman »Spinster« von Sylvia Ashton-Warner) selbst ausgewählt, um eine vertragliche Verpflichtung bei MGM zu erfüllen, hatte auch von Anfang an einige Vorbehalte, diesen aber offensichtlich doch nicht genügend Gewicht beigemessen oder aber von der Regie mehr erwartet, als schließlich auf der Leinwand zu sehen war. Sicher, die Rolle der Lehrerin in einem abgelegenen, primitiven Gebiet Neuseelands gab ihr endlich einmal andere Möglichkeiten als die einer Fahrstuhlführerin, einer Chefsekretärin oder eine Hure. Auch ihre Partner Laurence Harvey und Jack Hawkins waren Schauspieler, mit denen zu spielen sich allemal lohnte. Aber die Story ist überfrachtet mit Problemen, die keinen logischen und keinen psychologischen Zusammenhang haben.

Die in Amerika geborene Anna Vorontosov (Shirley MacLaine) ist Lehrerin in einer kleinen Gemeinde in Neuseeland. Ihre unorthodoxen Unterrichtsmethoden, bei denen sie die vorgeschriebenen Textbücher außer acht läßt, haben ihr die Sympathien und den Respekt der Eingeborenen, der Maori, eingebracht. Nicht nur die Schüler, auch deren Eltern lieben

*Shirley MacLaine und die Idylle in ›Der Fehltritt‹*

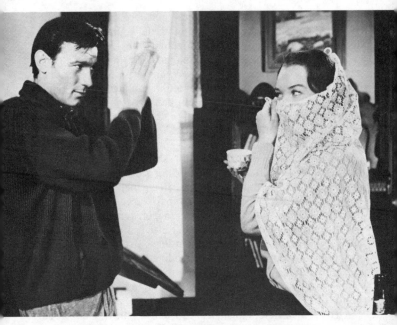

*Laurence Harvey und Shirley MacLaine in ›Der Fehltritt‹*

und verehren Anna. Ihr besonderer Schützling ist das 15jährige
Maori-Mädchen Whareparita (Nobu McCarthy). In ihrem jungen Kollegen Paul Lathrope (Laurence Harvey) findet Anna
bald einen neuen, freilich ganz anders gearteten Schützling. Er
ist neurotisch und manchmal geradezu kindisch. Sie fühlt, daß
er unglücklich und verunsichert ist und versucht, ihm zu helfen.
Für Paul aber ist sie mehr. Er braucht sie ganz. Doch Anna, sexuell und erotisch voller Hemmungen, weist all seine Annäherungsversuche zurück. Da trifft der englische Schulinspektor
Abercrombie (Jack Hawkins) ein, der die Schule für ein Jahr leiten soll. Er ist sehr beeindruckt von der Selbständigkeit und
Energie Annas und findet sie auch als Frau äußerst bemerkenswert.
Als Anna eines Tages erfährt, daß die junge Whareparita
schwanger ist, schockiert sie das – trotz ihrer modernen, freien
Erziehungsmethoden – zutiefst. Und sie kann nicht begreifen,

121

daß nicht nur Whareparita, sondern auch deren Eltern und die ganze Gemeinde sich auf dieses Kind freuen – und das, obwohl der Vater sich nicht zu erkennen geben will. Dieses einfache Akzeptieren der Natur bringt Anna dazu, erstmals ihre eigene Art zu leben in Frage zu stellen. Whareparita hat leider eine Fehlgeburt. Dennoch: Anna überdenkt ihre eigene Moralauffassung und kommt zu dem Schluß, daß wahrscheinlich sie das Kind und Whareparita die erwachsene Frau ist.

Im Laufe eines äußerst gespannten Abends, als Paul mit fordernder Leidenschaft Anna seine Liebe gesteht, schickt sie ihn abrupt fort. Am nächsten Tag erfährt sie, daß er bei einem Motorradunfall getötet wurde. Anna fühlt sich schuldig, glaubt, daß Paul Selbstmord begangen hat. Bei seiner Beerdigung erfährt sie, daß er der Vater von Whareparitas Kind war. Sie sucht Trost bei Abercrombie, der sie überzeugen kann, daß niemand wirklich für das Schicksal eines anderen verantwortlich ist. Und er erzählt ihr außerdem von seinem Plan, sich scheiden zu lassen. Ohnehin lebt er von seiner Familie in England schon lange getrennt. Anna und Abercrombie verbringen die Nacht gemeinsam – und kommen am nächsten Morgen in die Schule, voller Glück über ihre endlich gefundene Liebe.

Nach diesem in vieler Hinsicht glücklosen »Fehltritt«, der weder bei der Kritik noch beim Publikum ein Erfolg war, ließ sich Shirleys nächster Film schon sehr viel interessanter an: *The Children's Hour (Infam,* 1962), ein gesellschaftskritischer Psycho-Thriller von William Wyler. Zugrunde lag Lillian Hellmans gleichnamiges Theaterstück, das Wyler bereits erstmals 1936 verfilmt hatte, damals unter dem Titel »These Three«. Es geht darin um den Schaden katastrophalen und tragischen Ausmaßes, den ein Kind durch die lügenhafte Behauptung anrichtet, seine beiden Lehrerinnen hätten eine lesbische Beziehung miteinander. Für die erste Verfilmung hatte Lillian Hellman auch das Drehbuch geschrieben, das sie den strengen Zensurvorschriften des Hays Office anpassen mußte. Deshalb bestand dort der Vorwurf gegen die beiden Lehrerinnen darin, daß die eine ein Verhältnis mit dem Verlobten der anderen habe, was damals offensichtlich eine eher zu akzeptierende Sünde war. Jetzt, ein Vierteljahrhundert später, wollte Wyler eine Filmversion machen, die näher an Hellmans Stück sein sollte und bat sie, auch dieses Drehbuch zu schreiben. Lillian Hellman verfaßte zunächst ein Treatment, stieg dann aber aus dem Projekt aus, um ihre Zeit dem tödlich erkrankten Dashiell Hammett bis zu dessen Ende zu widmen. Der Drehbuchauftrag ging an John Michael Hayes, einem Veteranen einiger der besten Filme Hitchcocks, wie zum Beispiel Shirley MacLaines Filmdebüt *Immer Ärger mit Harry, Fenster zum Hof* oder *Der Mann, der zuviel wußte*. Miriam Hopkins, die in Wylers erster Version die Rolle von Shirley MacLaine – neben Merle Oberon in Audrey Hepburns Rolle – spielte, erhielt im Remake den kleinen Part von Shirleys Tante.

Karen Wright (Audrey Hepburn) und Martha Dobie (Shirley MacLaine) sind zwei junge Lehrerinnen, Freundinnen seit ihrer gemeinsamen College-Zeit. Sie leiten in ländlicher Umgebung

*Shirley MacLaine und Laurence Harvey in ›Der Fehltritt‹*

ein kleines Schulinternat, das sich eines guten Rufes erfreut. Eines Tages bekommen sie eine neue Schülerin: Mary Tilford (Karen Balkin) hat keine Eltern mehr und wuchs bei ihrer Großmutter Mrs. Amelia Tilford (Fay Bainter) auf, die sie sehr verwöhnt hat. Sie ist ein schwieriges, frühreifes Kind, das die Mitschülerinnen drangsaliert und außerdem lügt.

Karen ist seit zwei Jahren mit dem Arzt Dr. Joe Carter (James Garner) verlobt und nun entschlossen, ihn auch zu heiraten. Martha ist darüber verärgert und wirft ihrer Freundin vor, daß

*Zwei Lehrerinnen geraten in schlechten Ruf: Audrey Hepburn und Shirley MacLaine in ›Infam‹*

124

*Mary Tilford wird von James Garner ausgefragt in ›Infam‹. Beschützend bis fassungslos die Damen Fay Bainter, Shirley MacLaine und Audrey Hepburn*

sie sie gerade jetzt, wo die Schule richtig gut läuft, allein lassen will. Marthas Tante Lily (Miriam Hopkins), die sie aufgezogen hat, macht ihr daraufhin eine Szene und erklärt ihr, sie sei von Natur aus eifersüchtig und ihre Gefühle für Karen seien »unnatürlich«.

Diese Auseinandersetzung wird von der bösartigen kleinen Mary belauscht, die nur darauf wartet, sich für die Strafe rächen zu können, die ihr die Lehrerinnen auferlegt hatten, als sie sie bereits einmal bei einer Lüge ertappt hatten. Obwohl sie die Vorwürfe der Tante nicht ganz versteht, berichtet Mary ihrer Großmutter davon und erfindet, in ihrer Phantasie durch entsprechende heimliche Lektüre nicht zimperlich, noch die Beobach-

125

tung merkwürdiger Zärtlichkeiten zwischen Karen und Martha hinzu. Die alte Mrs. Tilford greift diese Bemerkung begierig auf, nimmt Mary sofort von der Schule und informiert die Eltern der anderen Internatskinder. Das Gerücht verbreitet sich wie ein Lauffeuer. Karen und Martha sehen sich bald vor leeren Schulbänken und bringen eine Verleumdungsklage gegen Mrs. Tilford ein. Es nützt nichts, daß Joe inzwischen Marys Gerede als Lüge entlarvt hat, denn die raffinierte Kleine hat ihre Mitschülerin Rosalie (Veronica Cartwright) erpreßt, dasselbe auszusagen wie sie. Den Prozeß, um den viel Wirbel gemacht wird, verlieren Karen und Martha, zumal deren Tante Lily abgereist und nicht bereit ist, als Kronzeugin vor Gericht auszusagen. So lächerlich der ganze Fall ist, für Karen und Martha wird er tragisch. Die Schule bleibt geschlossen, ihr guter Ruf ist zerstört, und Karen spürt, daß auch Joes Liebe zu ihr verändert ist. Sie schickt ihn fort und schlägt Martha vor, gemeinsam woanders neu anzufangen. Doch der Skandal hat Martha sensibilisiert. Sie glaubt zu erkennen, daß Marys infame Lüge an eine verborgene Wahrheit gerührt hat. In einem langen und verzweifelten Monolog gibt sie Karen gegenüber zu, daß sie sie liebt. In Tränen aufgelöst, bricht sie zusammen. Der unerwartete Besuch von Mrs. Tilford, die endlich die Wahrheit erfahren hat und die beiden Lehrerinnen um Verzeihung zu bitten versucht, kann die verzweifelte Situation nicht grundlegend ändern. Marthas Schuldgefühl ist so stark, daß sie keinen Ausweg mehr sieht und sich erhängt. Bei ihrer Beerdigung steht Karen allein abseits und verläßt schweigend den Friedhof – vorbei an Mrs. Tilford und den anderen reuigen Bürgern der Stadt, vorbei auch an Joe, ihrem Verlobten.

*Infam* ist zwar der erste amerikanische Film, der das Thema einer lesbischen Beziehung aufgreift, aber nur hinter vorgehaltener Hand. Das war nötig, um das Freigabesiegel gemäß des Motion Picture Production Code zu erhalten. Es mutet heute geradezu lächerlich an, wie ängstlich um den heißen Brei herum geredet und das Wort lesbisch nie ausgesprochen, sondern immer nur verklemmt umschrieben wurde, etwa als »sündige sexuelle Betätigung«. Aber auch schon bei seiner Premiere Anfang 1962 ging die Kritik entsprechend mit dem Film ins Gericht. So nannte Bosley Crowther in der »New York Times« diese zweite Filmversion von Lillian Hellmans Stück eine »kulturelle Antiquität ..., die sich mit sperrangelweit geöffnetem Mund über das im Verschwörerton gewisperte Gerücht wundert, daß ein Paar Schullehrerinnen ein ›unnatürliches‹ Verhältnis miteinander hätten. Der Film begegnet dieser Andeutung mit einer solchen Verwunderung und macht daraus (ganz ohne Beweis) etwas so Entsetzliches, daß das Ganze in gesellschaftlicher Hinsicht absurd erscheint. Daß Bildungsbürger in einer großen amerikanischen Gemeinde heute so heftig und grausam auf eine fragwürdige Anschuldigung reagieren wie in diesem Film, ist ganz einfach unglaubhaft.«

Shirley MacLaine selbst sagte: »Ich hätte mit Billy Wyler mehr darum kämpfen sollen, die lesbische Beziehung zu untersuchen. Es gab eine Szene, in der ich einen Kuchen für Karen buk, den ich wie ein Kunstwerk anschnitt, und ebenso drapierte ich die Deckchen auf dem Tisch. Jede Nuance war der Akt einer Lie-

*Shirley MacLaine und Audrey Hepburn in ›Infam‹*

benden. Es gab viele solcher Szenen, aber Wyler hatte Angst, und er strich sie aus dem Script genau einen Tag vor Drehbeginn. Und ich hatte das ganze Konzept meiner Figur genau auf diese Szenen aufgebaut. Jetzt weiß man nie genau, ob Martha wirklich schuldig ist oder ob sie nur dazu getrieben wurde, sich schuldig zu fühlen – das zu spielen, ist sehr schwer.«

Diese Schwierigkeit jedenfalls hat sie mit Bravour gemeistert. William Wyler war von ihrer darstellerischen Variationsbreite fasziniert, und es versetzte ihn immer wieder in Erstaunen, daß sie trotz ihrer ernsthaft engagierten Vorbereitung auf die Rolle durch Gespräche mit Ärzten und Psychologen über latente weibliche Homosexualität am Drehort alles andere als ernsthaft war. »Audrey brauchte wie die meisten Schauspielerinnen einen Moment, um sich für eine Szene in die richtige Stimmung zu versetzen«, erinnert Wyler sich, »aber Shirley machte Witze und spielte den Clown bis zur letzten Sekunde. Und dann, wenn die Kamera lief, war sie sofort da, und zwar hundertprozentig.«

Shirley bewundert Wyler sehr, obwohl sie die Schwächen von *Infam* ziemlich genau sah. Aber sie zählt ihn auch heute noch, neben Billy Wilder und anderen, zu den Regisseuren, mit denen sie sogar in einer Verfilmung des Telefonbuchs arbeiten würde, »weil das, was sie in ihren Köpfen haben, wichtig ist und nicht so sehr das, was im Drehbuch steht«. Über ihre *Infam*-Partnerin Audrey Hepburn, damals bereits ein Hollywood-Superstar und in ihrer vornehmen Reserviertheit so gar nicht Shirleys Wellenlänge, sagte sie: »Als ich Audrey bei der ersten Probe für den Film traf, hatte ich eine ganze Menge Zweifel. Ich brauchte ziemlich lange, um sie aufzutauen, ungefähr drei Stunden. Von da an hatten wir großen Spaß. Wir machten uns eine Nummer, die wir während der ganzen Dreharbeiten durchzogen: Sie gab mir Nachhilfe im richtigen Kleiden, und ich versuchte ihr das Fluchen beizubringen. Keiner von uns beiden kam ans Ziel.«

Shirley, der Clown, immer bereit, alles mit Humor zu nehmen, sich einen Jux zu machen selbst bei der Arbeit und dabei aber das darstellerische Engagement für die Rolle nie zu vernachlässigen – ein Charakteristikum, dessentwegen man ihr immer wieder Komödien angeboten hat, die sie aber auch immer gern gespielt hat. Vor allem, wenn sie über den bloßen Klamauk und schieren Sahnetorten-Spaß hinausgingen, wenn sie bestenfalls auch noch einen realistischen Impakt hatten. Als einen solchen

*Shirley und Audrey Hepburn in ›Infam‹*

Film versteht sie *My Geisha (Meine Geisha,* 1962), den sie gleich
nach *Infam* drehte und der für sie persönlich mehr als »just an-
other movie« bedeutete. Denn erstmals arbeitete sie mit ihrem
Mann Steve Parker zusammen, der *Meine Geisha* mit der sozusagen familieneigenen Firma Sachiko Productions produzierte,
mit der das Ehepaar zwei Jahre später noch einmal aktiv wurde,
für den Film *John Goldfarb, Please Come Home (Eine zuviel im
Harem,* 1964). Außerdem basiert das »Geisha«-Drehbuch, das
der Veteran und Screwball-Spezialist Norman Krasna schrieb,
auf biographischen Assoziationen aus dem Leben von Shirley
MacLaine und Steve Parker. Regie führte der Engländer Jack
Cardiff, ursprünglich Kameramann (u. a. *Die roten Schuhe,
Pandora und der fliegende Holländer, Die barfüßige Gräfin),*

seit 1958 auch Regisseur, allerdings eher dramatischer Stoffe (*Söhne und Liebhaber,* 1960).

Lucy Dell (Shirley MacLaine) ist ein Hollywood-Top-Star. Ihr Mann Paul Robaix (Yves Montand) ist Regisseur. Beide haben gemeinsam viele erfolgreiche Filmkomödien gedreht. Jetzt ist er entschlossen, ins dramatische Fach zu wechseln und *Madame Butterfly* zu verfilmen. Zum erstenmal will er nicht mit Lucy drehen, die die Rolle der Cho-Cho-San natürlich gern spielen möchte. Paul will den Film mit einer echten Japanerin und an Originalschauplätzen in Japan drehen. Mit seinem Hauptdarsteller Bob Moore (Bob Cummings), der häufig Lucys Partner war, fliegt er nach Tokio. Da erfährt die daheimgebliebene Lucy, daß das Studio ohne ihren Namen auf der Darstellerliste dem »Butterfly«-Projekt nicht die volle Finanzierung gewähren will. Weil sie Paul helfen und andererseits auch beweisen will, daß sie die Rolle spielen kann, überredet sie den gemeinsamen Freund und Produzenten Sam Lewis (Edward G. Robinson), mit ihr nach Tokio zu fliegen, wo sie Paul umzustimmen hofft.

In Tokio verkleidet Lucy sich unter einer schwarzen Perücke, weißem Puder und mit einem Kimono als Geisha und geht so am Abend in eins der Geisha-Häuser, wo Paul und Bob sich unterhalten lassen. Sie wirkt so überzeugend, daß Paul sie nicht erkennt und sie für den nächsten Tag, immer noch auf der Suche nach der richtigen Hauptdarstellerin, zu Probeaufnahmen bestellt. Lucy, die jetzt das Pseudonym Yoko Mori angenommen hat, geht hin, obwohl Sam Lewis gegen diesen Betrug ist. In traditioneller Perücke und Kimono, mit speziellem Make-up und Kontaktlinsen, die ihre blauen Augen braun aussehen lassen, überzeugt sie Paul, der besonders von ihrer Bescheidenheit und ihren altmodischen Ideen beeindruckt ist, ebenso wie von ihrer bemerkenswerten Natürlichkeit vor der Kamera. Lucy/Yoko bekommt die Rolle und bereitet sich auf die Dreharbeiten intensiv mit der Japanerin Kazumi Ito (Yoko Tani) vor, die sie in der Geisha-Kunst unterweist. Während der Dreharbeiten verliebt der Star Bob, der Lucy natürlich auch nicht erkennt, sich rettungslos in deren japanisches Ich Yoko und bittet Paul, ihr in seinem Namen einen Antrag zu machen. Bei dem dafür vorgesehenen gemeinsamen Abend gesteht Paul dann Yoko, wie sehr er einen eigenen beruflichen Erfolg braucht, da man ihn bislang nur als den Prinzgemahl-Regisseur seiner Frau einschätzt. Zum erstenmal begreift Lucy, was das »Butterfly«-Projekt für Paul wirklich bedeutet.

Kurz vor Ende der Dreharbeiten jedoch entdeckt Paul den ganzen Schwindel. Er ist wütend und zutiefst verletzt. Sein Entschluß steht fest: Er wird sich nach Drehschluß von Lucy trennen. Vorher aber will er Yoko verführen, um die noch ahnungslose Lucy glauben zu machen, daß er sie betrügt. Die Harakiri-Szene spielt Lucy/Yoko daraufhin mit einem echten Gefühl der Verzweiflung.

Am Premierenabend des Films überwindet Lucy ihren ganzen Stolz und geht zum Applaus mit Paul auf die Bühne – um dem Publikum zu verkünden, daß Yoko Mori, wie geplant, in ein Kloster eingetreten sei und deshalb den Beifall nicht persönlich entgegennehmen könne. Den Zuschauern stellt sie Paul als ihren Mann vor und den Regisseur, der für die *Madame Butter-*

*Yves Montand mit seiner Geisha Shirley MacLaine*

*fly* verantwortlich ist. Hand in Hand verbeugen sich die beiden, symbolische Versöhnungsgeste auch des neu gewonnenen Verständnisses füreinander.

Shirley MacLaine hat sich für die Geisha-Rolle, ähnlich wie Lucy für den Film im Film, einem harten Training unterzogen. Zwei Wochen lebte sie in Gion Caburenjo, einer Schule für Geishas in Tokio. Dort lernte sie die besonderen Feinheiten der Tee-Zeremonie, das Spiel auf dem Saiten-Instrument Samisen und die japanische Tanzkunst. Kein Westler hatte bis dahin eine solche Geisha-Schule betreten dürfen, geschweige denn für irgendeinen noch so kurzen Zeitraum in ihr leben dürfen. Es war das Verdienst Steve Parkers, der inzwischen im japanischen Kulturleben fest etabliert war, daß Shirley diese außergewöhnlichen Möglichkeiten der genauen, authentischen Rollen-Vorbereitung erhielt. Das kam ihrer Mentalität und ihrer Berufsauffassung sehr entgegen, die von Anfang an im Zeichen der konstruktiven Neugier auf andere Menschen, andere Kulturen, andere Denk- und Lebensweisen stand. Sie war sich natürlich völlig bewußt, daß die Japaner in ihr nie eine authentische Geisha sehen würden, aber das implizierte der Film *Meine Geisha* ja auch pfiffigerweise nicht. In einem Interview mit der britischen Zeitschrift »Films and Filming« sagte Shirley MacLaine: »Es ist für mich unmöglich, eine Geisha absolut authentisch zu spielen. Dafür bräuchte ich zehn Jahre und müßte meine Rasse und meine Religion ändern. Aber die Japaner akzeptieren die Tatsache, daß ich sie nicht spielen kann, weil ich Amerikanerin bin. Und ich gebe ja auch nicht vor, in dem Film eine richtige Geisha zu spielen. Vielmehr spiele ich eine Frau, die ihren Mann an der Nase herumführt. Darüber können sie lachen, aber nicht beleidigt sein.«

Die Geisha-Rolle war für Shirley auch physisch nicht gerade leicht. Die schwarze Perücke wog mehr als 20 Pfund. Mit Plastikspangen wurden ihre Augen nach hinten hochgezogen, damit sie asiatisch aussah – eine sehr schmerzvolle Prozedur. Schließlich bekam sie braune Kontaktlinsen, die ihre blauen Augen zwar verdunkelten, aber auch zu permanenten Tränenströmen reizten. Doch Shirley, die immer so perfekt wie möglich in ihren Rollen sein will, trug solche Strapazen mit Fassung. Schließlich konnte sie hier ihre bereits mehrfach erprobte Fähigkeit, sowohl dramatisch als auch komisch zu agieren, erst-

*Geisha Shirley MacLaine*

mals erweiternd variieren. Sie stellte jetzt zwei unterschiedliche Persönlichkeiten dar. Die Amerikanerin Lucy ist ehrgeizig, aggressiv, ungezwungen, manchmal frivol und in ihrer harten Arbeit Männern gegenüber durchaus konkurrenzfähig – ähnlich wie Shirley MacLaine selbst. Im Gegensatz dazu ist die Japanerin Yoko zurückhaltend und bescheiden, stellt die Interessen und Wünsche anderer, vor allem der Männer, immer vor die eigenen. Das emotionale, melodramatische Ende des Films, ungewöhnlich für eine Komödie, spiegelt eindeutig die wirkliche Beziehung zwischen Shirley und Steve Parker wider. »Auf dem Papier sah Krasnas Drehbuch wie eine Komödie aus«, sagt Shirley im »Films and Filming«-Interview, »aber im Laufe der Dreharbeiten entdeckten wir einen leitmotivischen Grundgedanken, der absolut realistisch war.« Dazu gehörte ganz sicher auch das Problem des Regisseurs Paul im Film, der endlich einen Erfolg ohne die Mitwirkung seiner Star-Ehefrau haben will – Steve Parker hatte ebenfalls panische Angst davor, Mr. MacLaine zu werden.

Das Herzblut-Familienunternehmen *Meine Geisha* wurde jedoch weder ein bedeutender Film noch ein bemerkenswerter Erfolg. Die Kritiker zeigten sich nicht besonders angetan, obwohl sie dem Film einen gewissen Unterhaltungswert beimaßen. Doch der allzu transparente Plot der Mißverständnisse heraufbeschwörenden Identitätsverwechslung wurde als reichlich dünn empfunden. George Salmony schrieb in der »Süddeutschen Zeitung«: »Närrischeres ist den Herren bei ihren Drehbuchbesprechungen schon lange nicht eingefallen. Trotzdem kann man dem fröhlichen Mumpitz nicht eigentlich böse sein. Selbst der Fujiyama erträgt es schließlich mit eisiger Ruhe, daß die köstliche, mopsgesichtige Shirley als tragische Puccini-Heroine Harakiri begeht.« Außerdem kamen weder der grandiose Edward G. Robinson noch der sonst so männlich-charismatische Yves Montand ihren Fähigkeiten entsprechend richtig zum Zuge.

Obwohl ihre Karriere auf vollen Touren lief und sie einen Film nach dem anderen machte, begann Shirley MacLaine sich zu Beginn der sechziger Jahre bereits aktiv gesellschaftspolitisch zu interessieren und einzusetzen. Schon 1959 hatte sie eine Wohltätigkeitsveranstaltung zugunsten japanischer Taifun-Opfer gegeben, bei der sie zusammen mit Freunden in Las Vegas vor 600 Gästen auftrat und 30.000 Dollar zusammenbrachte. Später unterstützte sie zwei Waisenhäuser in Japan und Indien. Sie engagierte sich in der Bürgerrechtsbewegung und protestierte mit Marlon Brando und Steve Allen in Sacramento gegen die Hinrichtung von Caryl Chessman. Sie verbrachte eine Zeit in Mississippi und informierte sich über die Rassendiskriminierung aus erster Hand, führte lange Gespräche mit schwarzen Aktivisten und erlebte, wie sie auf der Straße in Atlanta, Georgia, von Weißen als »Niggerliebchen« beschimpft wurde, nur weil sie mit einem Schwarzen zu einer Telefonzelle ging. Ihr natürliches Interesse an Menschen, ihren Wissensdurst und ihre Neugier nutzte Shirley jetzt auch für Reisen in andere Teile der Welt. 1961 besuchte sie Spanien, 1962 Rumänien und die Sowjetunion, wo sie »schockiert über den Mangel an Individualität der Menschen« war. Tochter Sachie lebte bei ihrem Vater in Japan. Shirley, die nachts nie länger als vier oder fünf Stunden schlief, fand viel Zeit zum Lesen, ihrer zweiten großen Leidenschaft nach dem Reisen. »Mein Problem ist, daß ich tagtäglich all diese viele Energie verbrennen muß«, sagte sie, und sie kannte in ihrer grenzenlosen Vitalität und Widerstandskraft keinen Augenblick der Langeweile.

*Shirley und Edward G. Robinson in ›Geisha‹*

Inzwischen hatte sich auch Shirleys Bruder Warren Beatty als Schauspieler einen Namen gemacht – mit Elia Kazans Film *Splendor in the Grass (Fieber im Blut,* 1961) und als Partner von Natalie Wood. Er hatte, zumindest für die Öffentlichkeit, eine gewisse Distanz zu seiner Schwester gehalten, um seine Karriere aus eigenen Stücken zu schaffen und nicht etwa als Shirley MacLaines kleiner Bruder. Die Presse allerdings witterte eine schwelende Rivalität zwischen den beiden. »Der Fall, daß zwei Geschwister unabhängig voneinander ihren Weg machten, schien unerhört und verdächtig«, schreibt Shirley in ihrer Autobiographie. »Die Klatschreporter erzählten Warren eine Bemerkung, die ich angeblich über ihn gemacht hatte. Sagte er daraufhin nichts, so hieß es am nächsten Tag in der Zeitung: ›Eine bedeutungsschwere Pause.‹ Sagte er etwas, nur um die unverschämte Schnüffelei abzukürzen, bums!, am nächsten Tag lieferte sein mißgelaunter Kommentar Schlagzeilen für die Boulevardblätter. Auf diese Art hatten wir eine Familienfehde, von der wir beide nichts wußten.« Sie waren nie zerstritten, wie Shirley betont, und wenn sie einmal ihre Freizeit gemeinsam verbrachten, geschah das so heimlich wie möglich. In einem Interview mit der Zeitschrift »McCall's« sagte Shirley 1976: »Ich liebe und bewundere Warren, und er amüsiert mich. Wir mögen einander beide sehr, aber wir haben auch ein sehr gesundes Konkurrenzempfinden. Wir übertreffen uns gern gegenseitig. Wir haben beide Erfolg im Film und einen redlichen, unkonventionellen Lebensstil. Wir sind beide an Politik interessiert. Vielleicht haben wir auch eines Tages Lust, zusammen zu arbeiten.« Shirley bewundert vor allem Warrens darstellerische Leistungen in *Bonnie und Clyde* und *Shampoo,* weil er in beiden Rollen den Mut hatte, große Teile seines eigenen Inneren preiszugeben, die die meisten Schauspieler lieber verstecken.

# 4. Ein Telegramm von Kennedy und neue Erfahrungen in Bordell und Politik

In den sechziger Jahren hat Shirley MacLaine eine ganze Menge zu tun. Neben den vielen, meist leider nicht sehr bedeutenden Filmen – sieht man einmal von dem Welterfolg aus dieser Zeit, *Irma la Douce,* ab – wendet sie sich mehr und mehr anderen, vornehmlich politischen, Aktivitäten zu. Neue Reisen führen sie aber auch auf andere Kontinente. Die Long-Distance-Ehe mit Steve Parker verliert an Reiz, den Shirley dafür in Beziehungen zu anderen Männern findet. Und sie beginnt, ihr erstes Buch, eine Autobiographie, zu schreiben.

Bevor Shirley MacLaine zu ihrem zweiten Billy-Wilder-Hit ansetzte, spielte sie in einem eher wieder etwas mißglückten Film unter der Regie des soliden Routiniers Robert Wise, *Two for the Seasaw (Spiel zu zweit,* 1962). Basierend auf William Gibsons gleichnamigem Zwei-Personen-Stück, das 1958 mit Anne Bancroft und Henry Fonda ein großer Broadway-Erfolg wurde, spielt Shirley hier einmal mehr ein Mädchen, das vom Leben gebeutelt wird wie Ginny in *Verdammt sind sie alle* und Fran in *Das Appartement.* Robert Wise erfand für die Verfilmung (Drehbuch: Isobel Lennart) einige Außenschauplätze und kleine Rollen hinzu. Aber er behielt die Doppel-Szenerie der Telefongespräche auf einer zweigeteilten Leinwand bei, was als beabsichtigte atmosphärische Darstellung von Vereinsamung und Isolation allerdings im Film nicht so recht funktionierte.

*Spiel zu zweit* ist die Geschichte einer unmöglichen Liebe, die mit einem leichten Komödien-Touch beginnt, aber dann mehr und mehr tragische, melodramatische Züge annimmt. Rechtsanwalt Jerry Ryan (Robert Mitchum), dessen Ehe nach zwölf Jahren vor der Scheidung steht und der daraufhin seinen Job in der Provinzstadt Omaha, Nebraska, verliert, kommt nach Manhattan, um seine Vergangenheit möglichst schnell und gründlich zu vergessen. Auf einer Party in Greenwich Village lernt er Gittel Mosca (Shirley MacLaine) kennen, die sich als Kostümschneiderin durchschlägt, von einer Karriere als Tänzerin träumt und ebenfalls bereits eine Ehe hinter sich hat. Jerry lädt Gittel zum Abendessen ein und eröffnet ihr anschließend in ihrer Wohnung, daß er die Nacht mit ihr verbringen möchte. Der anfängliche Widerstand Gittels droht zu schwinden, als Jerry hinzufügt, daß heute sein Geburtstag sei. Doch da macht er plötzlich selbst einen Rückzieher, denn er möchte nicht, daß das Mädchen ein Opfer bringt. Gittel gefällt ihm in ihrer unkomplizierten, aufgeschlossenen Art, und er ruft sie gleich am nächsten Morgen an, um ihr den für sie so notwendigen männlichen Schutz anzutragen. Er nimmt eine Stelle in der Kanzlei des Rechtsanwalts Taubman (Edmond Ryan) an und will einen Teil seines Einkommens dazu verwenden, für Gittel ein kleines Tanzstudio in einem leeren Speicher zu mieten. Gittel möchte das zunächst nicht annehmen, weil sie spürt, daß Jerry seine Frau noch immer nicht vergessen hat. Doch schließlich kann er sie umstimmen. Sie beginnt, den von ihr so grundverschiedenen Mann zu lieben. Das erste Zerwürfnis jedoch kommt, als Jerry ihr arglos erzählt, daß seine Frau die Absicht, nach erfolgter Scheidung einen Jugendfreund zu heiraten, wieder aufgegeben hat. Wenige Tage später kommt es zum nächsten Krach. Jerry ist Gittel auf eine Party gefolgt, die sie ohne ihn und in Begleitung eines anderen Mannes besucht hat. Die folgende Auseinandersetzung regt Gittel dermaßen auf, daß ein altes Magenleiden wieder ausbricht. Besorgt bringt Jerry sie ins Krankenhaus und widmet ihr die nächsten Wochen in rührender Fürsorge. Er erzählt ihr, daß er seine Wohnung aufgeben und zu ihr ziehen will. Beharrlich verschweigt er ihr aber immer noch seine Zuneigung und – was noch schwerer wiegt – daß seine Scheidung inzwischen ausgesprochen wurde. Aus dem Krankenhaus entlassen, macht Gittel ihm den Vorschlag, sie zu heiraten, sobald er geschieden ist. Da muß er Farbe bekennen und von der enttäuschten und verärgerten Gittel bittere Vorwürfe einstecken. Ihren berechtigten Zorn kann er zwar schließlich beschwichtigen, doch Gittel hat endgültig erkannt, daß er seine Frau immer noch liebt und nie wirklich vergessen wird.

Gittel schlägt vor, die gemeinsame Beziehung zu beenden, und entkräftet Jerrys anfängliche, aus schlechtem Gewissen resultierenden Einwände dagegen mit der realistischen Feststellung, daß es für sie beide ohnehin keine gemeinsame Zukunft gebe. Spürbar erleichtert und von Gittel freigegeben, kehrt Jerry zu

*Shirley MacLaine weiß, was Robert Mitchum gern hat, aber Whisky hätte er noch lieber. Szene aus ›Spiel zu zweit‹*

seiner Frau nach Omaha in die Provinz des Mittelwestens zurück. Telefonisch verabschiedet er sich von Gittel und gesteht ihr dabei endlich, worauf sie so lange gewartet hat: daß er sie liebt.

Trotz dieses traurigen Endes bleibt dem Zuschauer das sichere Gefühl, daß jeder der beiden aus den gemeinsamen Erfahrungen gelernt hat. Jerry kehrt selbstsicherer und reifer nach Nebraska zurück. Und Gittel, die ein größeres Selbstwertgefühl entwickelt hat, kann der unsicheren Zukunft mit mehr Kraft entgegensehen.

Mit gewohnter Akribie hatte Shirley MacLaine sich auf die Rolle dieses für Greenwich Village typischen jüdischen Beatnik-Mädchens vorbereitet. In ihrer Autobiographie schreibt sie: »Als ich Studien für meine Gittel in ›Spiel zu zweit‹ machte, trieb ich mich viel in Greenwich Village herum, um eine innerlich zerbrochene jüdische Tänzerin kennenzulernen, die von allen als Fußabtreter benutzt wird und sich auch selbst dafür hält. Die Gittel, die ich fand, war nicht genau William Gibsons Gittel, aber sie kam ihr enorm nahe, und sie war mir gegenüber ganz ehrlich.« Für die New Yorker Kritiker aber hatte sie zu wenig von diesem spezifischen Lokalkolorit und dem typischen Appeal eines aus der Bronx stammenden »iddischen« Mädchens. Shirley machte aus der Gittel mehr eine universale Identifikationsfigur für alle amerikanischen Zuschauer bis hin zur Westküste – ohnehin war die Zeit der charakteristischen New Yorker jüdischen Underdog-Figuren, eines Woody Allen etwa, noch weit.

Shirley MacLaine, die längst als Star etabliert war und durch ihre Erfolge und Erfahrungen ein gesundes und nicht mehr so leicht zu erschütterndes Selbstbewußtsein entwickelt hatte, tat nun einen Schritt, der für sie einfach lebensnotwendig wurde und das ohnehin im Niedergang begriffene Starsystem weiter unterminierte. Neun Jahre stand sie bereits bei Hal Wallis unter Vertrag, die ursprünglich abgeschlossenen fünf Jahre hatten sich durch Beurlaubungen und Ausleihen an andere Studios immer wieder verlängert. Je länger sich dieser Vertrag hinzog, desto mehr brachte er Wallis ein. Shirley bekam sechsstellige Angebote, doch ihre Gage bei Wallis betrug nach wie vor 15.800 Dollar pro Film. Als er ihr jetzt ein Projekt bot, das für sie absolut nicht akzeptabel war, als sie ihn um jedes andere, auch nur halbwegs annehmbare Script bat, er aber auf seinem Angebot bestand, hielt sie die Zeit für gekommen. Sie mußte etwas unternehmen. Denn es ging ihr nicht nur um die knickrige Vertragsgage, sondern vor allem um ihre Unfreiheit in der Wahl ihrer Stoffe, was gleichbedeutend damit war, über ihre Karriere nicht selbst entscheiden zu können. Sie entschloß sich zur Klage vor dem kalifornischen Arbeitsgericht, das – lobenswerte Schutzmaßnahme für die Angestellten gegenüber ihrer eigenen Unwissenheit – im Prinzip keine Verträge über sieben Jahre gegen den Willen des Beteiligten zuläßt. Mit MGM hatte sie damals gerade einen Vertrag für die Musical-Verfilmung *The Unsinkable Molly Brown (Goldgräber-Molly)* abgeschlossen, von dem das Studio aber aus Angst vor ihrem Rechtsstreit mit Wallis zurücktrat. Er hätte, falls sie den Prozeß verlöre, ihre Mitwirkung in dem Film – der dann übrigens mit Debbie Reynolds gedreht wurde – unterbinden können.

»Unter diesen Umständen hatte auch keine andere Filmgesellschaft den Mut, es mit mir zu wagen«, erinnert sich Shirley. »Die ›Erbsendose‹ war rebellisch geworden, und die Erbsenfabriken verrammelten ihre Tore. Freilich saß auch der mächtigste Fabrikdirektor in der Klemme. Wenn Wallis den Prozeß verlor, würde wahrscheinlich die Zumutbarkeit derart langfristiger Verträge (oft ›weiße Sklaverei‹ genannt) unter die kritische Lupe genommen und der entsprechende Paragraph abgeschafft werden. Es handelte sich um einen Paragraphen, über den nie-

*Regisseur Robert Wise mit seinen Hauptdarstellern Robert Mitchum und Shirley MacLaine*

mand eine gerichtliche Entscheidung haben wollte. Ohne ihn wäre mancher Star niemals Star geworden, und manches Geschäft wäre in die Binsen gegangen. Einer von uns würde die Schlacht verlieren, hier ging es jedoch um den ganzen Krieg. Zwei Tage vor der Entscheidung bot Wallis einen Vergleich an. Gegen 150.000 ›Konventionalstrafe‹ entband er mich von unserem Vertrag. Neun Jahre nachdem er mich im *Picknick im Pyjama* gesehen hatte, war ich endlich frei von ihm.«

Jetzt konnte Shirley MacLaine selbst unter den Angeboten wählen, und es mutet fast wie eine Ironie des Schicksals an, daß – mit Ausnahme von *Irma la Douce, Sweet Charity* und *Two Mules for Sister Sara* – die anderen acht Filme bis zum Ende der sechziger Jahre von ziemlich unerheblicher Bedeutung waren.

Aber es gab noch ein spektakuläres Ereignis, das mit dem Wallis-Rechtsstreit zeitlich zusammenfiel. Der stockkonservative, eifrige Klatschreporter Mike Connelly, heute bereits nicht mehr unter den Lebenden, hatte in schöner Regelmäßigkeit auf Shirley herumgehackt. Ihrer politischen Aktivitäten wegen erklärte er sie für übergeschnappt, begründete eine ihrer längeren Abwesenheiten von der Hollywood-Szene mit einer frei erfundenen und angeblich mißglückten Nasen-Schönheitsoperation. Er hängte ihr einen Selbstmordversuch wegen einer unglücklichen Liebesaffäre an und unterstellte ihr, eine ihrer vielen Reisen für eine heimliche Abtreibung genutzt zu haben. Shirley wurde über solche ausgesuchten Freundlichkeiten verständlicherweise allmählich wütend und rastete endgültig aus, als er ausgerechnet an dem Morgen, als ihr Vergleich mit Wallis lief, in seiner Klatschkolumne behauptete, sie hätte ihren Prozeß verloren.

Die pfiffige Shirley dachte sich einen – fast im wahrsten Sinne des Wortes – hieb- und stichfesten Racheakt aus. Bei ihrem Rechtsanwalt erkundigte sie sich, wie man jemanden ohrfeigen könne, ohne gleich wegen Körperverletzung belangt zu werden. Seine Antwort: »Mit der flachen Hand.« Und außerdem sollte sie darauf achten, daß der so Getroffene nicht zurückschlägt. Shirley bat ihre Sekretärin, bei einer für sie wichtigen Sache Augenzeugin zu sein, womit diese, ohne zu wissen, worum es ging, sich sofort einverstanden erklärte. Also begaben sich die beiden Damen auf den Sunset Boulevard in die Redaktion des »Hollywood-Reporter« und überraschten Mike Connelly, als er gerade aus dem Lift kam. Nach einem kurzen Begrüßungswortwechsel

*Shirley MacLaine tanzend im Flur in ›Spiel zu zweit‹*

beschreibt Shirley in ihrer Autobiographie die Szene weiter: »Ich trat dicht an ihn heran und nahm ihm vorsorglich die Brille ab.« Und dann, auf seine Behauptung, die Wahrheit zu vertreten, ihre Frage: »›Und warum, zum Donnerwetter, halten Sie sich nicht daran?‹ Damit holte ich aus und versetzte ihm, batsch, eine furchtbare Backpfeife. Ich hätte ihn gern mit geballter Faust k.o. geschlagen, dachte aber an den Rat meines Rechtsanwalts. ›Shirley‹, kreischte er, ›was fällt Ihnen denn ein?‹ ›Dasselbe, was Ihnen seit Jahren einfällt – anderen Leuten Hiebe zu versetzen.‹ ›Aber Shirley!‹ ›Aber Mike!‹ Und ich klebte ihm noch eine.«

Zwei zufällig anwesende Kollegen von Connelly gaben das Erlebte sofort telefonisch weiter, und Shirley hatte im Sinne des Wortes ihre Schlag-Zeilen. Die ähnlich gefürchtete, aber nicht ganz so skrupellose Klatschtante Hedda Hopper beglückwünschte Shirley telefonisch: »Warum haben Sie ihn nicht gleich auf der Stelle kaltgemacht? Was mich betrifft, so haben Sie sich nur deshalb zu schämen.« Und als Shirley am Abend dieses Tages zu einer Party ging, wurde sie mit Beifall empfangen und fand auf ihrem Platz am Tisch »ein Paar Boxhandschuhe als zarte Aufmerksamkeit von Rocky Graziano«. Der Gouverneur Brown bat telegraphisch um eine Liste ihrer nächsten Kämpfe. Doch das schönste Telegramm kam von Präsident John F. Kennedy: »DEAR SHIRLEY – CONGRATULATIONS ON YOUR FIGHT STOP NOW IF YOU HAD REAL GUTS YOU'D SLUG WALLACE – GOVERNOR NOT HAL JFK.«

(LIEBE SHIRLEY – GRATULIERE ZUM FAUSTSIEG STOP JETZT MUMM ZEIGEN UND WALLACE NIEDERSCHLAGEN STOP ICH MEINE DEN GOUVERNEUR UND NICHT HAL WALLIS JFK.)

Mumm zeigte Shirley MacLaine zwar nicht für die ohnehin nicht ernsthaft gemeinte Aufforderung zum Gouverneurs-Niederschlag, dafür aber bei den Vorbereitungen für den Film, der sie nachhaltig weltberühmt machen sollte und den sie nun mit Billy Wilder drehte: *Irma la Douce (Das Mädchen Irma la Douce,* 1963). Ein Mädchen vom Pariser Straßenstrich – das schüttelt man als Amerikanerin nicht so einfach aus dem Ärmel. Für Shirley eine willkommene Gelegenheit, ihrer Leidenschaft, Menschen zu studieren und verstehen zu lernen, wieder einmal vehement nachzugeben. In ihrer Autobiographie schreibt sie: »Eine der angenehmen Seiten des Erfolges ist die Möglichkeit, das Leben in seiner ganzen Vielschichtigkeit kennenzulernen. Meine Stöbereien waren für mich oft wertvoller als die ganze Schauspielerei. Ich tat Einblicke in das Privatleben der unterschiedlichsten Menschen – und war meistens sogar willkommen, denn sie brauchten eine Aussprache und wollten richtig gesehen werden. ... Die ungewöhnlichsten ›Forschungen‹ betrieb ich, nachdem Billy Wilder mich gebeten hatte, Irma la Douce zu spielen. Obwohl es im Filmgeschäft wirklich nicht an lockeren Mädchen mangelte, sollte meine Irma was Besonderes werden – nicht nur die grellgeschminkte Nutte mit dem goldenen Herzen (wie sie im Film dauernd auftaucht). Irma benutzt ihren Körper mit dem Stolz einer erfolgreichen Geschäftsfrau, ohne Scheu und ohne jede Rührseligkeit. Sie tut sich etwas darauf zugute, die Meistbegehrte im Pariser Markthallenviertel zu sein ... Um so ein patentes Mädchen glaubhaft darstellen zu können, mußte ich mir ein Modell aus dem wirklichen Leben holen.«

Das tat sie, indem sie nach Paris fuhr und dort mit dem Sohn von französischen Bekannten durch das damals noch existierende Hallenviertel zog. Mitten im Zentrum des Gewerbes guckte sie sich aus der wahrhaft pittoresken Vielfalt der auf dem Bürgersteig posierenden Damen ein solches Modell aus – eine stattliche, gutaussehende Brünette, die etwa so groß war wie Shirley selbst. Diese Danielle erklärte sich nach einem kurzen Gespräch freudestrahlend bereit, den Hollywood-Star technisch zu beraten. Sie nahm Shirley und deren Begleiter in einer Arbeitspause mit in das Stundenhotel, in dem sie ihr Pensum von pro Nacht 35 Männern zu absolvieren pflegte. Die gewundenen, altersschwachen Treppen beeindruckten die MacLaine als erstes bei dem Gedanken, daß Danielle sie allnächtlich in engem Rock und hohen Stöckelschuhen 70mal ablief. Oben in dem kleinen,

*Jack Lemmon, Shirley und Hope Holiday in ›Das Mädchen Irma la Douce‹*

weder eleganten noch besonders verworfenen Zimmer mit Spiegelwänden und Voyeurs-Guckloch in der Tür gab Danielle pantomimischen Anschauungsunterricht. Shirleys Begleiter mußte, sichtlich verlegen, als Demonstrationsobjekt herhalten. Zuhälter und Prostituierte, die gerade Pause machten, waren dabei und zeigten Shirley pornographische Fotos als Anregung für den Film. Danielle führte ihr rasantes Arbeitstempo vor, zog sich in Sekundenschnelle aus, raste auf die Straße, kam mit einem Kunden wieder und bat Shirley, auf die Uhr zu sehen, bevor sie mit ihm im Nebenzimmer verschwand. Nach genau vier Minuten war sie mit der Vollzugsmeldung zurück – was Shirley zu der Anregung veranlaßte, diese Sportart als Disziplin bei den nächsten Olympischen Spielen aufzunehmen.

Nachdem die technische Beratung im Bordell ihren Höhepunkt mit einem flotten Vierer erreicht hatte, den Shirley sich, nach anfänglichem Widerstreben und um ihre »Gastgeber« nicht zu beleidigen, durch das Guckloch angeschaut hatte, konnte sie endlich das für sie so notwendige Gespräch zur Person führen. Von ein Uhr nachts bis vier Uhr morgens erfuhr Shirley von Danielle den mehr oder weniger typischen Prostituierten-Lebenslauf: Als 16jährige Krankenschwester verliebt sie sich in einen Patienten, der sich später als Zuhälter entpuppt und für den sie aus Liebe auf den Strich geht – ob er auch der Vater ihres kleinen, bei Pflegeeltern auf dem Land aufwachsenden Sohnes ist, weiß sie leider nicht. Für Danielles plötzlichen Verfall am Ende dieses Gesprächs erfährt Shirley kurz darauf die Erklärung von der Bordell-Madame: Danielle ist heroinsüchtig und damit auf Gedeih und Verderb von ihrem Zuhälter abhängig.

Das Leben ist härter als das Kino, und die Realität übertrifft die Fiktion. Der Film *Das Mädchen Irma la Douce* basiert nicht auf dokumentarischer Realität, sondern auf einer Komödie, die in Paris 1956 uraufgeführt worden war. Ihr Autor Alexandre Breffort dürfte allerdings gewisse realistische Erfahrungen eingebracht haben, war er schließlich doch einst Taxifahrer in der Seine-Metropole. Billy Wilder schrieb wieder mit seinem bewährten Kompagnon I. A. L. Diamond das Drehbuch, verzichtete aber für die Verfilmung auf die Musical-Nummern von Marguerite Monnot und ließ statt dessen von André Previn einen Soundtrack komponieren. »Oscar«-Preisträger Alexander Trauner *(Das Appartement)* besorgte auch hier wieder die

*Shirley MacLaine mit Oberteil Le Chic de Paris in ›Das Mädchen Irma la Douce‹*

Ausstattung, für die die Produzenten-Brüder Mirisch riesige Mengen von Originalmaterial aus Paris kommen ließen. Und Trauner baute die Rue Casanova im Studio so, daß ein komplettes 360 Grad-Filmen möglich war, erstmals die Kamera in einer derartigen Dekoration Aufnahmen in jeder gewünschten Richtung machen konnte.

Ursprünglich sollte übrigens Elizabeth Taylor die Irma spielen und Charles Laughton den philosophierenden Bistro-Patron Moustache. Aber Laughton starb 1962, und Wilder erinnerte sich an die so unglaublich stimmige Partnerschaft von Shirley MacLaine und Jack Lemmon beim *Appartement*. Die hatte ihm so gut gefallen, daß er mit den beiden gern wieder zusammenarbeiten wollte. Die Laughton-Rolle übernahm Lou Jacobi.

Shirley MacLaine war über die erneute Zusammenarbeit mit Billy Wilder entzückt. Daß sie ihre Pariser Bordell-Erfahrungen in die zwar satirische, aber auch romantische Komödie nicht total würde einbringen können, war ihr von Anfang an klar. In einem Interview mit der Zeitschrift »Look« sagte sie: »In dieser Rolle konnten sie kein Mädchen brauchen, das wie ein Flittchen aussieht, das seine Arbeit liebt. Deshalb wäre auch ein typisches Hollywood-Sex-Symbol als Irma eine Katastrophe. Dieses Pariser Straßenmädchen mußte ein naives, unschuldig aussehendes junges Ding mit großen, staunenden Augen sein – genauso wie ich.«

Billy Wilder nennt *Irma la Douce* selbst »eine nette, saubere, warmherzige und sentimentale Story über die Emanzipation einer Prostituierten«. Wenn auch die erste Hälfte dieses Satzes stimmt, so bestimmt nicht die zweite. Irma ist als das typische glückliche Flittchen wieder einmal eine Ausgeburt männlicher Phantasie. Sie ist das erfolgreichste der Mädchen, die das Trottoir der eher unromantischen Rue Casanova im geschäftigen Markthallenviertel, dem Bauch von Paris, bevölkern. Irma la Douce (Shirley MacLaine), die »Süße«, hat wie alle ihre Kolleginnen, die »Poules«, einen »Mec« oder schlicht Zuhälter – den brutalen Hippolyte (Bruce Yarnell), der ihre täglichen Einkünfte abkassiert. Allmorgendlicher Treffpunkt der »Poules« und »Mecs«, unter anderem auch mit den »Flics«, den für ihre Toleranz bestochenen Gesetzeshütern, ist das Bistro von Moustache (Lou Jacobi), der sich als Philosoph gibt, laut Polizeibericht aber ein rumänischer Eierdieb ist.

Eines Tages taucht ein neuer junger Polizist in diesem lockeren Stadtviertel auf. Nestor Patou (Jack Lemmon) ist ein absolut ehrlicher »Flic« und über die in der Rue Casanova herrschenden Zustände so entsetzt, daß er spontan eine Razzia durchführt und alle Mädchen samt ihren Kunden ins zuständige Revier schaffen läßt. Leider hat er bei dem großen Fischzug aber auch Polizeiinspektor Lefevre (Herschel Bernardi) eingefangen – und wird daraufhin natürlich erbarmungslos gefeuert. Nestor ist verbittert, seine Illusionen von Recht und Ordnung sind dahin. Ratlos kehrt er an den Tatort zurück und erlebt bei Moustache im Bistro, wie Hippolyte gerade Irma zum Anschaffen in den Regen hinausjagen will. Nestor zögert nicht lange und befördert den »Mec« nach einem turbulenten Zweikampf an die frische, feuchte Luft. Irma ist zutiefst beeindruckt und schlägt dem verdutzten Nestor vor, Hippolytes Job zu übernehmen. Er vertreibt sich nun die Zeit bei Moustache, während Irma und die anderen Mädchen ihren Liebesdienst versehen. Aber Nestor hat sich in Irma verliebt und vertraut Moustache an, daß er es nicht ertragen könne, daß Irma sich anderen Männern hingibt. Und er faßt einen gewagten Plan. In der Kostümierung eines Engländers begibt er sich als Lord X zu Irma und verbringt mit ihr eine ganze Nacht beim Patience-Legen. Diskret schiebt er ihr 500 Francs auf den Nachttisch und nimmt ihr beim Abschied das Versprechen ab, von nun an ihr einziger Kunde zu sein. Im Keller von Moustaches Bistro legt er seine britische Kleidung ab und taucht als Nestor oben wieder auf – nur um von Irma gleich die Neuigkeit über ihren kapitalkräftigen Freier zu erfahren. Die Nachricht verbreitet sich wie ein Lauffeuer in der Rue Casanova, und Nestor wird von den »Mecs« der übrigen Mädchen einstimmig zum Präsidenten der Zuhälter-Organisation des Markthallenviertels gewählt. Die spontan anberaumte feuchtfröhliche Feier bei Moustache kann Nestor nicht mehr bezahlen – es fehlen ihm genau die 500 Francs, die Lord X bei Irma gelassen hat. Um seine Schulden zu begleichen und seinen adligen Doppelgänger auch weiterhin mit dem nötigen Bargeld auszustatten, muß Nestor einen anstrengenden Job in den Markthallen antreten.

Das Doppelleben strapaziert ihn mehr und mehr. Als Lord X bittet er Irma, ihm auf sein Schloß nach England zu folgen. Voller Dankbarkeit küßt sie ihn zum Abschied auf die Wange. Ne-

*Erst zahlen … dann flirten …*

stor ist sofort rasend vor Eifersucht auf seinen Doppelgänger. Wenige Augenblicke später bei Moustache allerdings macht Irma ihm eine Szene, als sie den Lippenstift auf seiner Wange entdeckt. Sie unterstellt ihm ein Verhältnis mit Lolita (Hope Holiday) und verprügelt sie. Als Nestor nach einer weiteren harten Arbeitsnacht in den Hallen todmüde zu Irma kommt, ist sie felsenfest davon überzeugt, daß er sein Interesse an ihr verloren hat. Es gibt einen furchtbaren Streit – und beim nächsten Besuch von Lord X beschließt Irma, der es endlich gelingt, den scheinbar impotenten Briten zu verführen, mit ihm nach England zu übersiedeln. Das ist zuviel für Nestor. Kurzentschlossen schreitet er zur Tat und läßt Lord X von der Bildfläche verschwinden – indem er dessen Kleidung in die Seine wirft und als Nestor die Ufer-Treppen wieder hinaufsteigt. Hippolyte, der Lord X heimlich gefolgt ist mit der Absicht, ihn auszurauben, hetzt die Polizei auf Nestor, nachdem er die Garderobe des Lords im Wasser schwimmen sieht. Bei Moustache im Bistro wird Nestor verhaftet und kann gerade noch Irma, die dort mit gepackten Koffern auf ihren Lord wartet, seine Liebe gestehen

*... dann heiraten, der Weg einer anständigen Prostituierten. Jack Lemmon und Shirley MacLaine in ›Das Mädchen Irma la Douce‹*

und – pfiffig beraten von Moustache – daß er den Mord nur für sie begangen hat. Glückstrahlend fällt Irma ihm um den Hals und verspricht, auf ihn zu warten.

Nach Monaten erfährt Nestor im Gefängnis von Moustache, daß Irma schwanger ist. Mit Hilfe des gerissenen Bistro-Patrons und Irmas grünen Strümpfen gelingt ihm der Ausbruch. Der über sein plötzliches Auftauchen völlig überraschten Irma kann er gerade noch hastig ein Heiratsversprechen mitsamt Verlobungsring machen, als auch schon Inspektor Lefevre mit einem Trupp Polizisten vor der Tür steht. Doch die »Flics« müssen nach erfolgloser Wohnungsdurchsuchung, bei der Nestor sie gehörig an der Nase herumführt, unverrichteter Dinge wieder abziehen. Der raffinierte Moustache dirigiert inzwischen die Polizei geschickt via Hippolyte ans Seine-Ufer. Dort sehen die verdutzten Uniformierten den totgeglaubten Lord aus den Fluten steigen, der auf Befragen erklärt, keine Ahnung zu haben, was mit ihm in den letzten neun Monaten passiert sei. In Windeseile begibt er sich zur Kirche und kann als Nestor buchstäblich im letzten Moment seiner Irma das Ja-Wort geben. So kommt das Kind, ein Mädchen, noch in der Kirche, aber schon ehelich zur Welt. Während die glücklichen Eltern von der gemeinsamen Familienzukunft schwärmen – Inspektor Lefevre hat Nestor wieder eingestellt –, läßt Moustache seinen Blick über die leeren Kirchenbänke schweifen. Dort entdeckt er einen unverhofften Gast – Lord X. Aber das ist, wie seine Schlußworte lauten, eine andere Geschichte …

»Billy Wilder ist erwiesenermaßen ein männliches Chauvinisten-Schwein«, sagte Shirley MacLaine in den siebziger Jahren dem Wilder-Biographen Maurice Zolotow. Sie hält ihn zwar für absolut brillant, mit mehr Talent im kleinen Finger als alle ihre anderen Regisseure im ganzen Körper, betont auch, daß sie mehr von ihm gelernt hat als von irgend jemandem sonst in dem Busineß – aber für sie besitzt er einen Zynismus ohnegleichen, besonders in bezug auf Frauen. Seine besten Filme, bemerkt sie sehr richtig, drehen sich alle um eine starke Frauenfigur. Diese Struktur findet sich in *Das Appartement* ebenso wie in *Irma la Douce,* aber auch in *Boulevard der Dämmerung, Manche mögen's heiß, Frau ohne Gewissen* und *Zeugin der Anklage* – eine Frau als Kraftwerk für die Männer um sie herum. Hausfrauen, Ehefrauen, Prostituierte – in diesen Schubladen landete die

*Regisseur Billy Wilder zeigt Jack Lemmon und Shirley MacLaine, wie eine Prostituierte mit ihrem Pudel umzugehen hat in ›Das Mädchen Irma la Douce‹*

Weiblichkeit in den Hollywood-Filmen damals. Auch Billy Wilder macht da nach Shirleys Meinung keine Ausnahme. Ihre Dreh-Erfahrungen mit ihm sind der Beweis dafür, daß er für tiefere, sensiblere Nuancierungen bei Frauen keinen Sinn, keine Antenne, kein Interesse hatte. Vielleicht aus Scheu vor dem eigenen Gefühl, von dem er, wie Shirley glaubt, reichlich hat hinter all seinem intellektuellen Zynismus. Beim Drehen zum Beispiel hat sie seine Beziehung zu Jack Lemmon wie eine Liebesaffäre empfunden. Er ist mit ungeheurer Sorgfalt auf ihn eingegangen, hat an jedem kleinsten Detail seiner Szenen detailliert mit ihm gefeilt, verbessert und viel Zeit an ihn verwendet. Mit ihr hingegen war er realistischer, cooler, weniger beteiligt:

»Er schaute sich an, was ich machte, sagte mir hinterher, was falsch war, und wenn ich dann das wegließ, was ihm nicht gefallen hatte, fand er es okay und ließ es kopieren.« Shirley hatte auch genau die Funktion eingeschätzt, die Wilders langjähriger Mitarbeiter und Coproduzent Doane Harrison für ihn hatte. Er war für ihn eine Art Barometer, hielt ihn in der Balance, achtete darauf, daß die Emotionen nicht zu kurz kamen. Am Ende eines jeden Drehtages mußte Doane Billy berichten, ob sein Herz übergeströmt war oder nicht, denn Billy Wilder wußte sehr gut, daß sein Zynismus seinen Gefühlen im Wege stand. Harrisons Einfluß muß in der Tat entscheidend gewesen sein, denn nach seinem Tod sind Wilders Filme der siebziger Jahre deutlich schwächer geworden.

*Irma la Douce* hingegen war ein riesiger Box-Office-Hit, ein überwältigender internationaler Erfolg, von allen Wilder-Filmen der kommerziell erfolgreichste und eine der umsatzstärksten Filmkomödien überhaupt. Von den nur drei »Oscar«-Nominierungen – Hauptdarstellerin, Kamera, Musik – erhielt nur der Komponist André Previn die begehrte Statuette. Shirley MacLaine unterlag diesmal ihrer Kollegin Patricia Neal, die für ihre Rolle in *Hud (Der Wildeste unter tausend)* ausgezeichnet wurde. Dafür bekam Shirley den Golden Globe und wurde von der Zeitschrift »Film Daily« in einer Umfrage als beste Schauspielerin des Jahres 1963 ermittelt. Nach *In 80 Tagen um die Welt,* eigentlich noch kein richtiger Shirley-MacLaine-Film, war nun *Das Mädchen Irma la Douce* ihr größter Kassen-Hit. Vor Grauman's Chinese Theatre auf Los Angeles' Hollywood-Boulevard durfte sie, wie andere Superstars vor und nach ihr, ihre Hand- und Fußabdrücke in Beton verewigen.

Wenn auch die Irma meilenweit entfernt war von der Realität, die Shirley bei ihren Milieustudien in Paris erlebt hatte, so war sie dennoch eine Rolle, in der die MacLaine ihr Image des patenten Kumpels mit Seele, des frischen, natürlichen sexy Girls mit komischem Temperament und einer gewissen Naivität noch um eine Nuance lässigen Witzes und frecher Ironie erweitern konnte. Und das alles im Rahmen einer intelligent-flockigen Boulevardkomödie mit satirischem Touch, wenn auch keine Sekunde bissig, sondern versöhnlich happy-märchenhaft. Shirley war sich dessen bewußt und hat bei einer der vom Fernsehen übertragenen Preisverleihungen für diesen Film von ihren Erfahrungen im echten Milieu von Paris erzählt. Vieles daran hätte ihr so gefallen, sagte sie, daß sie beinahe ihre Karriere aufgegeben hätte und dageblieben wäre. Erst nach der Sendung erfuhr sie, daß man ihr mitten in ihren Bekenntnissen den Ton abgedreht hatte. Erst sieben Jahre später konnte das Publikum in ihrer Autobiographie lesen, was sie erlebt hatte und ungeschminkt beschrieb.

*Shirley zeigt Regisseur Billy Wilder, wie sie in der Szene Hope Holiday (verdeckt) behandeln wird. Lon Jacobi und Jack Lemmon schauen zu*

Ihre nächsten Filme ließen deutlich an Niveau vermissen, sind mehr oder weniger belanglose Komödien von meist relativ vordergründig turbulentem Witz.

*What a Way to Go! (Immer mit einem anderen,* 1964), von dem mit *Die Kanonen von Navarone* berühmt gewordenen Engländer J. Lee Thompson allzu glatt inszeniert, hatte zunächst auf dem Papier alle Zutaten für einen unterhaltsamen Volltreffer. Das Drehbuch stammt von Betty Comden und Adolph Green *(Singin' in the Rain),* an der Kamera stand »Oscar«-Preisträger Leon Shamroy *(Der Seeräuber),* die Choreographie stammt von Gene Kelly, die Musik von Jule Styne *(Drei Münzen im Brunnen, Funny Girl),* die Kostüme entwarf Edith Head – und die Besetzung wies neben Shirley MacLaine sechs hochkarätige Stars auf: Dean Martin, Paul Newman, Robert Mitchum, Gene Kelly, Bob Cummings und Dick Van Dyke. Herausgekommen

*Die Trauernde vor dem Rechtsanwalt in ›Immer mit einem anderen‹*

156

*Shirley mit dem filmischen Dauertänzer Gene Kelly in ›Immer mit einem anderen‹*

ist dabei allerdings nur eine flügellahme Klamotte ohne einen Funken von Inspiration.

Louisa Benson (Shirley MacLaine) bietet dem Finanzamt ihr gesamtes Vermögen in Form eines Schecks über 211 Millionen Dollar an. Dort läßt man sie abblitzen, weil man ihr Angebot – das Datum legt es nahe – für einen Aprilscherz hält. Verzweifelt sitzt sie nun auf der Couch des Psychiaters Victor Stephanson (Bob Cummings) und erzählt ihm die herzzerreißende Geschichte ihres Lebens, in dem jeder Mann, den sie heiratete, schon bald nach der Hochzeit das Zeitliche segnete und ihr jedesmal ein Vermögen hinterließ.

Aufgewachsen in einer Kleinstadt in Ohio, rebellierte sie gegen ihre geldgierige Mutter, indem sie den verträumten Kolonialwarenhändler Edgar Hopper (Dick Van Dyke) heiratet und nicht den reichen, arroganten Kaufmann Leonard Crawley (Dean Martin). Die Ehe ist glücklich, bis Leonard sich gegenüber Edgar lustig macht über dessen Geldknappheit, mit der er seine Frau Louisa kurz hält.

Tief getroffen, entwickelt Edgar ungeahnte Fähigkeiten, wird zum erfolgreichsten Kaufmann des Ortes und ruiniert Leonard Crawley. Aber Edgar arbeitet sich dabei auch buchstäblich zu Tode – und macht Louisa zu einer reichen jungen Witwe. Um ihren Kummer über den Tod des Gatten zu vergessen, fährt Louisa nach Paris. Dort lernt sie den jungen amerikanischen Maler Larry Flint (Paul Newman) kennen und lieben. Sie heiratet ihn und beginnt ein glückliches Boheme-Leben. Larry, der sich sein Geld als Taxifahrer verdient, hat eine Maschine erfunden, die nach eingespeicherten Tönen Ölgemälde herstellt. Eines Tages kommt Louisa auf die Idee, die Maschine mit klassischer Musik zu füttern. Ein grandioses Bild entsteht. Larry wird reich, baut immer mehr Maschinen und wird schließlich in seiner besessenen Arbeit von ihnen erwürgt. Die Witwe Louisa ist wieder um einiges reicher. Ihr dritter Ehemann wird der New Yorker Multimillionär Rod Anderson (Robert Mitchum). Er vernachlässigt sein Busineß, um seine Zeit ganz Louisa zu widmen, mit dem Resultat, daß sich sein Kapital verdreifacht. Sie ist fest davon überzeugt, daß ihr Fluch sich fortsetzt und kann ihn schließlich zum einfachen Landleben überreden. Doch auf der gemeinsamen Farm ereilt auch Rod sein Schicksal. Als er irrtümlich einen Bullen zu melken versucht, wird er von dem wütenden Tier zu Tode getreten. Wieder hat Louisa anstelle des liebenden Gatten nur noch Dollar-Millionen. Doch sie versucht weiter ihr Glück. Der Tänzer und Sänger Jerry »Pinky« Benson (Gene Kelly), der in einem New Yorker Café als Entertainer ziemlich erfolglos auftritt, wird Ehemann Nummer vier. Er liebt das einfache Leben, und beide sind auf einem Hausboot glücklich. Louisas Vorschlag, seine Café-Nummer einmal ohne sein gewohntes Clowns-Make-up zu machen, setzt das Verhängnis in Gang. Jerry erntet enthusiastischen Applaus und wird über Nacht zum Star. Er genießt den Ruhm und badet von Mal zu Mal mehr im Erfolg, bis er sich nach einer Premiere mitten in die Menge seiner fanatischen Verehrer begibt und von ihnen totgetrampelt wird.

*Verschmutzt aber glücklich: Shirley MacLaine und Dean Martin in*
*›Immer mit einem anderen‹*

Hier endet Louisas Geschichte. Der verblüffte Psychiater erhält einen Telefonanruf mit der Bestätigung, daß der 211-Millionen-Dollar-Scheck gedeckt ist. Er fällt in Ohnmacht. Während Louisa versucht, ihn wieder ins Leben zurückzurufen, betritt ein Putzmann das Büro. Voller Erstaunen erkennt Louisa in ihm den einst reichen Kaufmann Leonard Crawley. Er erklärt ihr, daß er erst richtig zu leben angefangen habe, nachdem er alles verloren hatte. Voller Freude heiratet sie ihn und zieht mit ihm in ihre Heimatstadt. Mit vier Kindern sind sie bald eine glückliche Familie. Da stößt Leonard eines Tages beim Traktorfahren auf eine Ölquelle direkt vor seiner Farm. Voller Panik glaubt Louisa, der Fluch sei zurückgekehrt. Statt dessen stellt sich heraus, daß Leonard lediglich ein Loch in einer Leitung der benachbarten Ölgesellschaft verursacht hat. Mit dem Freudenausbruch »mein wunderbarer, geliebter Versager« fällt Louisa ihrem Leonard um den Hals. Und wenn sie nicht gestorben sind ...

Vom Regen in die Traufe kam Shirley MacLaine mit ihrem nächsten Film, den wieder Steve Parker produzierte. Nach diesem Fiasko betätigte er sich dann nie mehr als Produzent seiner eigenen Frau. *John Goldfarb, Please Come Home (Eine zuviel im Harem,* 1964) entstand nach einem äußerst dünnblütigen Drehbuch des späteren »Exzorzist«-Autors William Peter Blatty, angeregt durch den U-2-Spionagefall Francis Gary Powers. Regie führte schon wieder der mit Komödien nicht sonderlich erfahrene und gerade mit *Immer mit einem anderen* eher verunglückte J. Lee Thompson. Was möglicherweise als politische Satire gedacht war, entgleiste zu schierer Klamauk-Travestie.

Jenny Ericson (Shirley MacLaine) ist eine frigide Reporterin, die ausgerechnet den Auftrag für eine Reportage aus erster Hand über einen Harem erhält. Sie reist also ins arabische Königreich Fawzia und verkleidet sich als Haremsdame, als die sie sogleich das Interesse des wollüstigen Königs Fawz (Peter Ustinov) erweckt. Der hat gerade Probleme mit seinem Sohn Prinz Ammud (Patrick Adiarte), der von dem berühmten amerikanischen College Notre Dame flog, weil er nicht für die Football-Mannschaft taugte. Fawz bricht die Beziehungen zu den USA, die in Fawzia eine Militär-Base bauen wollen, ab und läßt ein Football-Feld in seiner eigenen Wüste bauen. Auf dem möchte er die Amerikaner in ihrem ureigenen Sport schlagen.

Das unverhoffte Auftauchen von John Goldfarb (Richard Crenna) kommt dem König deswegen gerade recht. »Fehlzünder«
Goldfarb, so genannt, weil er als Football-Spieler den Ball einmal in die falsche Richtung schoß, war dennoch von der CIA auf
eine U-2-Mission über die Sowjetunion geschickt worden. Als
er am Steuerknüppel seiner Maschine ein kleines Nickerchen
hielt, verirrte er sich in den Wolken und machte eine Bruchlan-
dung in Fawzia. Von König Fawz wird er nun gezwungen, als
Football-Coach aus einem Haufen wilder Derwische ein schlag-
kräftiges Team zu machen. Jenny nutzt Goldfarbs Anwesenheit

*Shirley MacLaine stellt Richard Crenna ein Ultimatum in ›Eine zuviel im
Harem‹*

clever dazu, sich dem König endlich zu entziehen. Sie überredet den Amerikaner, sie von Fawz als Bettgefährtin zu erbitten. Das klappt, aber außer Sichtweite des Königs bleiben ihre Schlafarrangements natürlich getrennt.

Schließlich kommt der Tag des großen Football-Spiels. Das

*Auch im Bauchtanz geübt: Shirley in ›Eine zuviel im Harem‹*

Notre-Dame-Team, mit der Anweisung, zugunsten der amerikanischen Außenpolitik zu verlieren, wird in Fawzia mit einem orgiastischen Bankett empfangen, das natürlich den Zweck hat, die Spieler zu schwächen. Als das Spiel endlich beginnt, haben die Amerikaner dennoch kaum Probleme mit dem gegnerischen Team. Da greift am Ende Jenny in das Spiel ein und verhilft dem Derwisch-Team von Fawzia zum Sieg.

*Eine zuviel im Harem* erhielt vernichtende Kritiken und wäre sicher schnell in der Versenkung verschwunden, hätte nicht die Notre Dame University gegen die 20th Century Fox wegen Rufschädigung geklagt. Das verhalf dem Film zu einer gewissen Publicity und trieb Neugierige ins Kino, die sehen wollten, was das berühmte College so ehrenrührig fand. Was sie sahen, war Shirley MacLaine auf ihrem künstlerischen Tiefpunkt – für den sie die Verantwortung nicht auf irgendeinen Produzenten abschieben konnte. Denn da ihr eigener Ehemann der Produzent des Films war, hatte sie schließlich die größtmögliche Selbstbestimmung, die eine Schauspielerin im Film haben kann.

Wieder einmal ein Flittchen mit einem goldenen Herzen und der Intelligenz einer Zwölfjährigen spielte Shirley MacLaine in *The Yellow Rolls-Royce (Der gelbe Rolls-Royce,* 1965). Der Episodenfilm, ein typisch europäisches Genre, wurde in England und Italien gedreht und war Shirleys dritter Film, den sie – nach *In 80 Tagen um die Welt* und *Meine Geisha* – außerhalb Amerikas drehte. Sie tauchte in der zweiten Episode auf: in der übrigens Art Carney sein Filmdebüt gab. Das Drehbuch stammte aus der Feder des britischen Dramatikers Terence Rattigan, der es allerdings allzu leicht hingeworfen und damit die satirischen Chancen des Stoffes verspielt hat. Regie führte der für elegante G. B. Shaw-Verfilmungen bekannte, aber nicht sonderlich neuerungsfreudige Engländer Anthony Asquith, dessen letzter Film dies werden sollte. Er starb 66jährig im Jahr 1968.

Schon einmal diente in einem Film ein Auto als Geschichten-Vermittler: Helmut Käutner verknüpfte gleich nach dem Krieg menschliche Schicksale durch Pferdestärken in *In jenen Tagen* (1947). *Der gelbe Rolls-Royce* allerdings dient mehr als Vehikel von Stars, das an allerlei eleganten Sehenswürdigkeiten vorbeirollt und sein komfortables Inneres als romantisches Liebesnest feilbietet.

Episode Nummer 1 spielt im ersten Viertel unseres Jahrhunderts in England. Der Marquis von Frinton (Rex Harrison), ein britischer Diplomat, kauft die elegante Limousine, um seine Frau (Jeanne Moreau) damit zum zehnten Hochzeitstag zu überraschen. Die Überraschung allerdings bleibt leider ihm selbst vorbehalten, als er seine Gattin auf dem Rücksitz mit seinem Assistenten, dem Attaché John Fane (Edmund Purdom), entdeckt. Die Lady nämlich wähnte den Marquis beim Pferderennen von Ascot. Aus gesellschaftlichen Rücksichten ist eine Scheidung zwar unmöglich, der Verkauf des Rolls-Royce jedoch nicht.

Episode Nummer 2 ist in den dreißiger Jahren in Italien angesiedelt. Der Gangsterboß Paolo Maltese (George C. Scott) aus Miami besucht seine Heimat zusammen mit seiner ziemlich dümmlichen und ordinären Verlobten Mae Jenkins (Shirley MacLaine). In Genua kauft Paolo den Rolls-Royce, in den Mae sich sofort verliebt. Zusammen mit Paolos Killer Joey (Art Carney) als Chauffeur gondeln sie durch Pisa, Florenz und Rom

*Scheint was Erotisches zu haben: Shirley und der ›Gelbe Rolls-Royce‹*

und machen unterwegs die Bekanntschaft des Papagallo-Fotografen Stefano (Alain Delon), den Mae außerordentlich attraktiv findet. Als Paolo das bemerkt, schickt er ihn sofort davon. Weg aus Italien muß Paolo nun völlig unerwartet für ein paar Tage, um in den Staaten schnell einen Rivalen zu erledigen. Mae langweilt sich ohne ihren Verlobten, bis sie auf einem Ausflug nach Sorrent Stefano wiedertrifft. Gemeinsam erleben sie romantische Stunden in der Blauen Grotte. Stefano kehrt den ganzen Charme des Latin Lover heraus und macht Mae eine Liebeserklärung nach der anderen, während sie ihm versichert, nur Paolo zu lieben, der als einziger immer gut zu ihr war. Doch ihre wahren Gefühle strafen ihre Worte Lügen. Joey sieht später Stefanos Schuhe vor dem Rolls-Royce. Er redet Mae ins Gewissen, bei der Rückkehr von Paolo realistisch zu bleiben und Stefano aufzugeben. Mae ist einsichtig und überzeugt Stefano, daß Paolos Diamanten ihr mehr bedeuten als seine, Stefanos, Liebe. Tapfer wischt sie sich die Tränen aus den Augen. Sie hat das Leben des Papagallo vor dem eifersüchtigen Zugriff des Gangsters gerettet, kehrt zu Paolo zurück, der die Szene hinter einem Busch beobachtet hat, und bittet ihn um ein schnelles Hochzeitsdatum.

Episode Nummer 3 führt in das Kriegsjahr 1941 nach Jugoslawien. Die amerikanische Millionärswitwe Gerda Millett (Ingrid Bergman) schmuggelt ihren Geliebten, den jugoslawischen Partisanen Davich (Omar Sharif), im Kofferraum des Rolls-Royce von Triest über die Grenze nach Laibach, das bereits von deutschen Stukas bombardiert wird. Die steinreiche ältliche Dame wird von der politischen Freiheitsliebe gepackt und hilft den Partisanen, indem sie sie in der betagten Limousine in die Gebirgsschlupfwinkel fährt. Als Souvenir ihrer Leidenschaft zu dem jungen Freiheitskämpfer läßt sie das ramponierte Auto nach Amerika schaffen.

Der Film war aufgrund der luxuriösen Star-Besetzung ein enormer Kassenerfolg. Die Kritik warf ihm jedoch Oberflächlichkeit, Klischee und Kitsch vor. Shirley allerdings, die wieder einmal ihr einzigartiges Talent für Komödie und Pathos unter Beweis stellen konnte, kam besser weg als bei dem vorausgegangenen »Harems«-Desaster. Reimar Hollmann nennt sie »das komödiantische Ereignis des Films«. Er schreibt: »Mit jeder Geste, bis in die Fußspitze (wenn sie ›über den großen Onkel‹ über

*Gruppenfoto am ›Gelben Rolls-Royce‹: Art Carney, George C. Scott, Shirley MacLaine und Alain Delon*

den Platz vor dem schiefen Turm von Pisa latscht) ist sie die In-karnation herzensguter Dümmlichkeit, und wo das Drehbuch melodramatisch wird, demonstriert sie, daß sie durchaus das Zeug zur echten Charakterdarstellerin hat – was freilich nach William Wylers *Infam* (1962) nicht mehr zu beweisen war.«
Während der Dreharbeiten landete Shirley einen persönlichen Volltreffer bei der italienischen Film-Crew. Die brach am Ende der Liebesszenen mit Alain Delon in wahre mediterrane Begei-sterungsstürme aus. Für zwei Nicht-Italiener, so meinten die Filmleute, hätten sie sehr viel in ihren Clinch hineingelegt. De-lon, der sich mit einer geringeren als seiner damals üblichen Ga-ge zufriedengegeben hatte, um in diesem amerikanischen Film

*Alain Delon und Shirley MacLaine in ›Der gelbe Rolls-Royce‹*

mitspielen zu können, hatte vehement gegen die von den Studio-Zensoren angedrohten Schnitte in den Liebesszenen mit Shirley MacLaine protestiert. Er hatte – vergeblich – gehofft, mit dem Film in Hollywood Fuß zu fassen.

In der vertrauten Rolle eines spontanen, geschwätzigen Energiebündels kommt Shirley ihrem Publikum in dem Film *Gambit (Das Mädchen aus der Cherry-Bar*, 1966), einem an Jules Dassins *Topkapi* (1963) erinnernden Krimi-Abenteuer in exotischem Ambiente mit listig varrierten Handlungs-Schachzügen. Regisseur des Films ist der Brite Ronald Neame, und ein Engländer ist auch Shirleys Partner: Michael Caine, mit dem sie zum erstenmal filmt und von dem sie restlos begeistert ist. Für sie ist er »ein Darling, ein Sweetheart und auf sehr originelle Weise komisch.« Caine, dessen erster amerikanischer Film dies ist, pflegt Shirley tagtäglich zu berichten, mit wem er die Nacht zuvor aus war, ob sie Strumpfhosen oder Strapse trug und ob er sie ihr ausziehen konnte. Shirley entdeckt ihre Vorliebe für Engländer, weil sie »ein bißchen reserviert sind und jemanden lieben, der ein bißchen zotig ist«.

*Shirley mit der Büste der Kaiserin Li Ssu in ›Das Mädchen aus der Cherry Bar‹*

Die komplizierte, viermal durch einen neuen Dreh gebrochene und ironisierte Handlung des Films (Drehbuch: Jack Davies) versetzte die Kritiker in Entzücken, nicht so sehr das Publikum, das dem *Mädchen aus der Cherry-Bar* nur mäßig zusprach. Die Anfangssequenz der detaillierten dramatischen Abfolge eines ebenso raffinierten wie perfekten Diebstahls einer unbezahlbar wertvollen chinesischen Statuette wurde auf Shirleys Vorschlag ohne Dialog gedreht. Das funktioniert großartig, zumal man erst im folgenden erfährt, daß diese Sequenz der puren Phantasie des Cockney-Gauners Harry Dean (Michael Caine) entsprang, als Traum vom märchenhaften Gelingen des geplanten Coups.

Harry und sein Freund Emile Fournier (John Abbott), ein französischer Bildhauer, interessieren sich in einem Nachtclub von Hongkong für die eurasische Tänzerin Nicole Chang (Shirley MacLaine). Sie wollen sie unbedingt für ihren Plan gewinnen, die wertvolle chinesische Statuette LiSsu, eine Büste der gleichnamigen Herrscherin, aus dem Besitz des Multimillionärs Ahmad Shahbandar (Herbert Lom) zu stehlen. Nicole sieht nämlich dessen verstorbener Frau auffallend ähnlich, deren Gesichtszüge wiederum der LiSsu-Statuette glichen. Dem Angebot von 5000 Dollar kann Nicole nicht widerstehen und ist bereit, Harrys Ehefrau zu spielen. Sie wird aber von den beiden Gaunern nicht über deren wahre kriminelle Absichten aufgeklärt. Harry und Nicole fliegen also nach Dammuz, einer Stadt im Mittleren Osten, und nehmen Kontakt mit Shahbandar auf. Nach einem Mittagessen auf seiner Yacht, bei dem Nicoles Charme zu wirken beginnt, lädt Shahbandar das Paar zu sich nach Hause ein. Er ist allerdings mißtrauisch und zeigt seinen beiden Gästen demonstrativ die elektronischen Sicherheitsvorkehrungen, mit denen er seine Kunstschätze und vor allem die kostbare alte LiSsu-Statuette vor Diebstahl schützt. Der Multimillionär, der mehr und mehr von Nicole fasziniert ist und sie unbedingt wiedersehen will, schlägt ein gemeinsames Abendessen vor. Harry erfindet für sich eine Ausrede, sagt aber für Nicole zu, die jetzt erst begreift, was Harry im Schilde führt. Zuerst will sie aus der Sache aussteigen, doch ihre Gefühle für Harry sind stärker, sie will ihn nicht im Stich lassen. Also geht sie mit Shahbandar zum Abendessen, während Harry versucht, die Statuette zu stehlen. Als Nicole merkt, daß ihr Gastgeber den

*Herbert Lom mit Shirley MacLaine in ›Das Mädchen aus der Cherry Bar‹*

Plan durchschaut, verläßt sie ihn, um Harry zu warnen. Doch der ist zur Tat entschlossen. Nicole hilft ihm und erobert die Büste in einer atemberaubenden Kletterpartie. Überglücklich gesteht Harry ihr seine Liebe, und Nicole macht vor Freude einen Schritt rückwärts, der einen Alarm auslöst. Sie kann aufs Dach fliehen, Harry versteckt sich. Völlig unerwarteter Schachzug in der Handlung: Ein bewaffneter Wächter kontrolliert eine versteckte Nische – in der sich die echte LiSsu-Büste befindet.

In der nächsten Wendung der Geschichte entdeckt der nach Hause zurückgekehrte Shahbandar, daß die Statuette in der Nische eine Fälschung ist. Er erwischt Nicole am Flughafen und droht, Harry zu töten, wenn er das kostbare Original nicht zurückbekommt. Nicole fliegt nach Hongkong zurück und warnt Harry vor der Gefahr.

Jetzt dreht Harry den Spieß um und behauptet, die Statuette nicht gestohlen, sondern in Shahbandars Wohnung nur versteckt zu haben. Sein Plan ist, einen Publicity-Wirbel um den Diebstahl zu entfachen, damit er Emiles sorgfältig hergestellte Kopien der Büste an arglose Kunsthändler verkaufen kann, die dann glauben, im Besitze der heißen Ware zu sein.

Nicole, die Betrug noch schlimmer findet als Diebstahl, weigert sich, weiter mitzumachen. Sie will Harry verlassen, wenn er nicht mit seinem kriminellen Leben Schluß macht. Überraschende Wende: Harry bekräftigt seine Liebe zu Nicole und zerschmettert die chinesische Büste als einen Akt von Treue und Glauben. Nach dem Happy-End-Kuß wirft Harry einen verständnisinnigen Blick auf Emile, bevor das glückliche Paar den Kunstfälscher verläßt. Und im letzten ironischen Dreh des Films öffnet Emile einen Wandschrank mit drei weiteren LiSsu-Kopien, fertig für den schwarzen Markt. Der Schachzug hat funktioniert.

Der spielerische Witz dieser ständig um und um gewendeten Story funktionierte ebenfalls – mit wunderbarer Leichtigkeit und flockiger Genre-Parodie auf Abenteuerfilm, Krimi und romantische Komödie. Ein Rezept, das zwei Jahrzehnte später von Michael Douglas wiederentdeckt und dann erst zum großen Publikumserfolg wurde mit *Romancing the Stone (Auf der Jagd nach dem grünen Diamanten)* und *The Jewel of the Nile (Auf der Jagd nach dem Juwel vom Nil).* Für Shirley MacLaine aber war *Das Mädchen aus der Cherry-Bar* nur ein kurzer Lichtblick in dem allgemeinen Niveau-Verlust ihrer Filme seit *Immer mit einem anderen.*

Was jetzt folgte, war der absolute Tiefschlag: *Woman Times Seven (Siebenmal lockt das Weib,* 1967). Wieder ein Episodenfilm, aber diesmal ein geradezu sträflicher Mumpitz aus Klischee-Karikaturen von Frauen und Geschichten, die nur unfreundlichen Männer-Phantasien entspringen können. Shirley, die gerade in den sechziger Jahren begonnen hatte, sich politisch zu engagieren und für die Rechte der Unterdrückten, eben auch der Frauen, einzutreten, hätte dieses Drehbuch mit einigem Nachdenken eigentlich ablehnen müssen. Aber es stammte von keinem Geringeren als Cesare Zavattini, und der Regisseur war niemand anders als Vittorio de Sica! Kaum zu glauben, aber wahr. Shirley erinnert sich: »Zuerst klang alles großartig. De Sica rief mich an und sagte, er hätte zehn Jahre gewartet, um diesen Film zu machen, weil er keine Schauspielerin gefunden hätte, die sieben verschiedene Rollen spielen konnte. Ich erwiderte ihm, ich sei nicht sicher, daß er sie jetzt gefunden hätte. Ich machte ein Stück Wachs aus mir und ließ mich von ihm formen, wie er wollte.« Das erklärt alles.

Es bleibt aber trotzdem ein Rätsel, weshalb Zavattini und de Sica sich in ein so extrem seichtes Fahrwasser begeben haben. Selbst das durchaus nicht ehrenrührige Argument des Geldverdienens kann das allein nicht erklären. Die zwei Männer, die Filmgeschichte gemacht haben mit neorealistischen Meisterwerken wie *Schuhputzer, Fahrraddiebe, Das Wunder von Mailand* und *Umberto D.,* müssen schon ganz schön daneben gewesen sein, Frauen so lieblos herumzustoßen und wie billige Witz-

*Catherine Samie, Regisseur Vittorio de Sica und Shirley MacLaine bei den Dreharbeiten in ›Siebenmal lockt das Weib‹*

173

figuren zu behandeln. Denn die sieben Frauen, zu denen sich die Wachspuppe Shirley formen ließ, sind entweder pragmatisch, egozentrisch, pseudointellektuell, dramatisch, unreif, verträumt oder verhuscht. Sie sind stereotyp etikettiert und deshalb als Figuren auch dramaturgisch völlig leblos.

1. *Paulette – Das Begräbnis (Funeral Procession):* Paulette schreitet in tiefer Trauer hinter dem Sarg ihres Gatten, gefolgt von einer großen Trauergemeinde. Jean (Peter Sellers), ein Freund der Familie, versucht, sie zu trösten. Und als er ihr gesteht, daß er sie schon seit langem liebt, verfliegt ihr Kummer. Die beiden sind so in ihr Gespräch über Zukunftspläne vertieft, daß sie eine andere Weggabelung auf dem Friedhof einschlagen

*Shirley MacLaine in der Episode »At The Opera« des Films ›Siebenmal lockt das Weib‹*

*Shirleys Schleiertanz in ›Siebenmal lockt das Weib‹*

als der Wagen mit dem Sarg, dem die darüber schockierten Trauergäste nun allein folgen.

2. *Eve – Gala-Abend in der Oper (At the Opera):* Eve ist als reiche Dame der Pariser Gesellschaft empört, daß eine andere Dame in einer Kopie ihres eigenen neuen Modellkleides zur Opernpremiere gehen will. Drei Angestellten ihres Mannes gibt Eve den Auftrag, eine kleine Bombe in das Auto ihrer Rivalin zu legen. Aber eine dritte Frau hatte dieselbe Kleider-Idee, eine plumpe, ältere Matrone, bei deren Anblick Eve heulend vor Wut aus ihrer Loge stürzt. Auf der Eingangstreppe der Oper wird sie Zeugin vom Auftritt ihrer Rivalin, die in dem von der Explosion völlig verrußten und derangierten Kleid entschlossen zur Gala eilt. Eve schüttet sich aus vor Lachen.

3. *Linda – Zwei gegen eine (Two Against One):* Linda ist Dolmetscherin bei einem internationalen Kybernetik-Kongreß. Sie lädt zwei Delegierte, einen Italiener und einen Schotten, die ihr Avancen machen, zu sich nach Hause ein. Dort liest sie Cenci (Vittorio Gassman) und MacCormick (Clinton Greyn) Gedichte von T. S. Eliot vor – nackt. Außerdem erzählt sie von ihrem

Geliebten, der sie nur wegen ihrer seelischen und intellektuellen Qualitäten liebe. Als einer der beiden sie berührt, wird sie wütend und wirft ihnen Steinzeit-Methoden vor. Beide Männer gestehen, daß sie sie begehren, und fangen an, sich gegenseitig zu schlagen als Demonstration ihrer Reue. Das macht Linda so an, daß sie das Foto ihres Geliebten aus dem Fenster wirft und zu den beiden ins Bett steigt.

4. *Marie – Selbstmordkandidaten (The Suicides):* Marie und ihr Geliebter Fred (Alan Arkin) sitzen in einem schäbigen Hotelzimmer, entschlossen, gemeinsam aus dem Leben zu scheiden. Beide sind anderweitig verheiratet und sehen keine Hoffnung für ihre Liebe. Gekleidet als Braut und Bräutigam, geraten sie in Streit, wie sie sich umbringen sollen – Pistole oder Tabletten. Sauer geht Marie ins Bad. Fred, einmal allein, beschließt zu türmen. Bereits an der Zimmertür, hört er das Splittern von Fensterscheiben aus dem Bad. Er stürzt hinein, findet den Raum leer und sieht, wie Marie die letzten Stufen der Feuerleiter herunterklettert und ihm von der Straße aus zuwinkt.

5. *Edith – Das Mißverständnis (The Super-Simone):* Edith ist eine brave Hausfrau, verheiratet mit dem Schriftsteller Rik (Lex Barker). Er ist berühmt für seine Romanheldin Simone, eine Femme fatale, die mit ihrem wilden Temperament die Männer zu Sklaven macht. Als der schlichten Edith im Supermarkt eine elegante Dame (Elsa Martinelli) von Simone vorschwärmt, greift Edith zum äußersten. Sie benimmt sich zu Hause so überkandidelt bizarr, daß ihr Mann einen Psychiater holt. Als sie merkt, daß man sie für verrückt hält, rennt sie aufs Dach und jammert: »Ich bin nicht verrückt, ich bin nur verliebt.«

6. *Jeanne – Paris im Schnee (Snow):* Jeanne macht einen Einkaufsbummel mit ihrer Freundin Claudie (Anita Ekberg). Dabei fällt den beiden auf, daß sie von einem gutaussehenden Fremden (Michael Caine) beobachtet werden. Als die Freundinnen sich trennen, ist Jeanne, eine aufrichtig treue Ehefrau, erregt zu sehen, daß der Fremde ihr folgt. Zu Hause begrüßt sie ihren Ehemann Victor (Philippe Noiret) und schaut sofort aus dem Fenster – der Fremde steht auf der Straße gegenüber. Voller Freude, daß Männer sie noch attraktiv finden, tut sie einen glücklichen Seufzer. Als das Telefon klingelt und eine Männerstimme Victor verlangt, geht sie träumend durch die Wohnung.

Sie hat nicht die leiseste Ahnung, daß der Fremde ein Privatdetektiv ist, von ihrem Mann auf sie angesetzt.

7. *Maria Teresa – Die Anfängerin (Amateur Night):* Maria Teresa kommt von einer Reise vorzeitig zurück und findet ihren Mann Giorgio (Rossano Brazzi) im Ehebett mit einer Freundin. Sie macht eine Szene, droht, mit dem erstbesten Mann zu schlafen und verläßt Hals über Kopf die Wohnung. Sie landet bei einer Gruppe von Prostituierten, die ihr zu helfen versuchen, stellt aber fest, daß sie ihre Drohung nicht wahrmachen kann. Von einem Zuhälter läßt sie sich nach Hause fahren. Der wütende Ehemann begrüßt sie auf der Straße mit Beleidigungen und wird von dem Zuhälter mit einem einzigen Schlag zu Boden ge

*Shirley mit Michael Caine in der Episode »Snow« in ›Siebenmal lockt das Weib‹*

streckt. Voller Mitleid nimmt Maria Teresa ihren Giorgio in den Arm und tröstet ihn.

Soweit der Inhalt dieses unsäglichen Werkes, bei dem sich der deutsche Verleih aus unerfindlichen Gründen sogar noch die Mühe gemacht hat, die Reihenfolge der Episoden umzustellen. In der amerikanischen Fassung sind die Episoden folgendermaßen angeordnet: 1. *Funeral Procession*, 2. *Amateur Night*, 3. *Two Against One*, 4. *The Super-Simone*, 5. *At the Opera*, 6. *The Suicides*, 7. *Snow*.

Im Prinzip aber ist es völlig egal, wie dieses Sammelsurium von Frauen-Klischees verschiedener sozialer Schichten zusammengesetzt ist – es ist und bleibt schrecklich. Daß der Film »on location« in Paris gedreht wurde – Atelieraufnahmen entstanden in den Studios von Boulogne –, wäre übrigens nicht nötig gewesen, weil von originaler Atmosphäre ohnehin so gut wie nichts herüberkommt. *Siebenmal lockt das Weib* fiel aber nicht nur bei der Kritik durch, sondern auch beim Publikum. Einen schwachen Trost gab es für Shirley trotzdem von Seiten der Kinobesitzer: Die National Association of Theatre Owners ernannte sie zur besten Schauspielerin des Jahres 1967.

Nach England und aus dem Tiefpunkt heraus führte der nächste Film die Schauspielerin in eine vergnügliche und angenehm surreal überdrehte Dreieckskomödie über eheliche und außereheliche Sitten und Gebräuche. *The Bliss of Mrs. Blossom (Hausfreunde sind auch Menschen,* 1968) blieb leider einer der weniger bekannten MacLaine-Filme, was hauptsächlich an einer unglücklichen Verleih-Situation lag. Die Paramount ging gerade in die Hände von Gulf + Western Industries über, wodurch die notwendige Sorgfalt beim Vermarkten einer so kleinen Perle an Witz und Ironie auf der Strecke blieb. Inszeniert wurde dieser bizarre Film von dem Schotten Joseph McGrath, der kurz vorher bei einer der Episoden der Bond-Parodie *Casino Royale* Regie geführt hatte und sich dann 1970 als Regisseur des skurrilen Pop-Märchens *Magic Christian* mit Ringo Starr einen Namen machte.

Robert Blossom (Richard Attenborough) ist Büstenhalter-Fabrikant in London. Seine unternehmerische Vision ist die Entwicklung eines Universal-BHs, mit dem jede Frau an jedem Ort jeder Situation gewachsen ist. Seine eigene Frau Harriet Blossom (Shirley MacLaine) sitzt derweil zu Hause und vertreibt

*Shirley MacLaine und Richard Attenborough in ›Hausfreunde sind auch Menschen‹*

sich die Zeit mit Malen und Nähen. Als ihre Nähmaschine eines Tages streikt, schickt Robert ihr aus seiner Fabrik den jungen Mechaniker Ambrose Tuttle (James Booth) in die Villa. Bei Tee und Törtchen kommen die phantasievolle Harriet und der zunächst etwas schüchterne Junggeselle Ambrose einander näher. Dem gefällt es in der Villa so gut, daß er gar nicht mehr weg will. Harriet bringt ihn auf dem Dachboden unter, ohne ihrem Mann Robert auch nur ein Sterbenswörtchen davon zu sagen. So beginnt eine ungewöhnliche, glückliche Ménage à trois. Am Abend dirigiert Robert vor seiner heimischen Hi-Fi-Anlage souverän die großen Sinfonie-Orchester der Welt, während Harriet näht, strickt, liest oder malt und Ambrose oben zu den

Sinfonie-Klängen seine neue Behausung einrichtet, tischlert, Gymnastik und Selbstbildungskurse betreibt, wobei er sich unter anderem zu einem Finanzexperten in Geldanlagen entwickkelt. Tagsüber, wenn Robert in der Fabrik ist, verbringen Harriet und Ambrose die Zeit damit, berühmte Liebesgeschichten aufzuführen, von den *Drei Musketieren* bis zu Doktor Schiwago – wobei die Liebe natürlich nicht nur nachschöpferisch bleibt.

Im Laufe der Jahre wird Robert durch seltsame Geräusche im Haus und das Fehlen einiger Gegenstände in der Wohnung immer nervöser und unruhiger und sucht schließlich einen Psychiater auf. Dessen Diagnose: Mangel an Sex. Er kann jedoch auch nicht verhindern, daß Robert eines Tages zusammenbricht. Jetzt wird Ambrose aktiv und nutzt seine selbsterworbenen Kenntnisse, um die BH-Fabrik wieder auf Vordermann zu bringen. Er gibt Harriet die richtigen Börsen-Tips, die sie wiederum an Robert weiterleitet, der unweigerlich ein Vermögen macht und endlich sein Traumprojekt vom perfekten internationalen Büstenhalter realisieren kann. Auf einer großen Tagung in der Schweiz will er diese neue Errungenschaft vorstellen, mit der er auch den Markt der unterentwickelten Länder zu erschließen hofft. Er trägt sich außerdem mit der Idee, nach Genf zu ziehen – in ein Haus ohne Dachboden. Als Ambrose davon erfährt, sieht er sein angenehmes Leben dahinschwinden und sabotiert die Präsentation von Roberts aufblasbaren Büstenhaltern. Er setzt die Luftzufuhr außer Kontrolle, und die BHs schwellen zu so enormen Proportionen an, daß die Mannequins sich in die Lüfte erheben. Damit ist Robert praktisch ruiniert.

Die Scotland Yard-Detektive, die seit dem plötzlichen Verschwinden von Ambrose die Suche nach ihm nicht aufgegeben haben, finden nun endlich die Wahrheit über ihn heraus. Robert läßt sich scheiden, vermacht Harriet und Ambrose zu deren Hochzeit die BH-Fabrik als Geschenk und widmet sich nun nur noch seiner geliebten Musik. Es dauert nicht lange, da hat sich ein gewisser Alltags-Rhythmus wieder eingependelt. Jetzt ist es der von der Arbeit gestreßte Ambrose, der jeden Morgen das Haus verläßt und in die Fabrik eilt. Harriet sitzt an ihrer treuen Nähmaschine – drückt auf einen Knopf, und aus dem Keller steigt Robert, ihr neuer Liebhaber, empor.

*Hausfreunde sind auch Menschen* ist ein Film voll von schlitzohrigem und absurdem Humor, eine phantastische Komödie. Eine

*Der Mechaniker als Gehilfe der Fabrikanten-Frau: James Booth und Shirley MacLaine in ›Hausfreunde sind auch Menschen‹ (oben und unten)*

hinreißende, romantische Frauen-Phantasie eines idealen Lebens. Spiegelungen weiblicher Sensibilität sind gerade auch die Traumsequenzen mit schönen Helden, prächtigen Kostümen und exotischen Schauplätzen, die dabei nie kitschig, sondern witzig wirken. In diesen Träumen erscheinen die Männer als Quell des Glücks für Frauen – eine reizvoll ironische Umkehrung tradierter Konventionen. Dagegen sind die Männer-Phantasien prall auf vollbusige, passive weibliche Sex-Objekte ausgerichtet oder duldsame Hausfrauen, Krankenschwestern und Dienstmädchen. Vergnüglich an dem Film ist, daß er den Frauen den absolut gleichen Bedarf an Sex und Erotik zugesteht wie den Männern.

*Sweet Charity (Sweet Charity,* 1969) sollte nach den Vorstellungen der Universal Studios und mit deren Budget von zehn Millionen Dollar das Film-Musical der siebziger Jahre werden. Bob Fosse, der das Musical – eine Bearbeitung von Fellinis *Cabiria* – am Broadway inszeniert und choreographiert hatte, wurde zum erstenmal mit einer Film-Regie beauftragt. Bislang war er in Filmen als Tänzer oder Schauspieler aufgetreten oder zeichnete für Choreographien verantwortlich, wie etwa in Stanley Donens *Pyjama Game (Picknick im Pyjama,* 1957). Aus der Broadway-Produktion von *Picknick im Pyjama,* wo Shirley einst als Chorus-Girl für die erkrankte Carol Haney hatte einspringen müssen und dann von Hal Wallis und Hitchcock entdeckt worden war, kannte Fosse die MacLaine. Er erinnerte sich an sie als »ein liebenswürdiges Mädchen mit einer Art Zirkus im Gesicht«. Die Charity am Broadway war Fosses Frau Gwen Verdon, mit der Shirley vor Beginn der Dreharbeiten mehrere Monate ein intensives Tanztraining absolvierte, um nicht noch einmal einen solchen tänzerischen Flop zu erleben wie mit *Can-Can.* Gwen Verdon verlor übrigens mit der Charity die zweite Filmrolle an Shirley MacLaine, denn ursprünglich war sie auch für *Can-Can* vorgesehen gewesen.

In einem Interview mit der Zeitschrift »Look« während der Dreharbeiten zu *Sweet Charity* verglich Bob Fosse die Broadway- und die Hollywood-Charity: »Gwen hat eine chaplineske Zerbrechlichkeit, während Shirley mehr erdverbunden ist. Shirley hat einen sehr intimen filmischen Stil, der das Wesen der Charity genau trifft, eine große Fähigkeit, den inneren Schmerz des Mädchens zu vermitteln und das quirlige Äußere weiter

*Auf den Dächern von Manhattan tanzen Paula Kelly, Shirley MacLaine und Chita Rivera in ›Sweet Charity‹*

durchzuziehen.« Und Shirley MacLaine, die sich mit der Charity besonders gut identifizieren konnte: »Sie ist wie ich. Ich bin der Meinung, man sollte alles raushängen lassen, absolut ehrlich und offen, darum geht es in der Liebe und im Leben heute.«
Charity Hope Valentine (Shirley MacLaine) ist überglücklich und glaubt, endlich die große Liebe ihres Lebens gefunden zu haben. Ihr Freund Charlie (Dante D'Paulo) hat seinen Namen und ein mit einem Pfeil durchbohrtes Herz auf ihren Arm tätowiert. Doch es ist nicht die große Liebe, von der sie träumt. Bei einem Spaziergang im Central Park stößt Charlie das Mädchen von einer Brücke ins Wasser und verschwindet mit ihrem gesamten Ersparten, ein paar hundert Dollar.
Charity, die als Tanzgirl in einem Ballroom arbeitet, wird von ihren Kolleginnen Helene (Paula Kelly) und Nickie (Chita Rivera) über die bittere Erfahrung hinweggetröstet. Als sie eines

Abends ziellos durch das nächtliche New York schlendert, wird sie Zeuge eines Streits zwischen dem italienischen Filmstar Vittorio Vitale (Ricardo Montalban) und dessen Freundin Ursula (Barbara Bouchet). Als Ursula wutentbrannt davonfährt, nimmt Vittorio die verdutzte Charity am Arm, und führt sie in ein exklusives Restaurant und anschließend in seine Wohnung. Obwohl sie, als Ursula dort auftaucht, die Nacht in einem Schrank verbringen muß, ist Charity wieder einmal glücklich. Was macht es, daß ihre Kolleginnen ihr das Erlebnis nicht glauben – Charity hat Geschenke und ein Autogramm des Stars.

Entschlossen, ihr Leben zu ändern, versucht sie beim Arbeitsamt, eine Stellung zu bekommen. Man schickt sie jedoch wieder fort, weil sie nichts kann und nichts gelernt hat. Im Fahrstuhl macht sie die Bekanntschaft von Oscar Lindquist (John McMartin), einem scheuen jungen Mann voller Komplexe. Sie verabreden ein Rendezvous. Oscar nimmt Charity bei einem nächsten Treffen zu einer verlassenen Garage in Manhattan mit, wo Big Daddy (Sammy Davis jr.), Führer einer Gruppe wieder auferstehender Hippies, ein Meeting hält und über den Rhythmus des Lebens predigt. Bei einer plötzlichen Polizeirazzia verstekken Charity und Oscar sich in einem Stapel Autoreifen. Oscar verliert seine Klaustrophobie und macht Charity einen Heiratsantrag. Charity glaubt wieder an die große Liebe und kündigt ihren Job. Sie gesteht Oscar, dem sie bisher vorgeschwindelt hat, in einer Bank zu arbeiten, womit sie wirklich ihr Geld verdient hat. Er versichert ihr, daß ihn das nicht störe. Charity nimmt Oscar mit in den Ballroom, wo sie ihre restlichen Sachen abholen und sich von ihren Kolleginnen verabschieden will. Die bereiten ihr ein großes Fest und beglückwünschen sie. Oscar jedoch, der bei dieser Gelegenheit zum erstenmal Charitys bisheriges Milieu kennenlernt und ihre Tätowierung auf dem Arm sieht, hat auf dem Standesamt so heftige Bedenken, daß er sie verläßt.

Wieder ist Charity allein. Verzweifelt ruft sie ihre Kolleginnen an, die glauben, sie weine vor Glück. Die Nacht verbringt sie auf einer Bank im Central Park. Am anderen Morgen wird sie dort von einer Gruppe Blumenkinder begrüßt, die ihr eine Margarite schenken und das Hippie-Zeichen für Liebe machen. Charity lächelt und geht langsam durch den Park dem New Yorker Häusermeer entgegen.

Obwohl *Sweet Charity* nicht der erhoffte Box-Office-Hit wurde und sehr kontroverse Kritiken, entweder hymnisch oder total ablehnend, auslöste, kann der Film auch heute noch vor allem durch die hervorragend choreographierten Tanz- und Gesangsszenen bestehen. Bob Fosses Regietalent – er erhielt 1972 für *Cabaret* einen »Oscar« – zeichnete sich bereits mit Frische, Tempo und Schwung ab.

Shirley MacLaine, mittlerweile Mitte 30, hatte ihre Schäfchen im Trocknen. Ihre Gagen, die seit ihrer Trennung von Hal Wallis bei 800.000 Dollar pro Film lagen, hatte sie gut angelegt. Bei *Irma la Douce* war sie mit zehn Prozent am Einspielergebnis beteiligt. Die Zeiten von Limonade und Erdnußbutter ihrer New Yorker Anfänge waren ein für allemal vorbei. Als sie von den Harvard-Studenten den Sympathie-Preis »Hasty Pudding

*Shirley und der Riesenkrebs in ›Sweet Charity‹*

Award« verliehen bekam, sagte sie, wenn auch in etwas ironischer Übertreibung: »Es tut mir leid, daß ich nicht auf der Universität war. Ich wäre gern gebildet. Aber jetzt ist es zu spät. Ich bin Millionärin.« Das viele Geld aber machte sie nie oberflächlich verschwenderisch. In ihrer Autobiographie schreibt sie zu dem Thema: »Ehe ich nach Hollywood kam, hatte ich nie mehr als fünfzig Dollar übrig gehabt. Glücklicherweise fehlte es mir nie am Notwendigsten; ich hatte zu essen und ein Dach über dem Kopf; aber Geld, das man einfach so verplempern konnte, war mir unbekannt. Nun hätte ich mir plötzlich jeden Luxus leisten können, aber ich benahm mich immer noch so wie in jenen Fünfzig-Dollar-Zeiten. Ich klapperte hausfraulich-kritisch die Läden ab und kaufte lieber nichts als ungünstig. Wenn ich mich endlich entschloß, den geforderten Preis zu zahlen, vergaß ich nachher vor lauter Nachrechnen meinen Einkauf auf der Ladentheke. Ich hatte den anderen Frauen gegenüber so etwas wie Gewissensbisse, weil ich ja nun alles haben konnte, was ich wollte. Der Umstand, daß ich schwer gearbeitet hatte, um mir diese finanzielle Sicherheit zu erringen, änderte nichts daran.«

Aber Shirley hortete ihr Geld nicht derart, daß sie sich selbst nichts gestattete und sich zum Sklaven des schnöden Mammons machte. Sie hatte ein ziemlich realistisches Verhältnis zu finanziellen Angelegenheiten. In den sechziger Jahren, als Tochter Sachie bei ihrem Vater in Tokio lebte, gab Shirley pro Jahr 6000–10.000 Dollar für Telefongespräche aus und etwa 200.000 Dollar für Reisen zur Familie nach Japan.

Reisen war etwas, das Shirley besonders liebte und das sie gerade in dieser Zeit trotz ihrer häufigen Dreharbeiten mehr und mehr intensivierte. Vor allem fremde Länder und Kulturen interessierten sie. Einen Monat lang fuhr sie durch Ostafrika und besuchte einen Massai-Stamm, ließ sich in dessen Riten einführen, half bei einer Geburt und wurde daraufhin zur Blutsschwester ernannt. Sie bereiste 1964 Indien und das winzige Himalaya-Königreich Bhutan, wo sie mitten in eine Revolution hineingeriet. Sie nahm Yoga-Unterricht und begann sich zum erstenmal für Meditation zu interessieren – ein Gebiet, das sie seitdem nicht mehr losgelassen hat. Von da war der Weg zum Okkultismus und zum Reinkarnations-Glauben nicht weit, dem Shirley heute noch huldigt. Sie war auch in Thailand und Laos, hat aber nie, wie die Zeitungen fälschlich schrieben, mit Mia

*Mit Schwung geht alles besser: Shirley in ›Sweet Charity‹*

Farrow oder den Beatles zusammen mit dem Maharishi meditiert. Sie verabscheute zutiefst den typischen amerikanischen Touristen, der in fremden Ländern nur an billiger Jade oder Kleidung interessiert war, statt die Möglichkeit, Neues zu lernen und zu verstehen, zu nutzen. Damals schrieb sie zu diesem Thema einen ihrer ersten Artikel in der Urlaubs-Ausgabe der »Carte Blanche« unter dem Titel »The Pretty American Abroad« – als Gegenangebot sozusagen zu dem ihr verhaßten »Ugly American«.

Mehr und mehr begann sie, andere Aktivitäten zu entfalten. Zu

*Tanzen hat sie gelernt: Shirley MacLaine in ›Sweet Charity‹*

einem typischen Hollywood-Star, der sein Dasein ganz auf Imagepflege ausrichtet, hatte und hat sie einfach kein Talent. Sie schreibt in ihrer Autobiographie: »Ich habe immer gewußt, daß ich nie eine wirklich überragende Schauspielerin werden

*Shirley verlassen mit Topfblume in ›Sweet Charity‹*

würde, weil das Leben hinter der Kamera mich stets mehr be-
schäftigte als das Agieren vor ihr. Und mein Wissensdurst ver-
stärkte sich von Jahr zu Jahr. Wenn ich zwei Monate an einem
Film gearbeitet hatte, steuerte mein Auto scheinbar von selbst

auf den nächsten Flughafen zu. Gewiß, die Schauspielerei machte mir Freude und war mein Beruf, aber das Menschliche an den Figuren, die ich spielte, interessierte mich im Grunde viel mehr als der fertige Film.«

Das wache Interesse an Menschen, ihre positive, sensible Neugier, ihre natürliche Intelligenz und ihr kritischer, nicht intellektueller Verstand sowie ihr vitaler Lebenssinn brachten Shirley MacLaine zum politischen Engagement. Sie fühlte sich verpflichtet, etwas zu tun, um gesellschaftliche Mißstände nach Möglichkeit zu beseitigen. Es hatte sie schon an ihrem Vater gestört, und sie konnte es sich nie erklären, daß er eine Abneigung gegen Menschen anderer Rassen hatte. Schwarze waren für ihn Nigger, aber er nannte sie taktvoll »Farbige«, wenn sie Geld hatten, denn dann stiegen sie in seiner Achtung. Shirley hätte ihm ihre Erfahrungen mit den Schwarzen am Mississippi und Alabama nie begreiflich machen können. Ihr politisches Engagement hatte also ganz direkte, vitale Wurzeln. »Sich verpflichtet zu fühlen hat mit einer gewissen Reife zu tun«, sagte sie. »Ich denke da nicht an mich als Schauspielerin oder als Filmstar. Ich bin eine Person, lebe in einer Gesellschaft – der amerikanischen Gesellschaft. Die Basis unserer Demokratie ist individuelle Verpflichtung.« Große Worte von einer Darstellerin, die in den meisten ihrer Filme das Flittchen mit dem goldenen Herzen war. Aber Shirley meinte es ernst.

1968 unterstützte sie die Wahlkampagne von Robert Kennedy und wurde als demokratische Delegierte auf den Parteitag in Chicago gewählt. Nach Bob Kennedys Ermordung schloß sie sich George McGovern an. Auf dem Parteitag war sie neben der Feministin Bella Abzug die prominenteste Frau. Danach begann Shirley in persönlichen Auftritten, in Artikeln und Interviews Stellung zu beziehen zu unterschiedlichsten brisanten Themen von Verstaatlichung bis zu Abtreibung. Die BBC lud sie ein, in einem einstündigen Programm ihre Ansichten über die amerikanische Politik darzulegen. Und sie sprach sich für die Verstaatlichung des gesamten Gesundheitswesens sowie der Gas- und Ölindustrie aus. Sie gab sich als Anwältin eines demokratischen Sozialismus. Als erste Frau in 137 Jahren hielt sie 1970 vor dem Nationalen Demokratischen Club in New York eine Rede, in der sie die Männer aufforderte, die Sterilisation als ein Mittel gegen die Überbevölkerung ernsthaft in Betracht zu ziehen. Über Shirley MacLaines politische Aktivitäten wurde damals viel geschrieben. Nicht alles stimmte. So ließ sie sich nicht als Gegenkandidatin zu Senator George Murphy aufstellen. Ebenso entspricht es nicht der Wahrheit, daß sie einer Aufforderung, als Kongreßabgeordnete für Kalifornien zu kandidieren, nicht nachgekommen sei. Sie selbst sagt, 1971 mit dem Gedanken gespielt zu haben, für die Sozialisten zu kandidieren, dieser Überlegung jedoch schließlich nicht gefolgt zu sein.

Ende der sechziger Jahre hatte Shirley aber noch ein weiteres Interesse entdeckt – das Schreiben. Nach *Sweet Charity* konzentrierte sie sich ganz auf ihre Autobiographie, in der sie in einer sehr lebendigen und auch witzigen Schreibe, voller Ironie und Selbstironie, sehr ehrlich und frisch von der Leber weg ihre

*Shirleys Zukunftsträume mit ihrem Verlobten John McMartin in ›Sweet Charity‹*

Kindheit in Virginia beschreibt, ihre Entdeckung und ihren Aufstieg in Hollywood, ihre Ehe mit Steve Parker, ihre respektlose Einstellung zum Erfolg, ihre Weltreisen und schließlich ihr Bedürfnis nach innerem Frieden, für das sie gerade in Asien, vor allem in Indien und in dem kleinen Himalayaland Bhutan entscheidende Anregungen erhielt. Das Telegramm, das Steve Parker ihr vor ihrer Reise nach Bhutan schickte, lieferte ihr den Buchtitel: GO BHUTAN AND LEARN STOP BUT DON'T FALL OFF THE MOUNTAIN (GEH' NACH BHUTAN UND LERNE STOP ABER FALL NICHT VOM BERG).

»Don't Fall Off The Mountain« erschien 1970 und wurde ein Bestseller. Die deutsche Übersetzung des Buches trägt den Titel »Raupe mit Schmetterlingsflügeln«.

## 5. Ein bißchen Charakter und viel Engagement jenseits von Hollywood

Eigentlich sollte Elizabeth Taylor die weibliche Hauptrolle an der Seite Clint Eastwoods in der Western-Action-Komödie *Two Mules for Sister Sara (Ein Fressen für die Geier,* 1970) spielen. Doch sie stellte, wie Produzent Martin Rackin zu berichten weiß, unerfüllbare Bedingungen. Sie wollte ihren üblichen, nicht gerade kleinen Freundeskreis zu den Dreharbeiten mitnehmen und außerdem in nächster Nähe von Richard Burton arbeiten. Doch das war wegen der abgelegenen Drehorte in der

*Die Stühle sagen genug. Zwei Stars als ›Fressen für die Geier‹, 1969*

*Stärkung vor dem Kampf: Shirley als falsche Nonne in ›Ein Fressen für die Geier‹*

mexikanischen Wüste schlicht unmöglich. Auf der Suche nach einem neuen Star kam man ziemlich schnell auf Shirley Mac-Laine. Sie hatte gerade *Sweet Charity* hinter sich, war als talentierte Komikerin bekannt und hatte oft genug die vielzitierte Hure mit dem goldenen Herzen gespielt. Also erschien sie geradezu ideal für die Rolle einer Zigarre rauchenden, hartsaufenden, blasphemischen Bordelldame im Nonnengewand. Regisseur Don Siegel hielt Shirley zwar für eine Fehlbesetzung, weil sie

»die Landkarte von Irland im Gesicht trägt« und diese Nonne eigentlich eine Mexikanerin sein sollte – doch Clint Eastwood zeigte sich von Shirley begeistert.

*Ein Fressen für die Geier* beginnt mit einem großartigen Sonnenaufgang, aus dem ein einzelner Reiter mit einem Packpferd im Schlepptau geritten kommt. Es ist der amerikanische Söldner Hogan (Clint Eastwood), der in Mexiko im Jahre 1865 auf dem Weg nach Chihuahua ist. Dort soll er für Benito Juarez und sei-

*Gemeinsam geht's besser: Clint Eastwood und Shirley MacLaine in ›Ein Fressen für die Geier‹*

ne mexikanischen Freiheitskämpfer die Garnison der französischen Besatzer in die Luft sprengen. Als Belohnung dafür hat man ihm die Hälfte des französischen Goldschatzes versprochen. Unterwegs schrecken ihn plötzlich die schrillen Schreie einer Frau aus der Ruhe der grandiosen Landschaft. Er sieht, wie drei betrunkene Männer gerade die halbnackte Frau vergewaltigen wollen. Hogan macht kurzen Prozeß mit den Banditen. Als er den drei Toten Proviant und Wertsachen abgenommen hat und sich wieder zu der Frau umdreht, steht diese bis zur Nasenspitze im schwarzen Nonnengewand vor ihm. Schwester Sara (Shirley MacLaine), die aus Chihuahua stammt, wird verfolgt, weil sie für die mexikanischen Rebellen Geld sammelt. Sie ist also eine überzeugte Juarista und gibt Hogan den Tip, seinen Coup auf die französische Garnison am 14. Juli zu landen, dem Nationalfeiertag seit Erstürmung der Bastille. Erfahrungsgemäß sei dann die gesamte Garnison betrunken.

Nachts treffen Sara und Hogan auf mexikanische Flüchtlinge: Franzosen haben ihr Dorf besetzt und wollen täglich zehn Einwohner erschießen, um einen sterbenden Offizier zu rächen. Sara reitet auf ihrem Muli in das Dorf, um dem Sterbenden geistlichen Beistand zu geben, und ist entsetzt, als der sie mit seinen letzten Worten kräftig beschimpft. Aber sie erfährt auch, daß die Franzosen auf einen Zug nach Santa Maria warten, um dort mexikanische Guerillas anzugreifen. Hogan will die Brücke sprengen, doch ein Indianerpfeil in seiner Schulter macht ihn handlungsunfähig. Sara überwindet ihre Höhenangst und klettert selbst auf die Brücke, um den Sprengstoff zu deponieren. Hogan ist fasziniert von dieser seltsamen Nonne, die sich eigentlich so gar nicht standesgemäß benimmt: Sie zieht heimlich an Hogans Zigarren, schluckt begeistert Whisky und verblüfft durch ausgesprochen weltliches Vokabular. Zu ganz großer Form läuft sie auf, als Hogan von ihr verlangt, ihm den Indianerpfeil aus der Schulter zu ziehen. Zur Betäubung hat Hogan sich voll Whisky laufen lassen, kann Sara aber noch die nötigen Anweisungen geben. Sie muß eine Portion Schießpulver in einer kleinen Kerbe im Pfeilschaft anzünden und im selben Augenblick den Pfeil mit einem Gewehrkolben durch seine Schulter treiben. Die Operation, voller dramatischer Spannung und Komik, gelingt. Clint Eastwood selbst befand: »Das ist die beste Szene, die ich je gedreht habe.«

*Clint Eastwood, Shirley MacLaine, Manola Fabregas in ›Ein Fressen für die Geier‹*

Mit vereinten Kräften gelingt es Hogan und Sara auch, durch einen gezielten Schuß aus dem Gewehr die mit Dynamit vollgepackte Brücke in die Luft zu jagen. Die Franzosen aber sind gewarnt. Wider Erwarten sind sie am Nationalfeiertag nicht betrunken. So müssen Hogan, Colonel Beltram (Manolo Fabregas) und seine Mexikaner die Strategie ändern. Natürlich mit Hilfe von Schwester Sara, die sich schließlich in Chihuahua auskennt und einen unterirdischen Überraschungsangriff auf die Garnison vorschlägt. Sie erklärt den staunenden Männern, daß das Garnisonsgebäude einst ein Kloster gewesen sei, das durch einen Tunnel mit dem Haus des örtlichen Bischofs verbunden war. Dieses allerdings entpuppt sich, als sie dort angekommen sind, als Bordell und Sara als nichts Geringeres denn dessen Hauptattraktion. Hogan ist entsetzt und nur widerwillig bereit, Sara bei dem Juarista-Überfall mitmachen zu lassen. Und sie hat auch schon wieder eine neue List parat: Hogan soll sie zum Schein den Franzosen ausliefern und dabei die Tore öffnen. Gemeinsam mit der bewaffneten Bevölkerung gelingt die Überrumpelung. Nach heftigen Kämpfen sind die Franzosen geschlagen. Hogan kann endlich die Goldkassette bergen und stößt damit die Tür zu Saras Zimmer auf. Er findet sie in der Badewanne, eine dicke Zigarre rauchend. Ohne Zögern steigt er in voller Montur zu ihr in die Wanne, was Sara zu der lakonischen Bemerkung veranlaßt: »Wenigstens könntest du deinen Hut abnehmen.« Nicht weniger lakonisch entgegnet Hogan: »Keine Zeit.«

Der Film endet wieder in der Wüste. Hogan führt Sara durch die herrliche Landschaft, und statt Waffen stapeln sich auf seinem Packpferd jetzt die Hutschachteln. Sara sitzt zwar immer noch auf ihrem Muli, diesmal jedoch in einem eleganten roten Seidenkleid, das geschminkte Gesicht mit dem Ausdruck reinen Triumphes unter einem schwarzen Schirm vor der Sonne geschützt.

Diese gnadenlose mexikanische Sonne machte Shirley MacLaine und ihrer für Rothaarige typischen empfindlichen Haut während der Dreharbeiten schwer zu schaffen. Regisseur Don Siegel heuerte extra für sie einen Mexikaner an, der sie auf Schritt und Tritt begleitete und ständig einen gigantischen schwarzen Schirm über sie hielt, damit sie von den brennenden Sonnenstrahlen verschont blieb. Ansonsten war Don Siegel mit Shirley MacLaine nicht besonders glücklich, weil er von der ursprünglichen Rollenvorstellung einer Mexikanerin einfach nicht herunterkam, der Elizabeth Taylor vom Typ her eben viel näher gelegen hätte. Übrigens ist *Ein Fressen für die Geier* nach *Irma la Douce* bereits der zweite Film, dessen Hauptrolle die Taylor an die MacLaine verlor. Siegel lobte zwar Shirleys schauspielerisches Talent und ganz besonders auch ihre darstellerische Leistung in der Szene, in der sie den Indianerpfeil aus Eastwoods Schulter heraustreibt – aber er hatte merkwürdigerweise Schwierigkeiten mit der Frau Shirley MacLaine. »Es gibt einige Frauen, mit denen ich nicht besonders zurechtgekommen bin«, sagt er in dem 1974 erschienenen »Clint Eastwood«-Buch von

Stuart M. Kaminsky. »Shirley ist eine davon. Ich weiß nicht, was sie von mir hält, aber wir hatten einen einzigen großen Streit in der Wildnis von Mexiko, bei dem, glaube ich, keiner von uns beiden im Recht war. Es ist schwer, für sie ein Gefühl der Wärme und Herzlichkeit aufzubringen. Sie ist zu unweiblich. Sie ist zu sehr Herr der Situation.« Seltsam – gerade solche Frauentypen kommen immer wieder in Don Siegels Filmen vor, selbstbewußte Heldinnen, die sich vor keinem Risiko fürchten und ihren männlichen Gegenspielern durchaus ebenbürtig sind. Dennoch ist es Don Siegel trotz der Spannungen zwischen ihm und seiner Hauptdarstellerin gelungen, Shirleys sportliche Energie, ihren ungezwungenen Humor, ihre Offenheit und Spontaneität voll zur Geltung zu bringen, sogar noch mit einer Andeutung ihres sozialen Engagements.

*Armando Silvestre, Shirley MacLaine in ›Ein Fressen für die Geier‹*

Die Story zu *Ein Fressen für die Geier* stammte von dem Western- und Gangsterfilm-Kultregisseur Budd Boetticher. Das Drehbuch mit den herrlich lebendigen, deftigen und schlagfertigen Dialogen schrieb Albert Maltz, der damit sein Comeback feierte, nachdem er in den fünfziger Jahren auf McCarthys schwarzer Liste gestanden hatte. Kein Geringerer als Luis Buñuels großartiger mexikanischer Kameramann Gabriel Figueroa fotografierte *Ein Fressen für die Geier*. In seiner Personen-Konstellation ist der Film im Grunde genommen eine romantische Komödie für ein Paar und weckt in dieser Hinsicht durchaus legitime Erinnerungen an den männlich-weiblichen Schlagabtausch der Komödien der dreißiger Jahre von Sturges, Hawks oder Capra. Die Geschmeidigkeit des Humors und die Pointiertheit des Witzes sind perfekt auf die beiden Stars zugeschnitten, und MacLaine und Eastwood gehen damit souverän und virtuos um. Der Erfolg bei Publikum und Kritik war der angemessene Dank.

Kein Erfolg, um nicht zu sagen: ein Desaster, wurde Shirleys erster – und bis heute einziger – Versuch, als TV-Serien-Heldin einen Dauerbrenner zu landen. Englands gewaltiger TV-Unternehmer Lord Lew Grade, damals allerdings noch auf der unteren Adelsstufe des »Sir«, war eifrig bestrebt, in den USA Fuß zu fassen. Die Verpflichtung eines amerikanischen Stars schien ihm die beste Garantie. Er engagierte Shirley MacLaine für die Rolle einer Foto-Reporterin, die rund um die Welt globetrottet, interessanten News und Stories auf der Spur. *Shirley's World* hieß die Serie, die mit ABC coproduziert wurde und für die Lew Grade ein wahrlich enormes Budget von 20 Millionen Dollar ansetzte. Er beteiligte Shirley MacLaine am Gewinn und schloß mit ihr einen Vertrag, der außer den 24 TV-Episoden auch noch zwei Kino-Filme beinhaltete, keiner über drei Millionen Dollar. *Shirley's World* hatte im Frühjahr 1971 Drehbeginn in Hongkong und Tokio. Die erste Folge ging am 15. September 1971 gleichzeitig in England und Amerika über den Sender und erntete vernichtende Kritiken. Nach 17 Folgen, jede 30 Minuten lang, wurde die Serie vorzeitig am 9. Januar 1972 beendet. Shirley MacLaine war schon von Anbeginn über die schlechten, von Klischees nur so wimmelnden Drehbücher frustriert, die auch während der Dreharbeiten nicht besser wurden. Die Reporterin Shirley Logan, die die MacLaine zu spielen hatte, war eine neugierige, dümmliche Person, die in aller Herren Ländern irgendwelche Leute belästigt. Und diese Leute werden mit rassistischem Klischeedenken beschrieben: Die Italiener sind Fummler, die Araber Diebe, die Chinesen dumm und käuflich, die Iren Säufer, die Spanier faul und verlogen.»Diese Fernsehserie wurde für mich eine Erfahrung wie Vietnam für Kennedy, Johnson und Nixon«, sagt Shirley MacLaine.»Man beginnt damit, den großen Zeh ins Wasser zu halten, und bevor man weiß, was richtig los ist, steckt man bis zum Hals in der Jauchegrube.«

Aus der zog sich Shirley dann auch schnell heraus mit dem ersten der beiden Kino-Filme aus dem Vertrag mit Lew Grade: *Desperate Characters (Verzweifelte Menschen,* 1971) zeichnet in der Beschreibung von 48 Stunden aus dem Leben eines Durchschnitts-Ehepaares mit böser Ironie ein beklemmendes Bild amerikanischer Gegenwart. Der Schriftsteller und Pulitzer-Preisträger Frank D. Gilroy führte hier nach einem eigenen Drehbuch zum erstenmal Regie. Shirley MacLaine war es, die Lew Grade überzeugen konnte, in diesen Stoff 320.000 Dollar zu stecken – eine Summe, die für einen kommerziellen Spielfilm geradezu lächerlich erschien. Aber Shirley war fasziniert von dem Drehbuch, wollte unbedingt diese bürgerliche Großstadtneurotikerin spielen, wofür sie auf ihre übliche Gage verzichtete. Wie alle anderen Darsteller arbeitete sie zum Einheitslohn von 320 Dollar pro Woche, war aber außerdem am Gewinn beteiligt, der bei diesem spröden, eher deprimierenden als kommerziell attraktiven Stoff alles andere als astronomisch ausfiel.

*Verzweifelte Menschen* gab Shirley nach fast zehn Jahren, nach *Infam* und *Spiel zu zweit,* wieder die Chance, sich in einer dramatischen Charakterrolle zu bewähren. Sie tat das überzeugend und mit viel Mut zu unglamourösem Realismus. Sophie (Shirley MacLaine) und Otto (Kenneth Mars) Bentwood sind ein kinderloses Ehepaar mittleren Alters in Brooklyn Heights. Ihr Lebensstandard liegt sichtlich über dem Durchschnitt. Otto ist ein konservativer, erfolgreicher Anwalt. Beide sind intelligent und könnten mit ihrem Leben zufrieden sein, das aber nur scheinbar festgefügt ist und mehr und mehr aus den Fugen gerät. Warum es plötzlich nicht mehr in Ordnung ist, können sie sich nicht erklären. Otto verdrängt, indem er andere kritisiert. Sophie verbirgt ihre Gefühle, indem sie das Leben mehr beobachtend wahrnimmt, statt aktiv daran teilzunehmen. Die Story eines

Wochenendes, an dem sich für die beiden Verstörendes ereignet, läuft vor dem Hintergrund der New Yorker Stadtlandschaft ab, einem Ambiente voller Angst, Leid und plötzlich ausbrechender Gewalt.

Es beginnt am Freitag abend beim gewohnten Essen zu zweit. Otto erklärt, daß er die Geschäftspartnerschaft mit seinem besten Freund Charlie (Gerald O'Loughlin) auflösen will. Charlie, der sich als Anwalt mehr und mehr für die Sache der Unterprivilegierten engagiert, wirft Otto Herzlosigkeit und Überheblichkeit vor. Der fühlt sich dadurch verletzt und provoziert, seine eigene Situation zu überdenken. Als Sophie an der Hintertür eine streunende Katze hört, bringt sie ihr Milch und wird dabei von ihr in die Hand gebissen. Sophie schenkt der Verletzung weiter keine Beachtung und geht mit Otto zu einer Party bei Freunden. Als die sich ihre Hand gerade genauer anschauen, fliegt ein Stein durchs Fenster. Später, zu Hause, kann Sophie nicht schlafen, weil sie sich Sorgen macht, daß die streunende Katze vielleicht Tollwut hatte. Charlie klingelt mitten in der Nacht. Er will mit Otto sprechen. Doch Sophie überredet ihn, Otto schlafen zu lassen und statt dessen einen nächtlichen Spaziergang mit ihr zu machen. Sie trinken irgendwo einen Kaffee und reden, und Sophie findet zum erstenmal an diesem Abend Anlaß und Gelegenheit zu einem befreienden, offenen Lachen. Charlie gesteht ihr, daß er mit seiner Frau Ruth (Rose Gregorio) nicht mehr glücklich ist, weil er nichts mehr für sie fühlt. Und Sophie vertraut ihm an, daß sie zuvor auf der Party ihren Ex-Liebhaber Francis Early (Michael Higgins) wiedergesehen hat, den einzigen Mann, mit dem sie Otto jemals betrogen hat. Die Affäre dauerte sechs Monate.

Am nächsten Morgen, Samstag, findet das Ehepaar auf dem Gehweg vor dem Haus einen Mann liegen, von dem sie nicht wissen, ob er tot oder nur betrunken ist. Sophie geht ins Museum of Modern Art, wo sie zufällig Ruth trifft, die sich zwar freundlich, aber auffällig distanziert gibt. Sophie geht zum verabredeten Mittagessen mit ihrer Freundin Claire (Sada Thompson). Die ist seit 20 Jahren von ihrem Mann Leon (Jack Somack) geschieden, einem Englisch-Professor, der von der Angst verfolgt ist, seine Studenten könnten ihn durch einen Trick zur Einnahme von LSD bringen. Claires Leben ist sehr einsam, und sie hat mit Leon ein Arrangement getroffen, daß er von Zeit zu Zeit

*Shirley MacLaine, Kenneth Mars in ›Verzweifelte Menschen‹*

bei ihr wohnen kann, allerdings auf rein platonischer Basis. Als Claire und Leon anfangen zu streiten, ist Sophie so deprimiert, daß sie die Wohnung panikartig verläßt. Sie ruft ihren Ex-Lover Francis an, der jedoch gerade mit einer anderen Geliebten beschäftigt ist und gar nicht ans Telefon geht.

Am Abend zu Hause klingelt ein Schwarzer bei den Bentwoods an der Tür und bittet, telefonieren zu dürfen. Trotz seiner Bedenken leiht Otto ihm zehn Dollar, von denen er sicher ist, sie nie mehr zurückzubekommen. Er macht sich jetzt ernsthafte Sorgen um Sophies Katzenbiß und geht mit ihr in ein Krankenhaus, damit sie eine Tetanus-Spritze erhält. Der Anblick von Krankheit und Elend im überfüllten Warteraum deprimiert Sophie zutiefst. Vom Arzt erfahren die Bentwoods, daß sie die streunende Katze unbedingt finden müssen, sonst müßte Sophie sich einer Tollwut-Injektion unterziehen. Wieder zu Hause, wartet das Ehepaar nervös, aber schließlich erfolgreich auf die Rückkehr der Katze. Otto übergibt sie noch in derselben Nacht der zuständigen Institution zur Tollwut-Untersuchung.

Am Sonntagmorgen fährt Otto mit Sophie, um sie auf andere Gedanken zu bringen, in ihr gemeinsames Sommerhaus, obwohl die Saison längst vorbei ist. Dort angekommen, entdecken sie, daß Einbrecher in das Haus eingedrungen sind und die Einrichtung verwüstet, aber nichts gestohlen haben. Insgeheim verdächtigen sie einen Nachbarn, dem sie die Empörung über die reichen New Yorker mit dem Luxus eines zusätzlichen Sommerhauses durchaus zutrauen. Frustriert und entnervt, zwingt Otto die hilflos weinende Sophie, ihn zu lieben, bevor sie wieder in die Stadt zurückkehren.

Auf dem Heimweg scheint Otto zaghaft einen Rettungsanker auszuwerfen, indem er vorschlägt, ein Kind zu adoptieren. Aber Sophie spürt, daß es dafür zu spät ist. Voller Angst hält sie auf den Stufen vor ihrer New Yorker Haustür inne und fragt: »Ob sie hier wohl auch schon waren?« Nicht besonders überzeugend antwortet Otto: »Noch nicht. Komm!« Und beide verschwinden in der Dunkelheit des Hauses.

Autor-Regisseur Frank D. Gilroy zeigt konsequent und überzeugend, wenn auch gelegentlich etwas überkonstruiert, die Unsicherheit des Bürgertums, dessen Vertreter zwar instinktiv die Bedrohung ihrer festgefügten Welt spüren, selbst jedoch kein Rezept gegen diese Bedrohung finden. Der Film beeindruckt vor allem dadurch, daß Gilroy keine pathetischen Konfliktsituationen heraufbeschwört, sondern fast beiläufig bezeichnende Details aneinanderreiht. Bei den 21. Berliner Filmfestspielen 1971 erhielt *Verzweifelte Menschen,* der dort unter dem unsäglichen deutschen Festival-Titel *Sophie und Otto* lief, insgesamt drei Preise. Shirley MacLaine errang einen Silbernen Bären als beste Darstellerin – ex aequo mit Simone Signoret, die für *Die Katze* ausgezeichnet wurde. Frank D. Gilroy erhielt einen Silbernen Bären für das beste Drehbuch und die besten Dialoge. Die internationale Kritiker-Vereinigung UNICRIT vergab ihren Preis ebenfalls an *Verzweifelte Menschen.*

Der zweite Film aus dem Deal mit Lew Grade war *The Possession of Joel Delaney (Die Besessenheit des Joel Delaney,* 1972). Er hatte immerhin ein Budget von 1,3 Millionen Dollar und für Shirley MacLaine eine Rolle, die der Sophie in *Verzweifelte Menschen* nicht unähnlich war: Eine attraktive Frau der gehobenen Mittelklasse wird in ziemlich schreckliche Erlebnisse und Erfahrungen im New York der Gegenwart verstrickt. Die Zeit der Hure mit dem goldenen Herzen ist für Shirley nun ein für allemal vorbei. Mit inzwischen 38 Jahren wächst sie in reifere Charakterrollen hinein, wenn auch thematischer Anspruch und

*Lisa Kohane, Shirley MacLaine, David Elliott in ›Die Besessenheit des Joel Delaney‹*

Niveau der Filme immer noch so manches zu wünschen übrig lassen.

*Die Besessenheit des Joel Delaney* ist nicht mehr als ein routinierter Horrorfilm, von Warris Hussein zwar professionell, aber völlig uninspiriert inszeniert. Kein Vergleich mit seiner davor gedrehten, herrlich skurrilen und anarchischen Gene-Wilder-Komödie *Quackser Fortune Has a Cousin in the Bronx (Quackser Fortune hat 'nen Vetter in der Bronx*, 1970). Die New Yorker Horror-Story basiert auf einem Roman von Ramona Stewart und funktioniert nach dem Grundsatz: »Wer glaubt, braucht keine Erklärung – wer nicht glaubt, für den gibt es keine Erklärung.« Norah Benson (Shirley MacLaine), geborene Delaney, lebt seit ihrer Scheidung mit ihren beiden Kindern Carrie (Lisa Kohane) und Peter (David Elliott) in Manhattans fashionabler Upper East Side. Sie trägt außerdem Sorge für ihren jüngeren Bruder Joel Delaney (Perry King), der allein in einem Appartement im puertoricanischen Viertel von New York wohnt. Eines Abends greift Joel seinen Hausmeister mit einem Messer an und wird von der Polizei ins Bellevue Hospital für Geisteskranke eingeliefert. Joel kann sich an die Tat nicht erinnern, und Norah erreicht durch Intervention ihres Ex-Mannes, eines Arztes, Joels Entlassung. Die Bedingung ist, daß er bei ihr lebt und von der Psychiaterin Erika Lorenz (Lovelady Powell), einer Freundin Norahs, behandelt wird. Auf seiner Geburtstagsparty benimmt Joel sich plötzlich äußerst seltsam und spricht spanisch. Am nächsten Tag findet Norah die Freundin von Joel, Sherry (Barbara Terntham), in deren Wohnung enthauptet auf. Dieser Mordfall ähnelt drei anderen, als deren Täter für die Polizei nur Tonio Perez in Frage kommt, Joels bester und einziger Freund. Norah erhält von ihrem Hausmädchen Veronica, die in Spanish Harlem wohnt, den Tip, einen gewissen Don Pedro (Edmundo Rivera Alvarez) aufzusuchen. Der erzählt ihr, daß Tonio Perez tot ist und sein ruheloser Geist in Joel gefahren ist. Nur ein Exorzismus kann helfen. In einer langen Zeremonie seltsamer, wilder Rituale gelingt es Don Pedro jedoch nicht, den Geist von Tonio auszutreiben, weil Norah nicht wirklich daran glaubt. Joel ist inzwischen in seiner Gewalttätigkeit völlig unkontrollierbar geworden. Norah ihrerseits ist total überreizt und leidet unter Ängsten, die sie ihrer Freundin Erika anvertraut. Die Psychiaterin glaubt nicht an eine Besessenheit Joels, sie hält ihn

*›Die Besessenheit des Joel Delaney‹: Shirley MacLaine, Perry King*

für psychisch krank und rät Norah, mit den Kindern in das
Strandhaus zu fahren, bis Joel sicher in einer Heilanstalt ist. Der
aber folgt heimlich seiner Schwester und den Kindern. Als
Norah am Morgen nach ihrer Ankunft im Sommerhaus aufsteht
und in die Küche geht, findet sie dort Erikas Kopf auf einem
Bord neben dem Kühlschrank. Sie erleidet einen Schock. Und
plötzlich steht Joel vor ihr, in schwarzem Leder und mit dunkler
Sonnenbrille. Wie wahnsinnig beginnt er, Norah und die Kinder
zu terrorisieren und mit einem Messer zu bedrohen. Die Polizei,
von Erikas Mann alarmiert, trifft ein. In besessener Raserei
packt Joel seine Schwester Norah, küßt sie und hält sie als

207

Schutzschild vor sich, während er aus dem Haus tritt. Die Polizei schießt trotzdem – und trifft ihn tödlich. Während Norah den toten Bruder im Arm hält, zieht ein merkwürdiger Ausdruck langsam über ihr Gesicht. Sie nimmt Joels Klappmesser und öffnet es mit einer neuen Faszination.

Von der Kritik wurde *Die Besessenheit des Joel Delaney* fast ausnahmslos massiv verrissen. Trotz der populären Horror-Thematik blieben auch die Kinokassen leer.

Shirley MacLaine, der einige Kritiker wenigstens eine bemerkenswerte darstellerische Weiterentwicklung und Reife, Intensität und Intelligenz bescheinigt hatten, machte nun erst mal eine ausgiebige Hollywood-Pause. Charakter wollte sie nicht länger in erfolglosen Filmen zeigen, sondern im wirklichen Leben. Sie engagierte sich in der Politik, konkret in George McGoverns Wahlkampagne. Sie schrieb ihre Reden selbst, schrieb für McGovern »The Man and His Beliefs«, wovon über 100000 Exemplare zum Stückpreis von einem Dollar verkauft wurden. 18 Monate lang führte sie das Leben einer Politikerin: ständig auf Achse, Reden halten, lächeln, Hände schütteln, essen unterwegs zwischen zwei Veranstaltungen. Sie sprach vor Frauen ebenso wie vor Studenten und Stahlarbeitern. In dem teils dokumentarischen, teils satirischen Film *The Year of the Woman* (1973) trat sie neben so engagierten Feministinnen wie Shirley Chisholm, Bella Abzug und Gloria Steinem auf. Gedreht wurde der Film beim Parteitag der Demokraten in Miami 1972. Einer von McGoverns engsten Vertrauten charakterisierte Shirley MacLaines politische Arbeit ziemlich treffend: »Besser als die meisten Leute, mit denen ich innerhalb und außerhalb der Politik zu tun hatte, kann sie den Menschen das Gefühl ihrer eigenen Überzeugung, ihres eigenen Betroffenseins von der Notwendigkeit sozialer Veränderungen total vermitteln. Und sie hat einen Zugang zu McGovern, der von absoluter Aufrichtigkeit bestimmt ist. Er hört auf sie.« Nur beim Thema Abtreibung mochte McGovern nicht auf Shirley MacLaine hören, die dieses eigene persönliche Engagement in der Wahlkampagne schließlich auch aufgab, um McGoverns Gewinnchancen nicht zu schmälern. Als er schließlich doch unterlag, mietete sie sich einen Chevrolet und fuhr sechs Wochen durch Amerika. Sie wollte herausfinden, warum die Leute Nixon gewählt hatten. Sie ging buchstäblich von Tür zu Tür, stellte sich vor, wurde von vielen natürlich auch erkannt und von allen hereingebeten. Sie sprach auf dieser Reise mit Hunderten von Amerikanern und hatte am Ende eine Menge über die Realitäten ihres Landes gelernt.

Ihre politische Tätigkeit hatte ihr natürlich auch die Bekanntschaft verschiedener Persönlichkeiten eingebracht. Mao Tse Tungs Außenminister Chiao Kuan Hua lernte Shirley MacLaine im Oktober 1971 bei einem Essen in New York kennen. Und noch bevor dieses Essen vorbei war, hatte sie von ihm eine Einladung in die Volksrepublik China erhalten. Ein Kindertraum sollte damit für sie in Erfüllung gehen – und zwar in Form eines hochoffiziellen Besuchs. Shirley MacLaine erhielt den Auftrag, die erste amerikanische Frauendelegation nach China zusammenzustellen und zu leiten. Elf Frauen durfte sie auswählen, es sollten – außer ihr – keine weiteren Stars oder Berühmtheiten sein. Vier dieser Frauen waren Filmemacherinnen, darunter die Kamerafrau und Regisseurin Claudia Weill. Deren Dokumentarfilm *Joyce at 34* hatte Shirley sehr beeindruckt. Der Film ist das Porträt einer Frau und deren ganz persönlichen Problemen mit der Schwangerschaft, der ersten Zeit der Mutterschaft und ihrem Verhältnis zur eigenen Mutter. Claudia Weill – sie machte Jahre später, 1978, ihren ersten Spielfilm *Girlfriends* – sollte mit den drei anderen Kolleginnen, die für Licht, Ton und zweite Kamera zuständig waren, die China-Reise der US-Frauen als Film festhalten. Am 16. April 1973 ging es los. Auf dem Flughafen von New York trafen sich eine Schwarze aus Mississippi, eine Wallace-Wählerin aus Texas, eine Soziologin aus Puerto Rico, eine Psychologin aus Minnesota, eine Navajo-Indianerin, eine Hausfrau aus Long Island, eine Zwölfjährige aus dem mittleren Westen und natürlich die vier Filmerinnen und Shirley MacLaine zum Start in das volksrepublikanische Reich der Mitte.

Drei Wochen reisten die Damen rund 4000 Kilometer durch das Land Maos, trafen chinesische Arbeiter, besuchten Familien in ihren Wohnungen, Kindergärten, Krankenhäuser und andere soziale Einrichtungen. Das filmische Ergebnis dieser Reise ist die 74 Minuten lange Dokumentation *The Other Half of the Sky: A China Memoir*, für die Shirley MacLaine und Claudia Weill, die auch die Kamera führte, als Regisseurinnen verantwortlich zeichnen. Es ist ein absolut subjektiver Film über das, was die

Frauen in China vorfanden, sahen und fühlten. Er berichtet auch über die Beziehungen der verschiedenen Frauen zueinander. Für Claudia Weill ist es »nicht so sehr ein Dokumentarfilm über China, sondern vielmehr ein Bild Chinas, zusammengesetzt durch das, was wir davon gesehen haben, ein Dokument zweier Kulturen, die sich anschauen«. Uneingeschränkt beeindruckt waren die Amerikanerinnen von der großen Ruhe und dem Gefühl von Glück unter den Leuten, die sie getroffen haben. Nachdem sie von dem Elend und den Ungerechtigkeiten des vorrevolutionären China gehört hatten, konnten sie die enormen Errungenschaften der Volksrepublik in ihrem ganzen Ausmaß einschätzen – fundamentale Veränderungen, die nicht nur Wirtschaft und Politik betrafen, sondern auch die Einstellungen gegenüber den Frauen. Die Amerikanerinnern waren tief beeindruckt von der Freundlichkeit jedes einzelnen und der scheuen, fast puritanischen Haltung gegenüber persönlichen Angelegenheiten. Die chinesischen Frauen sind stark, sanft und besitzen einen wunderbaren Sinn für Humor – Eigenschaften, die in der amerikanischen und überhaupt in der westlichen Gesellschaft als widersprüchlich erscheinen.

Shirley MacLaine war irritiert über die konkurrenzlose, uniforme Art zu leben. Für sie war es schwierig, eine Philosophie zu begreifen und zu akzeptieren, die keinen Platz hat für einzelne, einzigartige kreative Talente eines Michelangelo beispielsweise und die die gesamte Kunst zu Staatszwecken verwendet, gewissermaßen staatlich vereinnahmt. Insgesamt faßte Shirley MacLaine ihre Eindrücke und Erfahrungen der China-Reise so zusammen: »Etwas sehr Wichtiges passiert in China, das die Beobachtung und Auseinandersetzung lohnt. Ich halte die Ereignisse dort für eins der größten Experimente in sozialer Organisation der modernen Geschichte.«

Bei der Rückkehr nach Amerika hatten Shirley und ihre Frauen 50 Stunden Film im Koffer. Claudia Weill und Aviva Slesin begannen in New York mit der Schnitt- und Montagearbeit. Shirley MacLaine schrieb den Kommentartext. Insgesamt dauerte die Fertigstellung des Films über neun Monate. Beim Internationalen Filmfestival in Cannes 1974 hatte der Film seine Welturaufführung. Er wurde mit großem Interesse, aber auch sehr kontrovers aufgenommen. Trotzdem fand Shirley MacLaine keinen kommerziellen Verleiher für *The Other Half of the*

*Sky: A China Memoir.* Niemand wollte einen Film haben über Frauen, die in einem so weit entfernten Land wie China Erfahrungen mit dem Leben sammeln.

Aber Shirley MacLaine gab nicht auf. Sie wollte unbedingt, daß die Amerikaner den Film sehen. Schließlich gelang ihr ein Deal mit dem Public Broadcasting System, und *The Other Half of the Sky: A China Memoir* wurde am 15. April 1975 ausgestrahlt, fast auf den Tag genau zwei Jahre nach Antritt der Reise. Eine »Oscar«-Nominierung – Shirleys vierte – als bester langer Dokumentarfilm des Jahres 1975 war die Folge. Vergeben wurde dieser »Oscar« allerdings an *The Man Who Skied Down Everest* von F. R. Crawley, James Hager und Dale Hartleben.

Erst etwa drei Jahre später erfuhr Shirley MacLaine zufällig die wahren Gründe für die Schwierigkeiten mit dem Verkauf des China-Films. Sie erzählte dem Filmjournalisten Bodo Fründt in einem Interview in Hamburg 1981: »Bei der ›Oscar‹-Zeremonie im Frühjahr 1978, ich war damals für *The Turning Point* nominiert, kam MPAA-Präsident Jack Valenti zu mir und sagte: Es ist wirklich eine Schande, was mit dem China-Film passiert ist. Und ich fragte: Was meinen Sie? Darauf er: Wußten Sie das denn nicht? Die Taiwan-Chinesen kamen damals zur Motion Picture Association und erklärten, wenn der China-Film von Shirley MacLaine und Claudia Weill im Kino oder im Fernsehen laufen würde, dann würden sie für zehn Jahre sämtliche US-Filme in Taiwan boykottieren. Ich war wie vor den Kopf geschlagen, als ich das hörte. Niemand hatte es mir vorher auch nur andeutungsweise gesagt.«

Unter dem deutschen Titel *China-Report* lief der Film dann am 14. April 1976 auch in der ARD und erhielt einschränkende, aber durchaus wohlwollende Kritiken. In der »ZEIT« schrieb Joachim Schickel: »Den Amerikanerinnen ist gelungen, das konkrete Bild ihrerseits konkret, ja wiederum geradezu sinnlich zu vermitteln ... Ein erster Schritt von Reisenden noch am Rande, von Weggefährten noch dieses oder jenes Vorurteils, begleitet von der notwendigen Bedingung der Emotionalität, der hinreichenden Analyse freilich ermangelnd. Nicht etwa, weil da Frauen filmten und sprachen, sondern weil das Politische wohl anschaubar, aber nicht eigentlich begriffen war.« Und Christa Maerker urteilte im Berliner »Tagesspiegel«: »Mangelhafte Informationen und zu naive Ansätze dem Thema gegenüber stehen neben einer überragenden Offenheit und Selbstkritik, die dem Film eine Dimension gibt, wie man sie viel zu selten in Dokumentationen sehen kann. Meist soll scheinbare Objektivität über ganz selbstverständliche Mängel hinwegtäuschen, die beim Drehen von Filmen unter besonderen Bedingungen – das sind sie meistens – auftreten. Beim Film von Shirley MacLaine überzeugt dann der Entschluß, China durch den Filter sichtbar werden zu lassen, den die amerikanischen Köpfe bilden. Damit wird er zur Information über China – und die Vereinigten Staaten von Amerika.«

Nach der Rückkehr aus China, nach der Fertigstellung des Films kehrte Shirley MacLaine zum erstenmal nach 20 Jahren wieder in ein Tanz-Studio zurück. Sie hörte zu rauchen auf, lebte Diät und machte Jogging, um fit für die Bühne, für Shows zu sein. Einem Freund sagte sie damals: »Wir haben in Politik gemacht, und jetzt können ein bißchen Titten und Arsch nicht schaden. Wir erleben so viel Scheiße in der Welt, daß ein bißchen Lachen nur guttun kann. Ich möchte jetzt raus auf die Bühne und das Publikum zu Freudensprüngen und zum Lachen bringen und dazu, ein wenig mehr über mich zu erfahren.«

Ihre erste Las-Vegas-Show *If They Could See me Now* war ein kolossaler Erfolg und brachte ihr entsprechende Angebote vom Fernsehen ein. Am 20. Januar 1976 ging *The Gypsy in My Soul* über den Sender, eine Hommage an alle Tänzer und Tänzerinnen der Chorus Line, die »Gypsies«, zu denen Shirley in ihren Anfängen auch gehört hatte. Mit dieser Show ging sie nicht nur nach New York, wo sie alle Rekorde im »Palace« brach, sondern auch nach Europa, auch in die Bundesrepublik. Überall war das Publikum begeistert über ihre lockeren, ganz informellen Plaudereien, über ihre Tanzkünste und die Songs, die sehr viel Persönliches, Autobiographisches enthielten. Drei Emmy Awards erhielt sie für die im November 1974 von CBS gesendete Show *If They Could See Me Now,* und einen weiteren Emmy brachte ihr *The Gypsy in My Soul* ein. Im März 1977 war sie wieder in einem CBS-Special zu sehen, *Where Do We Go from Here?.* Gast-Auftritte in Shows anderer Stars waren längst eine Selbstverständlichkeit. Und bei der Zeremonie des Life Achievement Awards *Salute to James Cagney* des American Film Institute im März 1974 führte sie durch die Sendung.

Aber auch zum Schreiben hatte Shirley MacLaine wieder zurückgefunden. 1975 erschien ihr zweites Buch »You Can Get There From Here«, in dem sie ihre politischen Erfahrungen der Wahlkampagnen beschreibt, von den katastrophalen Dreharbeiten und deren Hintergründen bei der TV-Serie *Shirley's World* berichtet und besonders ausführlich von den Erlebnissen in China und der Entstehung des Films *The Other Half of the Sky: A China Memoir* erzählt. Wie schon ihr erstes Buch ist auch dieses zweite durch die frische, burschikose Schreibe und die offen und selbstkritisch geäußerten Gedanken ein wirkliches Lesevergnügen.

Shirley MacLaines Privatleben hatte sich in jenen Jahren ebenfalls verändert. Die Long-Distance-Ehe mit Steve Parker hatte viel von ihrem enthusiastischen Anfangsglanz verloren. Vielleicht hatte jeder von beiden zu lange allein gelebt. Vielleicht hatte sich jeder von beiden in eine andere Richtung entwickelt. Oder vielleicht war es ganz einfach so, daß jeder von beiden eine konkrete, greifbare Beziehung in der Nähe brauchte. Sowohl Shirley als auch Steve waren sich einig, daß sie sich nicht scheiden lassen wollten. Shirley selbst erklärte die Ehe als Form des Zusammenlebens für veraltet und betonte, daß es völlig sinnlos sei, sich scheiden zu lassen, um jemand anderen zu heiraten. Die Offenheit, mit der Shirley MacLaine sich zu ihren Affären bekannte, hatte etwas Avantgardistisches in der schließlich im Grunde genommen immer noch ziemlich puritanischen amerikanischen Gesellschaft. Sie lebte zwei Jahre mit dem Fernsehjournalisten Sander Vanocur zusammen, den sie beim Parteitag der Demokraten in Chicago kennengelernt hatte. 1972 zog sie in eine gemeinsame Wohnung mit dem Journalisten, Schriftsteller und Drehbuchautor Pete Hamill, den sie als zuverlässig, vernünftig und solide beschreibt – im Gegensatz zu ihrer eigenen impulsiven, aufbrausenden Dreistigkeit. »Wir haben eine Art feuergefährlicher Beziehung«, sagte sie. »Wir verschwenden unsere Zeit nicht mit Gesprächen über Heirat und Zukunft oder ähnlichen Unsinn. Sowieso – wer weiß? Alles kann in der nächsten Woche vorbei sein.« Doch diese Beziehung dauerte immerhin mehr als vier Jahre. Klatschjournalisten haben Shirley MacLaine gern und häufig Affären angedichtet – sie hat darüber hinweggesehen, weil sie es immer vorgezogen hat, ihr eigenes Leben zu leben.

# 6. Endlich eine böse Satire und ein zärtlicher »Oscar«

Fünf Jahre etwa hat Shirley MacLaine es blendend ohne die Hollywood-Studios ausgehalten. Aber dann trieb es die Täterin wieder an den Ort des Verfilmens zurück. Vertanztes war angesagt, eine Story aus dem Ballett-Milieu. Da war Shirley, von Kindesbeinen an mit den schwachen Fußgelenken vertraut, durch die jüngsten Show-Aktivitäten wieder ganz frisch lebendig geworden. *The Turning Point* (*Am Wendepunkt,* 1977) inszenierte der ehemalige Choreograph Herbert Ross, der Shirley MacLaine eine so interessante Partnerin wie Anne Bancroft gegenüberstellte. Außerdem debütierte der russische Star-Tänzer Mikhail Baryshnikov hier auch als Darsteller vor der Filmkamera, fast gleichzeitig wie sein Kollege Rudolf Nureyev in Ken Russells *Valentino.* Allerdings ist *Am Wendepunkt* kein üblicher Ballett-Film. »Das Opernhaus bildet nur die Kulisse. Der Tanz liefert nur den Konfliktstoff für mehrere Personen, die an einer entscheidenden Station ihres Lebens angekommen sind«, sagt Regisseur Ross selbst über den Film. Der liegt ganz im damals neuen Hollywood-Trend eines Frauen-Kinos, das dem veränderten Bewußtsein legitimer weiblicher Selbständigkeit und Berufsambitionen Rechnung trägt. Davon handeln Filme wie Fred Zinnemanns *Julia,* Richard Brooks' *Looking for Mr. Goodbar* (*Auf der Suche nach Mr. Goodbar*), Paul Mazurskys *An Unmarried Woman* (*Eine entheiratete Frau*) – alle entstanden zur gleichen Zeit wie *Am Wendepunkt.* Als eine Art Vorläufer gehört sogar Sydney Pollacks *The Way We Were* (*So wie wir waren,* 1973) dazu, dessen Drehbuch ebenso von Arthur Laurents stammt wie das Skript zu *Am Wendepunkt.*

Shirley MacLaine reagierte nach der ersten Lektüre des Drehbuchs mit leichtem Befremden – in bezug auf die Figur, die sie spielen sollte: »Sie ist schwanger und muß sich entscheiden, ob sie ein Baby bekommen oder Karriere machen will. Warum kann sie nicht beides tun? Ich hab's doch auch geschafft, und ich kenne viele Frauen, die es ebenso geschafft haben.« Nach einiger Überlegung allerdings gab sie zu, daß es in den fünfziger Jahren mit Abtreibungen eher schwierig war und Frauen damals wirklich glaubten, ihnen bliebe nur die Wahl zwischen dem einen oder dem anderen. Kind und Karriere – das blieb nur wenigen Privilegierten und besonders Mutigen vorbehalten.

*Am Wendepunkt* beginnt mit einem Wiedersehen nach 20 Jahren. Emma (Anne Bancroft) und Deedee (Shirley MacLaine) hatten einst den gleichen Traum von einer großen Karriere als Primaballerinen. Doch Deedee wurde schwanger und heiratete ihren Geliebten Wayne (Tom Skerritt), einen Ballett-Tänzer. Die eigene Tanz-Karriere gab Deedee zugunsten des Familienlebens auf. In Oklahoma City, wo sie nun mit mittlerweile drei Kindern lebt, trifft sie bei einem Ballett-Gastspiel die einstige Kollegin. Emma ist die Primaballerina einer New Yorker Truppe und inzwischen weltberühmt. Deedee leitet eine Ballettschule und bemerkt voller Freude und Stolz, daß ihre

*Shirley in ›Am Wendepunkt‹*

Tochter Emilia (Leslie Browne) ein großes Talent besitzt und vielleicht einmal das erreichen kann, was sie so gerne erreicht hätte. Emma hingegen, die ebenso wie Deedee bereits in den Vierzigern ist und der als Primaballerina nicht mehr viel Zeit bleibt, beneidet die ehemalige Kollegin um deren Familienleben.

Die Begabung der jungen Emilia fällt nicht nur Emma, sondern auch Adelaide (Martha Scott) und Michael (James Mitchell)

*Familie oder Karriere: Shirley MacLaine und Anne Bancroft in › Am Wendepunkt ‹*

*Provinzler beim Einkauf in New York: Shirley MacLaine mit ihren (Film-)Kindern Leslie Brown und Phillip Saunders in ›Am Wendepunkt‹*

auf, die die Ballett-Truppe leiten. Sie laden Emilia nach New York ein. Deedee begleitet sie, nachdem Wayne sie dazu ermutigt hat. Sie nimmt auch ihren Sohn Ethan mit, der ebenfalls zu tänzerischen Hoffnungen berechtigt. Für Deedee hat die Reise nach New York aber auch noch eine weitere Motivation: Sie möchte endlich Klarheit haben über den Verdacht, der sie in all den Jahren nicht mehr losgelassen hat – daß Emma einst bewußt ihre Rivalität ausgespielt hat. Bei einem Gespräch der beiden Frauen stellt sich jede die heimliche Frage: Würde ich meinen

Platz mit der anderen tauschen? Und jede der beiden lebt ihre Phantasien stellvertretend durch Emilia aus, die mittlerweile ein vielversprechendes Mitglied der New Yorker Ballettgruppe geworden ist. Emilia ist tatsächlich Emmas Patentochter, aber sie ist mehr für sie: das Kind, das sie nie gehabt hat, dem sie jetzt etwas beibringen, um das sie sich kümmern kann. Und Deedee kann durch Emilias beginnende Ballett-Karriere an der Welt teilhaben, die sie seinerzeit für Ehe und Familie aufgegeben hat. Mit dem russischen Tänzer Yuri (Mikhail Baryshnikov) macht Emilia die Erfahrungen einer ersten unglücklichen Liebe. Emma, die dem unmittelbar bevorstehenden Ende ihrer aktiven Tänzerinnen-Laufbahn jetzt gefaßt ins Auge sieht, muß feststellen, daß ihr verheirateter Liebhaber sich nicht mehr scheiden lassen will. Deedee sieht sich mit einem Stück Vergangenheit konfrontiert – in der Person eines früheren Liebhabers, mit dem sie eine Nacht verbringt. Als ihre Tochter Emilia das entdeckt, stürzt eine Welt für sie zusammen. Doch schon bald darauf hat sie ihre erste große Gala, die zu einem unumstrittenen Erfolg wird. Nach der Vorstellung geraten Emma und Deedee aneinander und werfen sich gegenseitig die schlimmsten Verdächtigungen vor. Deedee beschuldigt Emma, sie zur Ehe überredet zu haben, um sich dadurch ihrer Konkurrenz zu entledigen für die Rolle der Anna Karenina, die sie damals beide einstudiert hatten. Emma kontert, daß Deedee der nötige Killer-Instinkt für die Primaballerina-Laufbahn gefehlt hätte und daß sie von Wayne nur schwanger geworden sei, um zu beweisen, daß er nicht schwul ist. Die Auseinandersetzung wird immer heftiger und schließlich handgreiflich. Doch der wütende Prügel-Clinch wandelt sich plötzlich in freundschaftliche Umarmung und befreiendes Lachen. Der Streit hat Katharsis-Funktion – sie stellen fest, daß jede ihren eigenen Augenblick der Entscheidung hatte, nicht mehr, aber auch nicht weniger. Jetzt kann es für beide nur darum gehen, aus dem Rest ihres Lebens das Beste zu machen.

Wayne ist inzwischen auch nach New York gekommen, um den ersten großen Erfolg seiner Tochter Emilia mitzuerleben. Nach dem großen, reinigenden Streit mit Emma muß Deedee noch etwas mit Wayne klären. Sie erzählt ihm von Emmas Vorwurf, sie hätte sich von ihm nur schwängern lassen, um zu beweisen, daß er nicht schwul ist. Und sie fügt hinzu, daß Emma damit nicht unrecht hat. Wayne kann das Ganze nur seinerseits bestätigen – auch er wollte beweisen, daß er nicht schwul ist, weil er sie liebte und immer noch liebt. »Ich erhielt, was ich mir gewünscht habe«, sagt er zu Deedee und nimmt sie in den Arm. »Ich auch«, fügt Deedee hinzu. Und im großen, glücklichen Finale des Films feiert Emilia auf der Bühne mit Yuri als Partner einen unvergleichlichen Triumph. Deedee ist zum erstenmal ungetrübt stolz auf sie, empfindet das Glück ohne Eifersucht und geht auf Emma zu, die abseits der jubelnden Gratulanten auf der leeren, fast dunklen Bühne steht. Beide Frauen werden sich in Freundschaft und Liebe bewußt, daß Emilia ihre Träume und Erinnerungen weiter und auf ihre Art neu leben wird.

Der Touch von Soap Opera, von Alltags-Schnulze ist an diesem Film nicht zu übersehen. *Am Wendepunkt* ist eins der vielen Beispiele für das typische Hollywooder Gebrauchskino – handwerklich perfekt, unterhaltsam aufbereitet, so daß vom Konfliktstoff noch ein kleines bißchen in Bauch und Kopf des Zuschauers nachbleibt. Gerade so viel, daß man ohne Schwierig-

*Scott Douglas, Shirley MacLaine, Tom Skerritt in ›Am Wendepunkt‹*

keiten wieder zur Tagesordnung übergehen kann, in der die auf der Leinwand erlebten Figuren des Films durchaus noch ein Weilchen Platz haben: Schauspieler werden zu Stellvertretern von Bekannten oder auch der eigenen Person, in denen man ähnliche Erfahrungen und Schicksale wiedererkennt. Der besondere Reiz von *Am Wendepunkt* ist zweifellos das darstellerische Damen-Doppel Shirley MacLaine/Anne Bancroft. Zwei große Stars, zwei absolut gegensätzliche Persönlichkeiten vermitteln mit großer Intensität ein Stück Leben. Beide Damen wurden für den »Oscar« nominiert und bekamen ihn nicht – ihn erhielt Diane Keaton für die beste Hauptrolle in *Annie Hall* (*Der Stadtneurotiker* von Woody Allen). *Am Wendepunkt* ging trotz weiterer neun Nominierungen völlig leer aus.

Interessant ist, daß Shirley MacLaine die eigentlich weniger attraktive, weniger glamouröse Rolle der Hausfrau und Mutter durch ihre aufrichtig emotionale Art der Darstellung zum Mittelpunkt des Films und zum sicheren Hauptanziehungspunkt fürs Publikum macht. Vom Charme der spontanen, fröhlichen Einfachheit ihrer frühen Karriere-Jahre hat sie sich mit 43 Jahren zu einer darstellerischen Persönlichkeit entwickelt, der man auch seelische Abgründe und Verhaltensweisen auf dem emotionalen Negativkonto abnimmt.

Endlich bekam Shirley MacLaine nun auch, gewissermaßen zum silbernen Jubiläum ihrer Star-Karriere, einen wirklich herausragenden, anspruchsvollen Filmstoff angeboten. Zwei Jahre allerdings hatte sie nach *Am Wendepunkt* nichts gemacht. Und, Ironie des Schicksals – dieser neue Film hatte für sie nur eine Nebenrolle bereit. *Being There* (*Willkommen, Mr. Chance,* 1979) war und ist ein Peter-Sellers-Film, sein allerbester und sein vorletzter. Sellers starb am 24. Juli 1980 im Alter von 55 Jahren. Für Shirley war er ein Genie. Sie hatte bereits 1967 mit ihm gespielt, in dem allerdings ziemlich unsäglichen Episodenfilm *Siebenmal lockt das Weib*. Die Möglichkeit einer neuerlichen Zusammenarbeit, dazu das hervorragende Drehbuch von Jerzy Kosinski nach dessen gleichnamigem Roman und die Arbeit mit einem so außergewöhnlichen Regisseur wie Hal Ashby waren für Shirley MacLaine Grund genug, auch eine kleine, aber doch sehr prägnante Rolle anzunehmen. Immerhin bot sie ihr die Gelegenheit, nach all den vielen fröhlichen Komödien endlich einmal in einer bösen Satire mitzumachen. *Willkom-*

*Shirley MacLaine, Melvyn Douglas in ›Willkommen Mr. Chance‹*

men, Mr. *Chance* ist eine brillante, zynische und komödiantische Parabel auf den vom permanenten TV-Sehen fürs wirkliche Leben völlig blind gewordenen Amerikaner.
Der Film beginnt an einem Morgen, an dem der Gärtner
Chance (Peter Sellers) wie gewöhnlich durch das Fernsehen geweckt wird. Und doch soll dies für ihn kein Tag wie jeder andere
werden. Noch routinemäßig geht er in den Garten und sieht dort
nach dem Rechten, setzt sich an den Tisch in seinem Zimmer
und wartet auf das Frühstück, während er das TV-Programm
verfolgt und zwischen verschiedenen Kanälen hin- und her-
schaltet. Da kommt das Hausmädchen Louise (Ruth Attaway)
mit der Nachricht, daß der Hausherr gestorben ist. Chance berührt diese Tatsache überhaupt nicht, er hat Hunger und möchte frühstücken. Als er wenig später die Treppen der Villa zu dem

toten alten Mann hinaufsteigt, zeigt er angesichts der Leiche seines lebenslangen Wohltäters mehr Interesse für das Fernsehprogramm. TV-Apparate gibt's in der Villa auf Schritt und Tritt. Louise verläßt das Haus und verabschiedet sich mit guten Wünschen für Chance, der bald darauf den Besuch der Anwälte Thomas Franklin (Dave Clennon) und Sally Hayes (Fran Bill) erhält. Sie sind mit der Regelung des Nachlasses beauftragt, in dem sie den Gärtner Chance als Bewohner des Hauses nirgendwo aufgelistet finden. Er erzählt ihnen, daß er von Kindesbeinen an dort gelebt hat, keinen Führerschein besitzt, keinen Arzt oder Zahnarzt hat und die Villa nie verlassen hat. Das Anwalts-Paar braucht einen Beweis seiner Existenz. »Sie haben doch mich, ich bin hier«, sagt Chance ihnen mit einem Lächeln.

Am nächsten Mittag befolgt Chance die Anordnung der Anwälte und verläßt das Haus. Mit einem Koffer und einem Regenschirm geht er durch das Ghetto von Washington, D. C. Eine Gang junger Farbiger bedroht ihn mit einem Messer. Chance greift in die Manteltasche und zieht seine TV-Fernbedienung heraus. Er hält sie den jungen Männern entgegen und drückt auf die Tasten. Aber die vor ihm stehenden Menschen sind kein Fernsehbild und lassen sich nicht ausknipsen. Chance geht weiter, spaziert geruhsam inmitten der ihn umbrausenden Autos auf dem Mittelstreifen der breiten Pennsylvania Avenue, das berühmte Capitol am Horizont. Vor einem Geschäft mit Fernsehapparaten bleibt er fasziniert stehen, vor allem, weil er auf einem großen Bildschirm sich selber sieht. Wieder versucht er, mit der Fernbedienung auf ein anderes Programm zu schalten und tritt dabei so weit zurück, daß er zwischen zwei parkenden Autos zu stehen kommt. In dem Moment fährt einer der Wagen an, setzt zurück und klemmt Chances Bein ein. Der Chauffeur und ein weiterer Fahrgast bemühen sich um ihn. Eine Dame steigt aus dem Fond und bittet ihn einzusteigen, man werde ihn in ein Krankenhaus fahren.

Die Dame ist Eve Rand (Shirley MacLaine), die Besitzerin der Luxuslimousine und Gattin des politisch einflußreichen Wirtschafts-Tycoons Benjamin Rand (Melvyn Douglas). Sie bietet Chance einen Cognac an, an dem er sich gerade in dem Augenblick verschluckt, als Eve ihn nach seinem Namen fragt. So versteht sie, weil er auch noch seinen Beruf hinzufügt, er heiße Chauncey Gardiner. Dieser Name bleibt ihm. Chauncey, der in den ersten Minuten der Autofahrt noch erstaunt gesagt hat, daß alles so aussehe wie im Fernsehen, daß man nur weiter schauen könne, ist glücklich, als Eve auf seinen Wunsch das TV-Gerät im Auto einschaltet. Und er nimmt erfreut die Einladung in ihr Heim an. Eve erklärt ihm, daß ihr schwerkranker Mann zu Hause immer von Ärzten und Schwestern umsorgt wäre, die sich sicherlich auch um ihn kümmern könnten. Das sei schließlich nicht so anonym wie im Krankenhaus.

In der Villa der Rands angekommen, wird Chauncey von Dr. Robert Allenby (Richard Dysart) untersucht. Der schlägt ihm vor, so lange dort zu bleiben, bis sein Bein ausgeheilt sei. Als Chauncey hört, daß zu dem Rand-Besitz auch Gärten gehören, willigt er ein. Der todkranke Benjamin Rand ist von Chаunceys

*Industriellen-Gattin macht Gärtner munter: Peter Sellers und Shirley MacLaine in ›Willkommen Mr. Chance‹*

zufällig geäußerten Bemerkungen über den Garten und das Wachstum der Pflanzen fasziniert. Er hält sie für eine kluge, treffende Umschreibung der wirtschaftlichen Situation der Nation. Die Mißverständnisse gehen weiter, und Rand ist bald davon überzeugt, in Chauncey einen brillanten Geschäftsmann entdeckt zu haben, der in seinen Bemühungen gescheitert ist – wenn er zum Beispiel erzählt: »Mein Haus wurde von den Anwälten geschlossen und geräumt.« Seine Sanftheit und Abgeklärtheit deutet Rand als große Weisheit und stellt Chauncey bald darauf dem US-Präsidenten Bobby (Jack Warden) vor. In der Bibliothek der Rand-Villa sprechen sie über die bevorstehende Rede des Präsidenten zur wirtschaftlichen Lage. Nach seiner Meinung befragt, läßt Chauncey ein paar Sprüche aus seiner Gartenerfahrung vom Stapel, wie zum Beispiel: »Erst kommen Frühling und Sommer, und dann folgen Herbst und Winter.« Rand und Präsident Bobby interpretieren dies als erfrischend optimistische Einschätzung der Konjunktur. Und der Präsident zitiert Chauncey im Fernsehen, der damit zu einer plötzlichen Berühmtheit wird. Der Verleger der Washington Post möchte, daß Chauncey seine erstaunlichen politischen Einsichten zur Veröffentlichung niederschreibt. Chaunceys Erklärung, daß er gar nicht schreiben könne, mißversteht er und bietet ihm den besten Ghostwriter an. In einer TV-Talk-Show tritt Chauncey auf und verkündet seine Garten-Texte wie ein neuer Guru.

Nicht nur der sterbenskranke Rand empfindet mehr und mehr Bewunderung für Chauncey. Auch seine Frau Eve entwickelt ein deutlich wachsendes Interesse an dem stillen, freundlichen Gärtner. Seine Zurückhaltung reizt sie, die von ihrem siechen Gatten erotisch nichts mehr erwarten kann, natürlich besonders. Ein erster heftiger Annäherungsversuch ihrerseits bleibt von dem auf diesem Gebiet völlig unwissenden Chauncey reaktionslos unerwidert. Eve deutet dieses Verhalten als moralische Standfestigkeit und bedankt sich dafür bei Chauncey. Aber sie bittet ihn, sie zu einer Party zu Ehren des sowjetischen Botschafters Vladimir Skrapinov (Richard Basehart) zu begleiten. Auch hier gelingt es dem arglosen Chauncey, die Washingtoner High Society eben ganz ohne Arg zu überzeugen, daß er ein gebildeter, gelehrter Mann ist. Als sie nach der Party wieder zu Hause sind, trennt Eve sich nur schweren Herzens mit einem

Gute-Nacht-Kuß von Chauncey. Und kurz darauf stürzt sie in sein Zimmer, wo er gerade im Fernsehen eine leidenschaftliche Liebesszene sieht. Eve wirft sich in seine Arme und küßt ihn. Chauncey scheint ihre Leidenschaft zu erwidern, macht jedoch in Wahrheit nur das, was er auf dem Bildschirm sieht, auf den er inmitten aller Aktion immer wieder einen Blick zu werfen schafft. Als die TV-Erotik vorüber ist, löst auch er sich aus Eves Umarmung. Verstört über sein plötzliches Nachlassen, bemerkt sie unter Tränen, daß sie ja leider nicht weiß, was er gern hat. »Ich sitze am liebsten und gucke«, ist die lakonische Antwort von Chauncey. Natürlich bezieht Eve das auf die Sexualität und treibt es daraufhin allein vor Chauncey auf dem Bärenfell. Sie bemerkt nicht, daß der wunderliche Gärtner sich längst wieder dem TV-Programm zugewendet hat, wo jetzt eine Gymnastik-sendung läuft, die ihn zu einem Kopfstand auf dem Bett und ähnlichen Verrenkungen treibt.

Während Eve am nächsten Morgen Chauncey erklärt, welche neuen, unbekannten Gefühle sie durch ihn entdeckt habe, geht es mit Benjamin Rand zu Ende. Er läßt Chauncey zu sich rufen und bittet ihn, bei Eve zu bleiben und auf sie aufzupassen. »Sie hat Sie sehr gern. Beschützen Sie meine Eve. Sie ist eine sehr zarte Blume«, sagt er. »Eine Blume, ja, Ben«, bestätigt der Gärtner leise. Und Rand kann noch mit seinen letzten Atemzü-gen mitteilen, daß er mit seinen Teilhabern über Chauncey ge-sprochen habe. Und tatsächlich diskutieren die schon bei Rands Beerdigung, während sie seinen Sarg tragen und während der Präsident die Grabrede hält, über den nächsten Präsident-schafts-Kandidaten. Und sie sind sich einig, daß Chauncey Gar-diner der Beste ist. Währenddessen verläßt Chance die Trauer-gesellschaft und spaziert zu dem nahegelegenen See. An dessen Ufer rückt er einen jungen Baumschößling zurecht und schreitet dann mit traumwandlerischer Sicherheit, aber doch auch zu sei-nem eigenen Erstaunen, über das Wasser.

»Ein boshaft genauer Film« ist *Willkommen, Mr. Chance* für Hellmuth Karasek im »Spiegel«. Ein Film, »der politisches Im-poniergehabe und wichtigtuerischen Smalltalk wirksam mit der Weltentrücktheit eines durch die Medien narkotisierten Bür-gers konfrontiert«. In der Tat sind wohl noch nie zuvor die Aus-wirkungen des Fernseh-Terrors so konsequent zuendegedacht und so kongenial und raffiniert in Filmbilder umgesetzt worden, die auch gleich noch ganz deutlich den Unterschied zwischen den beiden Medien mitliefern. Hal Ashby mobilisiert mit seinem Film Gedanken und Gefühle gegen das Fernsehen, das nichts in Bewegung setzt und nur den starren Blick des Konsumenten bedient. Fernsehen macht nicht nur Präsidenten, sondern, als Folge der Glotzomanie, auch andere geistige und seelische Krüppel.

Shirley MacLaine spielt hier zum erstenmal eine Rolle, die ihr die mehr oder weniger type-cast-geprägten Hollywood-Gepflogenheiten bislang versagt hatten. Eine in mehrerer Hinsicht frustrierte Millionärs-Gattin, aber von menschlichem, charakterlichem Format, das eine psycho-logische Entwicklung der Figur zuläßt: Shirley MacLaine spielt sie mit äußerst genauen, subtilen darstellerischen Mitteln und einer persönlichen Würde, mit der sie auch die prekärsten Momente nie aus der Façon dieses wunderbar doppeldeutigen Schwebezustands bringt, der sich durch den ganzen Film zieht. *Willkommen, Mr. Chance* ist Shirleys 30. Film und ihre außergewöhnlichste, wenn nicht sogar beste, schauspielerische Leistung. Eine »Oscar«-Nominierung aber gab es diesmal nicht für sie. Die Hollywood-Academy gestand dem Film ohnehin nur zwei Nominierungen zu, für Peter Sellers und Melvin Douglas, der den »Oscar« dann auch erhielt. Der böse, anarchische Geist der Satire war 1979 nicht gefragt – es war das Jahr des Scheidungs-Melodrams *Kramer gegen Kramer*.

Und gefragt war auch Shirley MacLaine nicht mehr für so komplizierte, anspruchsvolle Rollen. Man besetzte ihren Typ wieder, wie gewohnt, auf Nummer sicher – und sie ließ sich so besetzen. Ein Jahr nach *Willkommen, Mr. Chance* spielte sie in der zähen Komödie *Loving Couples (Ein Walzer vor dem Frühstück, 1980)* eine muntere, verheiratete Ärztin mit jugendlichem Liebhaber. Inszeniert wurde diese Überflüssigkeit, die deutsch auch nur auf Video herauskam, von dem Routinier Jack Smight.

Dr. Evelyn Lucas Kirby (Shirley MacLaine) verwirrt hoch zu Roß bei einem ihrer regelmäßigen Ausritte einen jungen Autofahrer dermaßen, daß er einen Unfall baut. Evelyn leistet erste Hilfe und schafft den smarten Jungen in das Krankenhaus, in dem sie arbeitet. Gregg (Stephen Collins), der in der Immobilienbranche arbeitet, kann schon am nächsten Tag entlassen werden. Er besteht darauf, Evelyn wiederzusehen, ruft sie an, lädt sie zum Essen ein. Evelyn wimmelt ihn ab. Sie ist schließlich verheiratet, wenn sie sich auch gerade mal wieder über ihren Mann Walter Kirby (James Coburn), ebenfalls Arzt, geärgert hat. Er fährt zu einem Kongreß, obwohl er ihr zum selben Termin einen langersehnten Wochenendurlaub versprochen hat. Walter widmet seinem Beruf viel mehr Zeit als seinem Privatleben. Also beschließt Evelyn, Greggs Einladung anzunehmen, zumal er sie beim Ausritt mit einem Picknick überrascht.

Völlig überrascht ist Walter, als er den Besuch einer jungen Dame erhält, die sich noch bei der Vorzimmerdame als Patientin ausgab, ihm selbst jedoch mit höchst privaten Problemen kommt. Stephanie (Susan Sarandon) erzählt Walter, daß seine Frau ihn mit ihrem Freund betrügt. Walter will das zuerst nicht glauben, läßt sich aber dann doch zu einem Beobachtungstrip mit Stephanie überreden. Mit dem Fernrohr erkennt Walter eindeutig Evelyn und Gregg in schöner Zweisamkeit am Strand. Darauf nimmt er mit Stephanie einen Drink und ein Hotelzimmer. Wieder im ehelichen Zuhause, erklärt Evelyn ihrem Walter, daß sie nach Palm Springs fahren will, um dort einen Artikel zu schreiben. Walter ruft am anderen Tag Stephanie an, die beim Fernsehen arbeitet und dort den Wetterbericht ansagt. Stephanie erzählt ihm, daß auch Gregg allein auf Geschäftsreise gehen will. Daraufhin beschließen Walter und Stephanie, ebenfalls übers Wochenende gemeinsam zu verreisen. Es kommt, wie es kommen muß – das Quartett trifft sich überraschenderweise, ausgerechnet unter Wasser nach dem Sprung in einen Swimmingpool. Ein verklemmter Drink zu viert – und die Paare, so wie sie ursprünglich geplant waren, fahren wieder nach Hause. Stephanie besteht auf Trennung, und Gregg verläßt mit gepackten Koffern die gemeinsame Wohnung. Evelyn will von Walter die Scheidung, der daraufhin in ein Hotel zieht. Am nächsten Tag holt er Stephanie vom Fernsehen ab und landet mit ihr in ihrer Wohnung – während Gregg mit seinen Koffern bei Evelyn einzieht. Die Seitensprung-Beziehungen laufen eine Weile glänzend, wenn auch Gregg einmal von einer Wohnungs-Kundin verführt wird. Bei einem Wohltätigkeits-Fest treffen die vier wieder aufeinander und flirten nostalgisch heftig über Kreuz. Und danach kommen die beiden Damen, unabhängig voneinander, aber zeitgleich, zu der Erkenntnis, daß die jeweilige Affäre ihr Ende gefunden hat. Und die beiden Männer, ebenfalls unabhängig voneinander, ebenfalls zeitgleich, schauen ganz schön dumm aus der Wäsche bei den weiblichen Erklärungen. Gregg und Walter treffen sich zufällig im Hotel und sprechen sich bei mehreren Drinks gehörig aus. Wobei der junge dem älteren einen Tip gibt – es doch mal mit etwas Außergewöhnlichem vor dem Frühstück zu versuchen, einem Walzer vielleicht, denn Evelyn tanzt doch so gern. In der Schlußsequenz des Films sieht man zwar nicht den – mit Sicherheit von der deutschen Synchronisation erfundenen – Walzer, aber dennoch etwas Ungewöhnliches. Walter reitet auf der belebten Fahrbahn neben Evelyn, die sich am Steuer ihres Autos vor Lachen ausschüttet angesichts ihres verrückten Ehemannes, der ihr hoch zu Roß eine Liebeserklärung entgegenschmettert.

Wie sich die Stories gleichen! Und sogar die routinierten, konventionellen Komödien-Qualitäten! Schon ein Jahr nach dem *Walzer* macht Shirley wieder einen Film, der von den Seitensprüngen eines Ehepaares handelt: *A Change of Seasons* (*Jahreszeiten einer Ehe*, 1981). Das Drehbuch schrieb *Love Story*-Autor Erich Segal. Regie führte Richard Lang – er hätte ein Lubitsch sein müssen, was er ganz und gar nicht ist, um aus einer so altbekannten Geschichte Funken zu schlagen.

In *Jahreszeiten einer Ehe* erfährt Karen Evans (Shirley MacLaine) nach 21 Jahren Ehe, daß ihr Mann, der College-Professor Adam Evans (Anthony Hopkins) eine Geliebte hat. Lindsay Rutledge (Bo Derek) ist eine seiner Studentinnen. Sie begleitet ihn zu einem sogenannten Seminar nach Kanada, was er nun, da seine Frau von der Affäre weiß, auch nicht verheimlicht.

Zu seiner Überraschung findet er bei seiner Rückkehr in seiner Wohnung einen jungen Mann vor, der sich dort schon ganz zu Hause zu fühlen scheint. Pete Lachapelle (Michael Brandon) ist Karens Geliebter. Als Adam auf Reisen war, ist Karen diese naheliegende Methode der Revanche eingefallen, und sie findet großen Spaß daran. Adams Empörung weist sie kühl zurück – schließlich ist sie ja nur seinem Beispiel gefolgt. Die beiden Eheleute beschließen vernünftigerweise eine Art friedlicher Koexistenz, bis sie sich über ihre Gefühle klar geworden sind. In ihrer Hütte in Vermont wollte Adam ohnehin mit Lindsay zwei Wochen Ski-Urlaub machen. Karen findet die Idee hervorragend und schließt sich mit Pete an. Der Familienurlaub zu viert läuft

*Shirley MacLaine und Michael Brandon in ›Jahreszeiten einer Ehe‹*

nach kurzer Eingewöhnungszeit problemlos. Doch eines Nachts taucht unerwartet Kasey (Mary Beth Hurt) auf, Karens und Adams Tochter. Ihr Freund hat sie verlassen, und sie braucht elterlichen Zuspruch. Sie schleicht sich, um niemanden zu wekken, in ihr Zimmer. Doch dort entdeckt sie Lindsay im Bett, zusammen mit ihrem leicht verlegenen Vater. Kasey ist schokkiert, daß auch noch ihre Mutter im selben Haus schläft. Es entsteht ein heftiger Wortwechsel, bei dem plötzlich Karen in der Tür steht und hinter ihr Pete.

Das ist zuviel für Lindsay. Sie nimmt ihre Sachen und rast mit ihrem Porsche davon. Adam folgt ihr und findet sie schließlich in Boston bei ihrem Vater, dem Millionär Steven Rutledge (Ed Winter). Der gerät außer sich, als er erfährt, daß der Professor seiner Tochter auch gleichzeitig ihr Geliebter ist. Aber Lindsay erinnert ihn an bestimmte Dinge aus seiner eigenen Vergangenheit, und Steven beruhigt sich wieder. Schließlich fährt er mit den beiden sogar zurück nach Vermont, um selbst ein paar Tage auszuspannen.

Doch dort in der Evans-Hütte sind jetzt neue Überraschungen angesagt. Kaseys Freund Paul (Paul Regina) taucht plötzlich auf. Er ist total verwirrt angesichts des merkwürdigen Liebeslebens dort. Kasey versucht, die komplizierte Situation zu erklären – wer wessen Mann, Frau, Vater, Mutter, Geliebter oder Tochter ist. Für Paul ist das zuviel. Er reist mit Kasey ab, um so schnell wie möglich zu heiraten. Auch Pete findet es an der Zeit, seinen Abschied zu nehmen.

Verwicklungen und Verwirrungen gibt es nun noch genug unter den Verbliebenen: Adam, Lindsay, Karen und Steven. Karen interessiert sich für den Millionär Steven, aber auch wieder für Ehemann Adam. Lindsay hat plötzlich den klaren Durchblick

*Man kommt sich näher: Shirley MacLaine und Michael Brandon in ›Jahreszeiten einer Ehe‹*

und steigt aus dem Quartett aus. Am Ende amüsiert Karen sich mit Steve im Restaurant, während Adam einsam im Schnee steht.

Wirkliche Komik findet auch in diesem Film nur selten statt. Trotzdem schafft Shirley MacLaine es mit der ihr eigenen starken Präsenz, ihrer persönlichen Nonchalance und ihrem pragmatischen Humor, aus ihrer Rolle das Beste herauszuholen. Sie ist eine Frau mit Temperament und Lust auf Freiheit, die dem Leben spielerische Augenblicke zu entlocken vermag.

Spielerisch in Höchstform bewältigt Shirley MacLaine auch ihre nächste Rolle, die ihr endlich den erhofften »Oscar« einbringt. Aurora Greenway: Mutter, Witwe, Großmutter, Geliebte – eine bürgerliche Frau, die glaubt, das Glück durch absolute Selbstkontrolle und Beherrschung ihrer Umgebung erreichen zu können. *Terms of Endearment* (*Zeit der Zärtlichkeit*, 1983) heißt der Film, den der bis dahin durch TV-Shows und Serien erprobte Regisseur James L. Brooks mit seismographisch genauem Gespür für Publikumswirkung als Rundumschlag auf Lachmuskeln und Tränendrüsen perfekt inszenierte. Er gibt nirgends vor, nach Höherem, nach Kunst oder Tiefgang zu streben. Von Anfang an läßt er keinen Zweifel darüber, daß es ihm um Entertainment geht, um zwei unterhaltsame Kinostunden, nach denen man sich ohne große Probleme seinem eigenen Alltag zuwenden kann. Der Film ist nicht ohne Witz und Ironie, nicht ohne Momente der Selbstentlarvung gewisser Züge des American Way of Life. Und er ist ein hinreißender Schauspieler-Film – mit der jungen, ungemein intensiven Debra Winger als Tochter, die sich ein Leben lang von der beherrschenden Macht der Mutter MacLaine zu lösen versucht. Mit Jack Nicholson als Ex-Astronauten und Hausnachbarn, der eine späte Affäre mit Shirley MacLaine eingeht. »So komisch-menschlich hat man eine ähnliche Beziehung lange nicht mehr im Kino gesehen«, vermerkt Filmkritiker Bodo Fründt mit Recht zu dem, wie er es sinnvoll nennt, »Duell der beiden Traumfabrik-Veteranen MacLaine und Nicholson als Liebespaar im zweiten Frühling«. Regisseur Brooks, der selbst das Drehbuch nach dem gleichnamigen Roman von Larry McMurtry schrieb, erfand übrigens die Astronauten-Figur hinzu. Mit sicherem Gespür setzte er hier einen effektvollen Akzent mit einer unglaublichen und gerade deshalb so bewegenden Romanze.

*Shirley hilft dem Betrunkenen Jack Nicholson*

*Zeit der Zärtlichkeit* ist die Geschichte einer Mutter-Tochter-Beziehung, die sich über den Zeitraum von drei Jahrzehnten erstreckt. Symptomatisch für den Kern der Geschichte ist bereits die kurze Anfangssequenz. Die junge Aurora Greenway (Shirley MacLaine) kneift in hysterischer Sorge ihr wenige Wochen altes Baby, das ihr zu ruhig zu schlafen scheint. Erst als die kleine Tochter zu schreien anfängt, ist Aurora beruhigt. Werden sich die Positionen verändern? Wird die Tochter Emma sich den Kniffen der besorgten Mutter eines Tages entziehen können?
Aurora Greenways Mann stirbt, als die Tochter Emma acht Jahre alt ist. Und wieder wird sie von der besorgten Mutter nachts geweckt, die sich dann zu ihr ins Bett legt. Und auch noch als College-Studentin erhält Emma (Debra Winger) von Mutter Aurora die Anweisung, um 23 Uhr zu Hause zu sein. Selbst am Vorabend ihrer Hochzeit muß Emma sich von Aurora noch einmal sagen lassen, daß sie mit ihrem phantasielosen Durch-

*... und spendet Trost ihrer Tochter Debra Winger in ›Zeit der Zärtlichkeit‹*

schnittsmann nicht glücklich werden kann. Aber Emma heiratet ihren Flap Horton (Jeff Daniels), der sie endlich aus dem mütterlichen Würgegriff herausholt.

Emma und Flap ziehen in ein bescheidenes kleines Häuschen und werden zu allen möglichen und unmöglichen Zeiten mit Telefonanrufen von Aurora traktiert. Gelegentlich sind sie auch bei ihr zu Hause zum Essen. Als Emma bei einer solchen Gelegenheit erzählt, daß sie schwanger ist, erleidet Aurora angesichts der Tatsache, Großmutter zu werden, einen hysterischen Anfall. Sie rennt vor die Tür und beobachtet, wie ihr Nachbar, der ehemalige Astronaut Garrett Breedlove (Jack Nicholson), völlig betrunken im Auto von zwei jungen Mädchen heimgebracht wird, die seine plumpen Annäherungsversuche souverän abblitzen lassen.

Ein paar Jahre später erhält Flap einen Lehrauftrag einer Hochschule in Des Moines. Also heißt es umziehen aus dem heimischen Houston. Der Abschied mit Kind und Kegel im vollbepackten Auto fällt Emma ebenso schwer wie Aurora. Emma ist bereits zum zweitenmal schwanger und liebt ihre Mutter, deren oft unerträglichen Auswüchsen von Besitzanspruch zum Trotz. Nach der herzzerreißenden Abschiedsszene kommt Aurora ins Gespräch mit Nachbar Garrett. Er lädt sie zum Essen ein, doch sie findet das in ihrem Alter eher unschicklich und lehnt ab.

Inzwischen geht Emmas Familienleben in Des Moines nicht gerade rosig weiter. Das zweite Kind, wieder ein Sohn, ist da und das dritte unterwegs. Das Geld, das Flap verdient, reicht nicht. Telefonisch bittet sie Aurora um Unterstützung, die allerdings nichts anderes zu tun hat, als ihr triumphierend mitzuteilen, sie hätte ja schon immer gesagt, daß Flap sie in den Ruin führen würde. Und auf keinen Fall solle sie dieses dritte Kind bekommen, schließlich würden andere Frauen ja auch abtreiben. Emma ist enttäuscht und wütend, zumal sie spürt, daß Aurora nicht unrecht hat. Inzwischen nämlich verbringt Flap auch schon mal eine Nacht außer Haus. Bei dem ewigen Streit ums Geld schreit er sie an, sie solle sich einen Job suchen. Inzwischen ist das dritte Kind, eine Tochter, da. Als das Geld für den Einkauf im Supermarkt nicht reicht, hilft der Bankangestellte Sam Burns (John Lithgow) der verzweifelten Emma aus.

Aurora, die wieder mal ihre Freunde zu Hause bei sich zum Essen versammelt hat, verfällt in einen Wutanfall, als die Sprache auf ihr Alter kommt. Kurz entschlossen klingelt sie an Garretts Tür und fragt ihn, ob die vor Jahren ausgesprochene Einladung zum Mittagessen noch gilt. Völlig überrascht sagt Garrett zu. Beide fahren am nächsten Tag in Garretts Sportkabrio los. Aurora hat sich aufgeputzt und frisch kunstvoll frisiert. Da Garrett aber das Dach seines Autos zu Hause in der Garage gelassen hat, kommt sie mit einer Frisur wie ein zerrupftes Huhn im Restaurant an. Dort schlägt Garrett ihr vor, erstmal richtig zu trinken, damit sie ihr dämliches Getue läßt. Aurora bestellt sich Bourbon – und auf der Heimfahrt nach dem denkwürdigen Rendezvous landen die beiden erst mit ihrem Auto im offenen Meer und dann in einer ersten leidenschaftlichen Umarmung. Dabei verrenkt sich Garrett die wollüstige Hand in Auroras Dekolleté. Zu Hause angekommen, beschimpft Aurora den betrunkenen Garrett wegen seiner beleidigenden Äußerungen, während er ihr lallend gesteht, daß sie irgendwie den Teufel in ihm wecke.

In Des Moines hat Emma sich erneut mit dem netten Bankange-
stellten Sam getroffen. Er erzählt ihr von den Schwierigkeiten
seiner Ehe mit seiner bandscheibengeschädigten Frau. Emma
besteht darauf, mit Sam zu schlafen. Und sie empfiehlt auch Aurora bei deren nächstem Anruf, dasselbe mit Garrett zu tun. Die
ist zutiefst empört über das freizügige Gerede der Tochter, die
natürlich den Kern der Sache getroffen hat. Doch nach dem
Ferngespräch wählt Aurora die Nummer Garretts und lädt ihn
ein, sich ihren Renoir anzusehen. Garrett nennt die Dinge sofort beim Namen, sie lade ihn doch in Wahrheit ins Bett ein.
Und Aurora antwortet wahrheitsgemäß, daß der Renoir im
Schlafzimmer hängt. Garrett kommt, sieht sich den Renoir an
und lauscht Auroras Hinweis auf ihren Großmutter-Status, nur
um dann in fröhlicher Gelassenheit sein stattliches Embonpoint
freizulegen. So beginnt eine neue, in ihrer Mischung aus abge-
klärter Ironie und durchaus noch vorhandener erotischer Leidenschaft ungewöhnliche nachbarliche Beziehung.
Emma freut sich über diese Affäre ihrer Mutter und erzählt ihr,
daß auch sie mit Sam sehr glücklich ist. Sie hat sich so an ihn gewöhnt, daß es ihr schwerfällt, Des Moines zu verlassen. Flap
nämlich hat einen Abteilungsleiterjob in Nebraska angeboten
bekommen.
Bevor er diesen antritt, kommt es jedoch noch zu einer großen
Auseinandersetzung. Emma hat Flap beim Flirt mit einer Studentin überrascht und fährt daraufhin Hals über Kopf mit den
drei Kindern nach Houston. Endlich können Mutter und Tochter wieder direkt miteinander reden, und das tun sie ausgiebig,
vor allem über ihre jeweiligen Affären. Aurora findet für ihre
Beziehung zu Garrett fast poetische Worte, wenn sie sagt, er sei
wie ein Strudel, der sie verschlingt. Nach ein paar Tagen der
Entspannung fährt Emma mit den Kindern wieder nach Des
Moines zurück, wo Flap bereits alles für den Umzug nach Nebraska vorbereitet hat. Und während Emma sich von Sam verabschiedet, beendet auch im fernen Houston Garrett das Verhältnis mit Aurora. Allerdings fühlt er sich dabei, wie er sagt,
beschissen, während Aurora sich schlicht gedemütigt sieht.
In Nebraska wendet sich das Schicksal. Nicht, weil Emma dort
dieselbe Studentin wiedertrifft, mit der Flap in Des Moines ge-
flirtet hat. Vielmehr macht der Arzt, bei dem sie sich und ihre
kleine Tochter gegen Grippe impfen läßt, eine schwerwiegende

Entdeckung. In der Achselhöhle fühlt er bei Emma zwei feste Knoten. Die Untersuchung ergibt, daß sie bösartig sind. Aurora reist an und erfährt von dem Arzt, daß eine Heilung nicht möglich ist. Emma wird von ihrer Freundin Patsy Clark (Lisa Hart Carroll) für ein paar Tage nach New York eingeladen, bevor sie endgültig ins Krankenhaus muß. Dort schlagen schon bald die Medikamente nicht mehr bei ihr an. Der Arzt verordnet stärkere Mittel und erklärt Emma, daß sie dadurch vielleicht oft nicht ansprechbar wäre, deshalb also bestimmte Dinge bereits jetzt regeln solle. Emma versteht genau, was er meint. Aurora, die den Platz an Emmas Krankenbett nicht mehr verläßt, dreht durch, wenn die Schwestern nicht rechtzeitig mit der Spritze kommen, um Emmas Schmerzen zu lindern. Und eines Tages taucht Garrett dort auf. Aurora ist tief berührt von seiner Anteilnahme. Sie bringt ihn bei seiner Abreise zum Flugplatz. »Ich liebe dich«, sagt sie. Und er erwidert mit schönstem Bogey-Touch: »Ich liebe dich auch, Kleines.« Für einen Moment vergißt Aurora, weshalb sie in Nebraska ist, als sie Emma aufgeregt wie eh und je von der Liebeserklärung erzählt. Erschrocken findet sie in die furchtbare Wirklichkeit zurück, als ihre todkranke Tochter abrupt erklärt, daß sie davon nichts wissen will.

Kurz darauf erscheint auch Flap im Krankenhaus, in dessen Kantine Aurora mit ihm eine Auseinandersetzung über den Verbleib der drei Kinder hat. Sie will sie unbedingt zu sich nehmen, weil er arbeitet und außerdem immer Verhältnisse habe. Flap streitet ihr das Recht ab, darüber zu bestimmen, wie und wo seine Kinder aufwachsen. Doch schon kurz darauf am Krankenbett von Emma einigt er sich mit ihr darauf, daß es das beste sei, wenn die Kinder zu Aurora kommen. Emma nimmt ihre ganze Kraft zusammen und verabschiedet sich von ihren Söhnen. Und Aurora wächst über sich selbst hinaus, als sie anschließend den Kindern erklärt, daß ihr Vater okay ist. Aurora und Flap weichen nicht mehr von Emmas Bett. Als Flap vor Ermüdung im Sessel eingeschlafen ist, treffen sich die Blicke von Emma und Aurora ein letztes Mal. Die hereinkommende Schwester stellt Emmas Tod fest.

Nach der Beerdigung sitzen alle ein bißchen verloren im Garten von Auroras Haus zusammen. Garrett ist auch dabei, und er kümmert sich rührend um die Kinder.

Große Gefühle, wie das Leben so spielt im Kino. Die *Zeit der*

*Oscar-Jubel 1983: »Bester Film« (James L. Brooks), »Beste Hauptdar-
stellerin« (Shirley MacLaine) und »Bester Nebendarsteller« (Jack Nicholson) für ›Zeit der Zärtlichkeit‹*

*Zärtlichkeit,* wo sich Herz sowohl auf Scherz als auch auf
Schmerz reimt, ist nun endlich auch für Shirley MacLaine angesagt. Es ist wirklich eine zärtliche Geste, für die sich die Academy of Motion Picture Arts and Sciences nun im Frühjahr 1984
entscheidet. Der »Oscar« für die beste Hauptdarstellerin geht
an Shirleys unnachahmliche Aurora Greenway. Zum sechsten-
mal ist sie nominiert, und zum erstenmal kann sie als Preisträge-
rin auf die Bühne gehen. Und dort vor dem Mikrophon dankt
sie nicht etwa Vater, Mutter, Bruder oder Hollywood, sondern
sie sagt einfach, wie es ist: »Den habe ich verdient!« Viel früher
schon, für so manche andere Rolle, hätte ihr der Academy
Award zugestanden. Auch das meint sie sicher mit ihren kurzen, erfrischend selbstbewußten Worten.

Insgesamt fünf »Oscars« gingen an *Zeit der Zärtlichkeit*. Jack Nicholson erhielt – nach der Hauptrolle in *Einer flog über das Kuckucksnest* – seinen zweiten, diesmal für die beste Nebenrolle. Produzent, Regisseur und Drehbuchautor James L. Brooks bekam drei »Oscars« – für den besten Film, die beste Regie und das beste Drehbuch nach einer Romanvorlage. Für sechs weitere »Oscars« war *Zeit der Zärtlichkeit* nominiert. Für die junge, wirklich ausgezeichnete Debra Winger als Emma war die Nominierung – ebenfalls als Hauptdarstellerin – besonders haarig, neben Shirley MacLaine. Aber das ist schließlich Star-Risiko in Hollywood.

Für Shirley MacLaine, die für ihre Aurora Greenway auch noch einen Golden Globe erhielt, war der »Oscar« wie ein Geburtstagsgeschenk. Am 24. April 1984, wenige Wochen nach der Verleihung, wurde sie 50 Jahre alt. Und in diesem Alter machte es ihr besonderen Spaß, wieder einmal mit den Freunden des alten »Rat Pack« zu drehen, mit Dean Martin, Frank Sinatra und Sammy Davis jr. Und daß der Film der schiere Klamauk war, tat der Wiedersehensfreude keinen Abbruch.

*Cannonball Run II* (*Auf dem Highway ist wieder die Hölle los,* 1984) wurde, wie schon sein Vorgänger, von dem ehemaligen Stuntman Hal Needham inszeniert. Diesmal will ein arabischer Scheich (Jamie Farr) den Ruhmestaten seiner Familie eine weitere hinzufügen. Sein Sohn soll den Sieg im berühmtesten Rennen der USA von Küste zu Küste und ohne jegliche Regeln oder Beschränkungen erringen. Damit das Cannonball-Rennen überhaupt stattfinden kann, setzt der Scheich eine Million Dollar als Siegerprämie aus. Das lockt nicht nur die Teilnehmer, sondern auch die Mafiosi-Familie Cannelloni. Zu den Teilnehmern gehören der wohlbekannte J. J. McClure (Burt Reynolds) mit seinem Partner Victor (Dom DeLuise, der außerdem noch in der Rolle des »Paten« Don Cannelloni zu sehen ist), die zwei Nonnen Schwester Veronica (Shirley MacLaine) und Schwester Betty (Marilu Henner), die in Wahrheit mittellose Tänzerinnen sind, Blake (Dean Martin), ein intimer Freund des Alkohols, und Fenderbaum (Sammy Davis jr.), die beide in Polizeiuniformen fahren, Jackie (Jackie Chan) und Arnold (Richard Kiel). Außerdem sind da noch Terry (Tony Danza) und Mel (Mel Tillis), die sich in ihrem Cadillac von einem Affen chauffieren lassen, und die langbeinigen Busenköniginnen Jill (Susan Anton)

und Marcie (Catherine Bach), die vor Kurven nicht zurück-
schrecken. Bei den Mafiosi sieht es ziemlich desolat aus, weil
Don Cannellonis Sohn Don Don (Charles Nelson Reilly) in Las
Vegas zutiefst im Schlamassel steckt und von dem Gangster Hy-
mie (Telly Savalas) mit seiner kahlköpfigen Gang bedroht wird.
Der »Pate« beauftragt drei Galgenvögel, Geld zu beschaffen

*Marilu Henner und Shirley MacLaine in ›Highway II‹*

und seinen Sohn aus dem Schlamassel zu ziehen. Da trifft es sich glänzend, daß der Scheich auch an dem Rennen teilnimmt und die Millionen Dollar nebst Leibarzt (Jack Elam) und Sklaven im Rolls-Royce mit sich führt. Die drei Galgenvögel schaffen es tatsächlich, den Scheich zu entführen, und zwar direkt auf Don Dons Ranch. Und dorthin bewegt sich nun, natürlich des Geldes wegen, das wilde Rennen. Und gäbe es nicht Frank Sinatra (Frank Sinatra), hätte diese zweite Cannonball-Hölle nie ein Ende gefunden.

Sicherlich kein Ende, aber doch erstmal eine Pause hat Shirley MacLaines Filmaktivität danach erfahren. Aber bei ihr heißt das, wie man weiß, nicht, daß sie die Hände in den Schoß legt. Kurz nach ihrem 50. Geburtstag feierte sie ein großes Show-Comeback am Broadway. Ihr TV-Special *Illusions* aus dem Jahre 1982 mit Gregory Hines war auch bei uns im Fernsehen zu sehen. Ein Jahr danach gab es auch eine entscheidende Veränderung in Shirleys Privatleben – sie ließ sich nach 29 Ehejahren von Steve Parker scheiden. Sie tat dies ganz unspektakulär, so wie sie sich immer daran gehalten hatte, ihr Privatleben nicht in der Öffentlichkeit ausschlachten zu lassen.

Andererseits gingen die Spekulationen über ihr Privatleben natürlich weiter. Vor allem, als 1984 ihr drittes autobiographisches Buch »Out on a Limb« (deutsch: »Zwischenleben«) erschien, erhitzten sich die Gemüter wieder einmal. Shirley beschreibt darin nicht nur erstmals ihre Erfahrungen aus den Grenzbereichen menschlichen Wissens, mit den Phänomenen der Reinkarnation, sondern sie berichtet auch in aller Öffentlichkeit über ihre heimliche Liebesaffäre mit einem bekannten englischen Politiker, dessen Identität freilich nie gelüftet wurde. Das Buch liest sich wie bereits ihre ersten beiden Bücher äußerst spannend, selbst für jemanden, der nicht unbedingt auf Shirleys okkultem Trip ist. Sie überzeugt in ihrer klug subjektiven Art, nach dem Sinn ihres Lebens zu forschen. Und die Erfahrungen, die sie bei einem Trance-Medium in Schweden und einer Peru-Reise mit einem jungen Freund beschreibt, sind oft verblüffend. So auch die Umstände, wie sie vom Tod Peter Sellers' erfuhr. Ihm fühlte sie sich verwandt, er fand in ihr eine empfindsame Zuhörerin, als er ihr bei den gemeinsamen Dreharbeiten zu *Willkommen, Mr. Chance* haarklein von seinem »Tod« erzählte. Auch sie hatte gelesen, daß man ihn einmal durch Herzmas-

*Starensemble mit Dame: Burt Reynolds, Dean Martin, Shirley MacLaine,*
*Sammy Davis Jr. und Frank Sinatra in ›Highway II‹*

sagen wieder ins Leben zurückgebracht hatte. Nun aber erklärte
er ihr, was er dabei gefühlt und gesehen hatte. Er war auch fest
davon überzeugt, daß er die Rollen, die er spielte, in einem früheren Dasein bereits wirklich gelebt hatte. Sie war tief beeindruckt. Etwa eineinhalb Jahre nach den Dreharbeiten saß sie
mit Freunden zu Hause. Sie wußte nicht, daß Sellers wieder
einen Herzanfall gehabt hatte. Mitten in einer angeregten Unterhaltung sprang sie plötzlich auf und sagte, sie sei sicher, daß
irgend etwas mit Peter Sellers geschehen sei. Erschrocken ver-
stummten ihre Freunde. In dem Moment klingelte das Telefon,
und ein Reporter wollte von Shirley eine Stellungnahme zum
Tod von Peter Sellers, der gerade gestorben war.
Shirley MacLaines Beschäftigung mit dem Übersinnlichen, mit

den Geheimnissen des Lebens, geht weiter. In ihrem 1985 erschienenen vierten Buch »Dancing in the Light«, das in Amerika schlagartig zum Bestseller wurde, gibt sie sich gar nicht mehr mit der Frage ab, ob sie früher gelebt habe oder ob sie wieder leben werde. »Ich frage jetzt, wie und warum«, schreibt sie. Die Antworten erfährt sie – nach einer leidenschaftlichen Liebesaffäre mit einem jungen russischen Filmemacher – bei einer Akupunktur-Spezialistin in Santa Fé. Mit ihren Nadeln stimuliert sie die »Zellerinnerungen« in Shirleys Körper, bei der sich daraufhin erstaunliche Visionen einstellen. Sie sieht sich im mythischen Atlantis, tollt mit einer Elefantenherde vor Tausenden von Jahren herum, trifft ihren russischen Filmemacher als buddhistischen Mönch und hält lange Zwiegespräche mit ihrem »höheren Selbst«, das sie als »fast androgynes menschliches Wesen mit tief, tief blauen Augen« beschreibt. Aber neben all diesem Unerklärbaren führt sie auch immer wieder Wissenschaftler und Philosophen als Belege für ihre Beobachtungen und Erfahrungen an. Sie zitiert die Physiker Werner Heisenberg und Niels Bohr ebenso wie Aristoteles und Descartes, dessen »cogito, ergo sum« (Ich denke, also bin ich) einer ihrer Leitsätze ist. Es scheint wahrscheinlich, daß »Dancing in the Light« nicht Shirley MacLaines letztes Buch ist, denn sie schreibt darin, es könne noch mehrere Weltalter dauern, »bis ich mein Selbst völlig verstanden und realisiert habe«. In diesem unserem Leben dürften wir also von der ewig neugierigen, wissensdurstigen Shirley noch so allerhand zu hören und zu lesen bekommen.

Aber das Filmen, wirklich schöne Rollen, sollte sie darüber nicht vergessen.

# Filmographie

## Shirley MacLaine – Ihre Filme im Spiegel der Presse

Die folgende Zusammenstellung von Pressezitaten ist so angelegt, daß zuerst eine Kritik abgedruckt ist, aus der möglichst genau der Inhalt des Films hervorgeht. Dann folgen Auszüge, die primär auf die Rolle und die schauspielerische Leistung von SHIRLEY MACLAINE eingehen. Daß auch bei simplen Filmen ihre darstellerische Leistung hervorgehoben wurde, ist nicht durch die Auswahl der Kritiken bedingt, sondern Beleg für SHIRLEY MACLAINES Fähigkeit, selbst kleine Rollen überzeugend zu gestalten. Bei der Auswahl ihrer Filme scheint sie generell ein gutes Gespür zu haben. Die meisten ihrer Filme erhielten in Deutschland von der Filmbewertungsstelle (FBW) das Prädikat »besonders wertvoll« oder »wertvoll«. Wann immer die Quellen es zuließen, haben wir Pro und Contra veröffentlicht. Die filmographischen Angaben wurden auf einem »Rainbow 100 plus« von Digital erarbeitet.

**The Trouble With Harry** (Immer Ärger mit Harry)
Produzent: Alfred Hitchcock für Paramount (USA) 1955
Regie: Alfred Hitchcock
Drehbuch: John Michael Hayes (nach dem Roman von John Trevor Story)
Kamera: Robert Burks
Schnitt: Alma Macrorie
Musik: Bernhard Herrmann, Songs: Mack David, Raymond Scott
Darsteller und ihre Rollen: Edmund Gwenn (Captain Albert Wiles), John Forsythe (Sam Marlowe), SHIRLEY MACLAINE (Jennifer Rogers), Mildred Natwick (Miss Gravely), Jerry Mathers (Tony Rogers), Mildred Dunnock (Mrs. Wiggs), Royal Dano (Alfred Wiggs), Parker Fenelly, Barry Macollum
Länge: 99 Minuten, Technicolor

Harry ist eine Leiche, eine Leiche von vornherein, und wird als solche in einem wunderschönen, gelbrot flammenden Herbstwald gefunden. Wie von einem glücklichen Menschen zum eigenen Vergnügen und mit Pastellfarben gemalt wirkt die kleine Lichtung, die Hügelkette am Horizont, die prächtige Allee – eine sonntägliche Landschaft, weitab von jeg-

*Shirley MacLaine und Jerry Mathers fürchten sich vor Sheriff Royal Dano in ›Immer Ärger mit Harry‹*

lichem Lärm. Und hier ausgerechnet passiert der Ärger mit der Leiche: von vier leicht spleenigen Leuten (Edmund Gwenn, John Forsythe, Mildred Natwick und, sehr apart, SHIRLEY MACLAINE) glauben drei, Harry umgebracht zu haben. Welch witziger Gegensatz zwischen der liebenswertesten aller Dekorationen, der friedlich-freundlichen Natur, und der komischen Gruselei des Inhalts! Harry freilich, der tote Störenfried, ist keineswegs grauslig: tadellos erhalten, wenn auch mit ziemlichem Blutgerinnsel am Kopf, liegt er da, ein fast fröhliches Requisit in einem fast fröhlichen Film …

*Süddeutsche Zeitung*

… Alfred Hitchcock hat »Immer Ärger mit Harry« zu seinen Lieblingsfilmen gezählt. Das ist vielleicht heute nicht mehr so ganz nachzuvollziehen, weil dieser Harry ein wenig zu kauzig ist, weil das Ganze wirklich sehr unmoralisch ist und weil die Witze sich deftiger anfühlen als anderswo. Aber wenn man weiß, daß Hitchcock den Film einen Tag nach

»Über den Dächern von Nizza« angefangen und ihm die Arbeit ungewöhnlich viel Spaß gemacht hatte, dann ist das vielleicht schon erklär-
lich. Unterhaltsam jedenfalls ist dieser Ulk schon – und brillant gespielt ...

*Rheinische Post*

**Artists and Models** (Maler und Mädchen/Der Agentenschreck)
Produktion: Hal Wallis für Paramount (USA) 1955
Regie: Frank Tashlin
Drehbuch: Frank Tashlin, Hal Kanter, Herbert Baker (nach der Story
»Rock-a-Bye Baby« von Michael Davidson und Norman Lessine)
Kamera: Daniel L. Fapp
Schnitt: Warren Low
Musik: Walter Scharf. Songs: Harry Warren, Jack Brooks

*Dean Martin, Jerry Lewis, Shirley MacLaine und Dorothy Malone in
›Der Agentenschreck‹*

245

Darsteller und ihre Rollen: Dean Martin (Rick Todd), Jerry Lewis (Eugene Fullstack), SHIRLEY MACLAINE (Bessie Sparrowbush), Dorothy Malone (Abigail Parker), Eddie Mayehoff, Eva Gabor, Anita Ekberg, Jack Elam, Herbert Rudley
Länge: 109 Minuten, Farbe, VistaVision

Dean Martin ist der Maler, Jerry Lewis ist – wie immer – sein Freund und ein Autor von Kinderbüchern mit Kindergemüt und kindlichen Träumen. Zahllose, bildhübsche Mädchen wirken, reizvoll (ent-)kostümiert mit in dem bravourös photographierten Farbstreifen. Allen voran SHIRLEY MACLAINE (bekannt aus »Immer Ärger mit Harry«). Sie, nicht minder naiv als Lewis, singt diesem Liebesarien, während andererseits Anita Ekberg sich vom Gesang Martins bezaubern läßt. Aber auch wenn wir's wollten, vermöchten wir beim besten Willen nicht, den Inhalt des Films zu verraten, der in Wahrheit »nur« eine Aneinanderreihung von Gags und witzigen Einfällen ist. Köstlich auch die Dialoge – nahezu jeder Satz eine charmant-freche Anspielung auf die Liebe, die Politik, die Psychoanalyse oder was sonst.
Die Regie Frank Tashlins stilisiert den turbulenten Un-Sinn bis auf das i-Tüpfelchen. Leider dürfte die ironisierte Selbstironie – bis auf diese »Spitze« wird manche Szene getrieben – als Tonart manchem deutschen Beschauer zu ungewohnt sein. Biederen Bierhumor bietet dieser Streifen nicht einmal, aber stets »Quatsch«, freilich solchen für Intellektuelle. Und so weit, daß dieses Wort ein Schimpfwort wäre, sind wir ja hoffentlich noch nicht wieder.

*Hamburger Echo*

Zwischen Witz und Blödelei einzustufende Parodie auf die Comic-Strip-Subkultur, angereichert mit einigen geistreichen Einfällen. Beispiel: In einer artistischen Einstellung verulkt die 1956 noch verhältnismäßig unbekannte SHIRLEY MACLAINE zusammen mit Jerry Lewis brillant das Musical. Unter der Regie von Frank Tashlin vervollkommnete Lewis in jenen Jahren seine Art der expressiven Komik: Hinter den unwiderstehlich zum Lachen reizenden Grimassen lauern des Komödianten hinterlistige Angriffe auf materialistischen Dollar-Kult und nivellierte, plakativ zur Schau gestellte Gefühlswelt.

*Zoom*

Die hübsch kolorierte Posse nimmt lange kein Ende. Aber sie bleibt possierlich. Unnachahmlich, wie Lewis immer wieder Satzfetzen seiner billigen Lektüre in den Dialog mischt, herrlich, wie Martin den primitiven Verleger um den Finger wickelt, und sehr süß das aparte Drum und Dran eines Künstlerballs, zu dem nun natürlich auch die Nachbarinnen erscheinen, die dekorative Dorothy Malone und die spitzbübische SHIRLEY

MACLAINE (das ist ja überhaupt eine Entdeckung, und wir verdanken sie Alfred Hitchcock).

Nimmt man nichts ernst in diesem Film, nicht einmal den Ost-West-Thriller, so kann man sich köstlich amüsieren.

*L.G., Kölner Rundschau*

**Around the World in 80 Days** (In 80 Tagen um die Welt)
Produzent: Mike Todd für United Artists (USA) 1956
Regie: Michael Anderson
Drehbuch: James Poe, John Farrow, S. J. Perelman (nach dem gleichnamigen Roman von Jules Verne)
Kamera: Lionel Lindon

*Cantinflas, David Niven und Shirley MacLaine ›In 80 Tagen um die Welt‹*

247

Schnitt: Paul Weatherwax, Gene Ruggiero
Musik: Victor Young
Darsteller und ihre Rollen: David Niven (Phineas Fogg), Cantinflas (Passepartout), SHIRLEY MACLAINE (Prinzessin Aouda), Robert Newton (Inspektor Fix), Joe F. Brown (Stationsleiter), Charles Coburn (Schalterbeamter), Noel Coward (Hesketh-Baggott), Fernandel, Martine Carol, John Carradine, Marlene Dietrich, John Gielgud, Trevor Howard, Buster Keaton, Peter Lorre, Frank Sinatra, Red Skelton, Ava Gardner
Länge: 178 Minuten, Technicolor, Todd-AO
FBW-Prädikat: Wertvoll

… David Niven als spleeniger, versnobter Engländer – seither auf diesen Typ festgelegt – reist mit seinem Diener Passepartout (Cantinflas), einem pfiffigen Taugenichts, durch eine Bilderbuchwelt voller Klischees. Feurige Spanier beim Stierkampf und fanatische Inder bei einer nicht vollendeten Witwenverbrennung (die bezaubernde SHIRLEY MACLAINE wird in letzter Minute vor dem Flammentod gerettet) sind für Mike Todd Anlässe, um in Farben zu schwelgen, sorgfältig hergerichtete Kulissen zu zeigen und Edelkomparsen wie den berühmten Torero Dominguin zu präsentieren.
Wenn dann auch noch Buster Keaton für wenige Sekunden als Zugschaffner auftaucht, wenn man Frank Sinatra, Marlene Dietrich, Fernandel oder Noel Coward in winzigen Nebenrollen entdeckt, dann ist das unkomplizierte Vergnügen vollkommen.

*Rheinische Post*

Warum der Film bei den Filmfestspielen in Cannes mit Pauken und Trompeten durchfiel, ist schwer zu begreifen. Immerhin bietet er neben dem darstellerischen Blitzlicht-Aufwand vier dramaturgisch sorgsam eingesetzte und überzeugende Personen: David Niven als der unerschrockene Abenteurer Phineas Fogg, das mexikanische Komiker-As Cantinflas als Diener Passepartout, Robert Newton als irrlichternder Detektiv und SHIRLEY MACLAINE als Augenschmaus-Zugabe alias Aouda, eine indische Maharani. Hinzu kommen landschaftliche Impressionen von exotischem Reiz, die gut und gern einen preisgekrönten Kulturfilm abgeben könnten. Der Dialog ist, besonders wenn es um die Karikierung des englischen Gentleman-Trockenhumors geht, eine Klasse für sich.
Der Film gleicht – im Gesamteindruck – der Muskelparade eines strammen, aber darum nicht minder liebenswerten Herkules, dessen Kräfte bewunderungswürdig bleiben, obwohl sie anormal sind. Mike Todds Erzeugnis ist als Film anormal. Es ist eine Schau.

*Wilfried H. Achterfeld, Neue Rhein-Zeitung, Köln*

*Shirley MacLaine, David Niven, Cantinflas und Buster Keaton ›In 80 Tagen um die Welt‹*

Die Darsteller: Außer den vier vorzüglichen Hauptrollenträgern David Niven (als Fogg), dem mexikanischen Komiker Cantinflas (als Diener Passepartout), Robert Newton (als Inspektor Fix) und SHIRLEY MACLAINE (als Prinzessin Aouda) ist die ganze Starprominenz aus allen Erdteilen vertreten. Todd holte schon fast in Vergessenheit geratene Leute wie Buster Keaton, George Raft, Victor MacLaglen und Joe Brown, die nur für einige Sekunden auf der Leinwand erscheinen. Es fehlen nicht Fernandel, Marlene Dietrich, Frank Sinatra (in einer Rükkenrolle) und Martine Carol (als Spaziergängerin in Paris). Dieser Aufwand ist allein noch lange nicht Gewähr für die Güte des Films. Er wurde wirklich auch gut gestaltet, so daß die 80tägige Reise um die Welt, zusammengefaßt in drei Stunden, wie ein Bilderbuch voll Wunder, Humor und dauernder Abwechslung vorüberzieht. Schon allein die Tatsache,

249

daß man die vorgeführten 7000 Filmmeter aus effektiv 225000 Metern gedrehten Aufnahmen herausschnitt, mag ein vages Bild von dem einmaligen Aufwand geben, hinter dem der Ehrgeiz eines Mannes stand, der alles auf eine Karte setzte.

*str., Der Bund, Bern*

**Hot Spell** (Hitzewelle)
Produzent: Hal B. Wallis für Paramount (USA) 1958
Regie: Daniel Mann
Drehbuch: James Poe (nach dem Theaterstück »Next of Kin« von Lonnie Coleman)
Kamera: Loyal Griggs
Schnitt: Warren Low
Musik: Alex North
Darsteller und ihre Rollen: Shirley Booth (Alma Duval), Anthony Quinn (Jack Duval), SHIRLEY MACLAINE (Virginia Duval), Earl Holliman (Buddy Duval), Eileen Heckart (Fan), Clint Kimbrough (Billy Duval), Warren Stevens (Wyatt), Jody Lawrence, Harlan Warde
Länge: 86 Minuten, schwarz/weiß, VistaVision
FBW-Prädikat: Besonders wertvoll

Eine Geschichte des »zu spät«, der Hoffnungslosigkeit, die heute immer schwerer werdende Schulaufgabe des Lebens ohne schmerzliche Konzessionen zu lösen: das Zusammenleben mehrerer Menschen, Familie genannt. Da leben sie nebeneinander her: die Mutter, eine Superglucke, der über ihrer geschäftigen Aufzucht der Mann entglitten ist, vom Wahn besessen, durch geschickte Einfädelei das nebulose Glück der ersten Ehejahre zurückbeschwören zu können; der Mann, lebenshungrig und in Torschlußpanik, dem die Familie auf die Nerven geht, der sich jung und nicht als Papa fühlen will und deshalb mit ganz jungen Dingern fremdgeht, zwischen schlechtem Gewissen und dem »Recht auf Glück« hin- und hergeworfen; die fast erwachsenen Kinder, jedes mit sich selbst beschäftigt, der Älteste mit Business-Plänen, die Tochter mit ersten Erkundungen im Männerschungel, der zarte Jüngste mit seinen Träumen. Daß diese Alltagstragödie aufbricht, dazu bedarf es allerdings nicht der Hitzewelle, die über dem Louisiana-Städtchen lastet und an die von Zeit zu Zeit gesprächsweise erinnert wird. Sehr zu entbehren ist auch die Form der »Endlösung«. Papa fährt mit seiner Kleinen auf und davon, aber er kommt nicht weit – im Kilometerrausch entfesselt das Mädchen eine wilde Knutscherei (anscheinend ist den Amerikanern das Auto auch als erotisches Verkehrsmittel unentbehrlich), und schon folgt die Strafe: er kann noch einmal, zu spät, »Mama« schreien, und dann sind sie tot.

Dennoch ist es ein guter Film, weil gut gespielt wird, vor allem aber, weil er ein Wiedersehen mit Shirley Booth, unvergessen aus »Komm zurück, kleine Sheba«, bringt. Ihre Darstellung des Durchschnittlichen, der Mutter, die die Frau in und an sich vernachlässigt hat, ist großartig, ein Kabinettstück die Szene, in der sie mit der komisch-trockenen Eileen Heckart, um ihren Mann zurückzugewinnen, »Vamp« übt. Gut auch Anthony Quinn, dessen haarige Vitalität sich wieder austoben kann. Ausgezeichnet hat Daniel Mann den Familiennachwuchs geführt, SHIRLEY MACLAINE, die schon eine sehr persönliche Ausstrahlung hat, und die Jungen, Earl Holliman und Clint Kimbrough.

                                                                        *-chen, Telegraf, Berlin*

… Die junge und sehr aparte SHIRLEY MACLAINE legt in der Rolle der Tochter eine Probe ihres Könnens ab, und ebenso sind Clint Kimbrough

*Shirley MacLaine, Shirley Booth, Earl Holliman in ›Hitzewelle‹*

und Earl Holliman als die beiden ungleichen Brüder richtig am Platze. Der letztere ganz besonders bemerkenswert in der Rolle des Jüngsten mit dem Kindergesicht und dem weichen, sensiblen Charakter, der der Mutter am ähnlichsten ist.

*Vera Craener, Tagesspiegel, Berlin*

... Mit schonungsloser Offenheit und fast brutaler Realistik hat der Regisseur dieses Problem angefaßt, dem wir auch bei uns auf Schritt und Tritt begegnen. Eine meisterhaft geführte Kamera leuchtet die Gesichter der Menschen aus und reißt ihnen auch noch die letzte Maske herunter. Man ist vom ersten bis zum letzten Meter gefesselt. Diese Wirkung ist wohl in erster Linie dem vollendeten Zusammenspiel von Schauspielern zuzuschreiben, von denen Anthony Quinn (Jack Duval) bereits einen bedeutenden Namen hat. Auch hier kommt das urwüchsige, bärenhaft starke und alles hinwegschwemmende Temperament des Mannes mit den buschigen, schwarzen Augenbrauen zum Durchbruch. Neben ihm, nicht minder ausdrucksstark in ihrer Bescheidenheit und Hausmütterlichkeit: Shirley Booth. Mit der jungen, aparten SHIRLEY MACLAINE, den Darstellern Earl Holliman und Clint Kimbrough spielen sich beachtenswerte Nachwuchsdarsteller in den Vordergrund.

*BW, Wiesbadener Tageblatt*

... SHIRLEY MACLAINE als Tochter Virginia bietet eine Talentprobe ersten Ranges, wie auch Clint Kimbrough und Earl Holliman als Söhne trefflich am Platze sind.

*Aufbau*

## The Sheepman (Colorado City/In Colorado ist der Teufel los)
Produzent: Edmund Grainger für Metro-Goldwyn-Mayer (USA) 1958
Regie: George Marshall
Drehbuch: William Bowers Grant
Kamera: Robert Bronner
Schnitt: Ralph E. Winters
Musik: Jeff Alexander
Darsteller und ihre Rollen: Glenn Ford (Jason Sweet/Jakob Lieblich), SHIRLEY MACLAINE (Dell Payton), Leslie Nielsen (Johnny Bledsoe, alias Colonel Stephen Bedford), Mickey Shaughnessy (Jumbo McCall), Edgar Buchanan (Milt Masters), Wilis Bouchey, Pernell Roberts
Länge: 85 Minuten, Metrocolor

Jakob Lieblich (Glenn Ford), Schafzüchter im Goldenen Westen, straft seinen Namen Lügen: er ist keineswegs sanftmütig. Warum sonst sollte er sich ausgerechnet in Colorado City niederlassen, einer Gegend, die seit jeher von stolzen Rinderzüchtern bewohnt wird, denen bereits der

*Shirley und Glenn Ford in ›Colorada City‹*

Anblick – geschweige denn der Geruch! – einer Schafherde als nur noch mit der Waffe zu beantwortende Provokation erscheint?!

Jakob Lieblich hat außer seiner nicht zu knapp bemessenen Dickköpfigkeit allerdings tatsächlich einen triftigen Grund: in Colorado City gibt es noch eine alte Rechnung zu begleichen. Um »seinen Mann« zu finden, geht er keinem Streit aus dem Weg.

Die Rechnung wird bezahlt – mit Blut, wie es sich für einen echten Western gehört. Und im letzten Bild reitet ein ebenso hübsches wie dickköpfiges Mädchen an Jakobs Seite …

»Colorado City« ist eine gelungene Mischung aus knallhartem Western und Komödie, in der ein erfrischender Unterton der Persiflage mitschwingt.

Glenn Ford hat seine Qualifikation als Darsteller von Revolvermännern mit Herz hinlänglich bewiesen. Neu dagegen: SHIRLEY MACLAINE in Jeans und Cowboyhut. Es gelingt ihr, aus der nicht allzu anspruchsvollen

253

*Glenn Ford, Shirley MacLaine und die Schafe in ›Colorado City‹*

Rolle des Westerngirls etwas zu machen. Daß dies ihren schauspielerischen Fähigkeiten dennoch nicht gerecht werden kann, liegt auf der
Hand.
Die straffe Regie George Marshalls läßt keine Längen aufkommen. Und
so ist die größte Forderung, die man an einen Western stellen kann, erfüllt: »Colorado City« ist spannend und frei von Sentimentalität. Es wird
ein herrlich wilder Westen gezeigt, in dem die Vorgänger James Bonds
ein ebenso herrliches, kruppstahlhartes Mannestum demonstrieren.

*-op. Göttinger Tageblatt*

… Die Geschichte der anspruchsvollsten Western ist reich an bekannten
Titeln. Aber selten ist man einem mit soviel Dialogwitz und soviel unbe-
kümmertem Temperament begegnet. Dabei denkt der Regisseur
George Marshall keinen Augenblick daran, ins Parodistische zu geraten
und seine Story nicht ernst zu nehmen. Nein, hier ist schon eine wirksa-

me Mischung von Humor und Spannung geglückt, wobei erfreulicherweise neben dem Reißerischen beinahe Kammerspielintimität steht, ohne daß man es als Bruch empfindet.
Freilich liegt der Erfolg auch in der Besetzung. Glenn Fords herausfordernder Charme versetzt das Publikum vom ersten Meter an in gute Laune, desgleichen der etwas robuste Liebreiz SHIRLEY MACLAINES, die eine »originelle« Farmerstochter auf die Beine stellt und beweist, daß Frauenrollen in Western nicht immer nur Randrollen zu sein brauchen. Herrlich die handfeste Dummheit des Dorfschlägers Mickey Shaughnessys. Leslie Nielsens »Oberst« hat Format. In seinen scheinbar saloppen Dialogen mit Ford knistert die Gefahr.
So gut und dabei so amüsant gemacht, kann man sich auch als Intellektueller für Western begeistern. Und man begreift, daß sie unsterblich sind.

*D-ck, Badische Neueste Nachrichten, Karlsruhe*

... Außerdem noch etwas mehr: endlich einmal ist das Mädchen nicht das handelsübliche, blasse Herzblatt, das lediglich als Objekt für Verfolgungsjagden dient, sondern eine richtige Schauspielerin, die bezaubernd komische SHIRLEY MACLAINE mit ihren verschwollenen Augen, der etwas verhemmten Denktechnik und dem glucksenden Lachen. Das Ganze wurde von Regisseur George Marshall so hübsch überdreht, daß man vergißt, darüber nachzudenken, ob hier ein Wildwestern oder eine Parodie vorgeführt wird. Seit »Vera Cruz« war kein Film dieser Gattung mehr so behende, witzig, souverän und amüsant. Und ein derart gut gemachter Wildwestern, wie der Kenner ebenfalls weiß, übertrifft an Intelligenz, Geschmack und Vergnügen die landläufige Filmproduktion, wie seriös sie sich auch stellen mag, bei weitem.

*(gh), Darmstädter Echo*

**The Matchmaker** (Die Heiratsvermittlerin)
Produzent: Don Hartman für Paramount (USA) 1958
Regie: Joseph Anthony
Drehbuch: John Michael Hayes (nach dem Theaterstück von Thornton Wilder)
Kamera: Charles Lang
Schnitt: Howard Smith
Musik: Adolph Deutsch
Darsteller und ihre Rollen: Shirley Booth (Dolly Levi), Anthony Perkins (Cornelius), SHIRLEY MACLAINE (Irene Molloy), Paul Ford (Horace Vandergelder), Robert Morse (Barnaby Tucker), Perry Wilson, Wallace Ford, Russell Collins
Deutsche Erstaufführung: 14.8.1959
Länge: 101 Minuten, schwarz/weiß, VistaVision

Wildersche Kleinstadtpsychologie: kaum hat der geizig-garstige Chef-auf-Freiersfüßen (Ford) den Zug nach New York bestiegen, treibt das Abenteuer die beiden Verkäufer (Perkins und Morse) hinterher. Die intrigante Heiratsvermittlerin (Booth) wird schließlich nach amüsanten Verwicklungen statt der schönen Modistin Irene (MACLAINE) die glückliche Braut. Nachdem alle in ihre kleine Stadt zurückgefunden haben, wird auch Irene – und zwar mit dem größeren der beiden Verkäufer – glücklich, und der Chef wird wieder gut. – Das Plädoyer für das Abenteuer und für das Mitmachen hätte man weniger oberflächlich gewünscht: als Art des Abenteuers wird »das Militär« genannt, und das Mitmachen wird allzu einleuchtend mit dem Slogan »Ein Freund – ein Geldgeber« begründet. Anthony vergröberte das Theaterstück noch, indem er die Situationskomik betonte (im Luxushotel tanzt der Stift als Dame verkleidet mit seinem Chef den Walzer), während er wie im »Regenmacher« filmische Möglichkeiten vertat. – Perkins liefert eine bemerkenswert schlaksig-nervöse Studie.

*D. K., Filmkritik*

… Ihr absolut ebenbürtig: Paul Fords geizig-kauziger, hamsternder Kleinstadtkrämer mit einer Fülle sich behutsam entfaltender »menschlicher« Charakterzüge. Anthony *Perkins* und Robert *Morse,* die beiden abenteuerlustigen, kreuzbraven Handlungsgehilfen, überraschen durch ihre Leistungen weit mehr als die naiv-kokette, liebenswert leichtsinnige SHIRLEY MACLAINE, deren hinreichend bekanntes und auch hier wieder bewiesenes Können ihr eine verdiente Kometenkarriere einbrachte. Anthony *Perkins* aber war zuvor wohl kaum so überzeugend, so gelockert und von der »Colt-Liebhaber«-Schablone befreit. (Ein Sonderlob für die Schauspielerführung des Regisseurs!) …

*Der neue Film*

… Aber trotz dieser nicht ganz überzeugenden Mischung von Theater und Film ist das Spiel um die listige Heiratsvermittlerin sehenswert, allein schon wegen der beiden Hauptdarstellerinnen: Shirley Booth und SHIRLEY MACLAINE. Ein kleines Kabinettstück der Schauspielkunst bietet Shirley in ihrer Rolle. Durchtrieben und schlau ist ihre Heiratsvermittlerin, mit der Wahrheit manchmal auf dem Kriegsfuß stehend, aber immer mit einem Schuß Herz und Humor. Gewissermaßen das Hohelied auf die weibliche Schläue. Die junge SHIRLEY MACLAINE beweist wiederum, daß sie eine der stärksten Begabungen Hollywoods ist. Mit betörendem Charme und viel Temperament spielt sie die kleine Putzmacherin Irene. Köstlich die Szene in ihrem Laden, in der sie sich ihren Kummer über das traurige Los der Putzmacherinnen von der Seele redet. Ein Gesicht, das gleich stark beeindruckt, ob es nun lacht oder weint.

*H. Samulowitz, Deutsche Bauernzeitung*

**Some Came Running** (Verdammt sind sie alle)
Produzent: Sol C. Siegel für Metro-Goldwyn-Mayer (USA) 1958
Regie: Vincente Minnelli
Drehbuch: John Patrick, Arthur Sheekman (nach dem Roman von James Jones)
Kamera: William H. Daniels
Schnitt: Adrienne Fazan
Musik: Elmer Bernstein, Songs: James Van Heusen, Sammy Cahn
Darsteller und ihre Rollen: Frank Sinatra (Dave Hirsh), Dean Martin (Bama Dillert), SHIRLEY MACLAINE (Ginny Moorhead), Martha Hyer (Gwen French), Arthur Kennedy (Frank Hirsh), Nancy Gates (Edith Barclay), Leora Dana, Betty Lou Keim, Steven Peck

*Mitsingen ist das Schönste, aber nicht unbedingt für Frank Sinatra und Dean Martin in ›Verdammt sind sie alle‹*

Deutsche Erstaufführung: 3.9.1959
Länge: 127 Minuten, MetroColor, Cinemascope
FBW-Prädikat: Wertvoll

… Die Amerikaner sind wieder einmal bei ihrem in Europa erlernten Gesellschaftsspiel, Moralvorurteile und Tabus zu enthüllen. Das schwarze Schaf einer honorigen Kleinstädterfamilie kommt heim, ein abgerutschter Westentaschen-Hemingway, dem Whisky, Poker, Faustkampf und rote Laterne die poetische Ader schwellen machen. Ein fatalistisch-mattes Hin und Her hebt an zwischen neuen Hoffnungen und alten Gewohnheiten, Abneigungen und Zuneigungen. Die Stützen wie die Außenseiter der Gesellschaft werden angesägt; überall kommt die gleiche Seelen-Schlamperei zum Vorschein. Das alte Lied, daß schlechte Mädchen doch die besseren Menschen sind, wird angestimmt; die neuentdeckte SHIRLEY MACLAINE gewinnt dem verschlissenen Thema Farben ab, die unnachahmlich zwischen Komik, Penetranz und Rührung liegen. Man müßte die Besetzungsliste abdrucken, um allen vortrefflichen Darstellern Gerechtigkeit widerfahren zu lassen. Frank Sinatra, Dean Martin und Martha Hyer stehen obenan. Der Leinwandroman vom verplemperten Leben gehört zu den großen Treffern des neuen amerikanischen Films.

*-nn, Süddeutsche Zeitung, München*

… Wenn die beiden ersten Hauptfiguren der Story auch darstellerisch blaß bleiben, so erhält der Film eine gewisse Frische und Lebendigkeit durch SHIRLEY MACLAINE. Sie verkörpert das naive Vergnügungsmädchen, das liebt, ohne zu verstehen, mit spontaner Selbstverständlichkeit und mit soviel Überzeugungskraft, daß man fast die Frage vergißt, ob ein derart anständig gebliebenes Mädchen (bei dessen Figur unverkennbar die Masina Pate gestanden hat) im Milieu der Spielhöllen und Whisky-bars überhaupt denkbar ist …

*Filmkritik*

Zwei Darsteller aber geben einigen Szenen Besonderheit: Dean Martin, ein ausgezeichneter Episodenspieler, und die unvergleichliche SHIRLEY MACLAINE. Sie ist gegenwärtig Hollywoods stärkstes Talent; daß in diesem Film ihr Übergang von kesser Komik zu einer zu Herzen gehenden Innigkeit nicht immer ausgewogen war, schien mir an der Regie von Vincente Minnelli zu liegen. Er konnte seinen Schauspielern keine rechte Stütze sein, weil er zu sehr mit dem Arrangement des Schau-Spiels beschäftigt war; zum Schluß gar glaubte man, er hätte sich in der Regie geirrt und inszeniere noch einmal seinen Tanzfilm »Ein Amerikaner in Paris«.

*H. W., Berliner Morgenpost*

... Diese und andere Regieversager waren bereits durch das Drehbuch vorgezeichnet. Denn wo sich keine klare und glaubwürdige Aussage findet, da kann auch die Form nicht klar und in Ordnung sein. Auch die teilweise recht beachtlichen Schauspieler (SHIRLEY MACLAINE in der Flittchenrolle) vermochten nichts zu bessern. Als Antwort auf die zugerichtete Konfliktsituation schwebte den Herstellern wohl jenes »Wir Wilden sind doch bessere Menschen« vor. –
Ein Schriftsteller wird durch die Liebe zur Entscheidung zwischen kleinbürgerlicher Ordnung und vagabundierendem Lotterleben gezwungen. Nach gutem Anfang bleibt der Film nach Inhalt und Gestaltung unbefriedigend.
*Wi., Evangelischer Filmbeobachter*

... In Hochform präsentieren sich die Hauptdarsteller, allen voran Frank Sinatra, SHIRLEY MACLAINE und Dean Martin.
Sinatra gibt eine Galavorstellung als Unterspieler; da sitzt jede knappe Geste. Die MACLAINE – der seit der Berlinale ohnehin unser Herz gehört – stattet ihr Flittchen mit soviel Temperament, Gemüt und Komik aus, daß diese Darbietung gleich oscarreif wird. Dean Martin schließlich – in einer Prachtrolle – mausert sich zu entwaffnender Sicherheit.
*Der Abend, Berlin*

**Ask Any Girl** (Immer die verflixten Frauen)
Produzent: Joe Pasternak für Metro-Goldwyn-Mayer (USA) 1959
Regie: Charles Walters
Drehbuch: George Wells (nach dem Roman von Winifred Wolfe)
Kamera: Robert Bronner
Schnitt: John McSweeney Jr.
Musik: Jeff Alexander; Songs: Jimmy McHugh, Dorothy Fields
Darsteller und ihre Rollen: David Niven (Miles Doughton), SHIRLEY MACLAINE (Meg Wheeler), Gig Young (Evan Doughton), Rod Taylor (Ross Taford), Jim Backus (Mr. Maxwell), Claire Kelly (Lisa), Elisabeth Fraser, Dody Heath, Mickey Shaughnessy
Deutsche Erstaufführung: 10.10.1959
Länge: 98 Minuten, MetroColor, Cinemascope
FBW-Prädikat: Wertvoll

Seit Olims Zeiten hat Hollywood unter seinem Nachwuchs keine solche schauspielerische Potenz entdeckt wie SHIRLEY MACLAINE. Hierzulande würde sie überhaupt nicht aufgefallen sein, denn sie schlägt mit einem breiten, knochigen Gesicht dem kosmetischen Retortenideal ein Schnippchen, pflegt einen Anflug von süßvulgärem Charme (siehe den Film »Verdammt sind sie alle«) und bringt eine halb drollige, halb anima-

*Shirley MacLaine in ›Immer die verflixten Frauen‹*

lische Vitalität mit. Die Charakterkomik, ein Fach, in dem junge Damen zumeist schwach sind, ist ihre Domäne, vom Jux über die psychologische Studie bis zum tragischen Anhauch. Neben ihrer weibchenhaften Lebendigkeit sinkt selbst ein so ausgepichter Könner wie Oscar-Preisträger David Niven auf den zweiten Platz, obleich er alles unternimmt, um durch Unauffälligkeit aufzufallen. Die MACLAINE hat den ganzen Film am Gängelband, und das will allerhand heißen bei einem CinemaScope-Streifen, der eine aparte, psychologisch unterbaute Idee, ein leicht überdehntes Drehbuch, einen flinken Dialog, einen gewandten Regisseur (Charles Walters) und eine überdurchschnittliche Typenbesetzung vorweist. Eine kleine Provinzlerin möchte sich New York und vor allem einen Mann erobern. Sie versucht es auf wohlgemeinten Rat mit dem Reklametrick des »Griffes nach dem Unbewußten«. Das führt zu kuriosen Ergebnissen und zu einer Satire auf Allzuamerikanisches wie auf den Männerfang im allgemeinen.

*K. Sch., Süddeutsche Zeitung, München*

Verflixt nochmal – ist das ein Film! Dabei fängt er mit einer Statistik an. Und zwar der des Frauenüberschusses in Amerika. Wie gewöhnlich an nichts Arges denkende Männer tappen auf diese Weise in wimpernklimpernde Fallen der Liebe. Am Ende ist dann ein Überschuß weniger auf der Tabelle. Er traf genau ins Herz. Mit Anlauf allerdings und mit Um-die-Ecke-Zielen.

SHIRLEY MACLAINE hat ihn abgefeuert, und nochmal verflixt nochmal – welche Schauspielerin! (In Berlin bekam sie auch den Silbernen Bären.) Sie hat ein Mädchen aus der Provinz darzustellen, das der Statistik halber nach New York kommt. Blond, herzig, aber ein bißchen naiv.

... Der einfallsreiche Film lebt aber auch von einem sehr witzigen Dialog. Die meisten deutschen Lustspiel-Fabrikanten sollte man hier vor die Leinwand treiben. Keine Geschmacklosigkeiten trotz kesser Deutlichkeit, und sogar der ernste menschliche Hintergrund der Statistik leuchtet auf. Durchweg charmant gespielt, an der Spitze von dieser bei uns nahezu unbekannten SHIRLEY MACLAINE, die eine Komikerin von Format ist. Und das Nette, daß sich Weltstar David Niven ohne weiteres in ihren Schatten stellt ...

*mdr., Saarbrücker Zeitung*

Das Musterbeispiel einer prachtvollen Filmkomödie, mit einem bis ins Feinste ausgeschliffenen Drehbuch, einer pfiffigen Regie (Charles Walters) und vor allem der unbeschreiblichen SHIRLEY MACLAINE, die Hollywood ganz zu Recht als eine seiner großen Hoffnungen ansieht und die die Jury der letzten Berliner Filmfestspiele ebenfalls zu Recht mit dem »Silbernen Bären« auszeichnete ...

*Berliner Morgenpost*

... Mag es auch nicht nach jedermanns Geschmack sein, wenn gerade auf dem heiklen Gebiet des Erotischen so munter pointiert wird, so bedeutet das noch nicht, daß dabei unerlaubt verharmlost würde. Freilich: Manches Krumme wird am Ende, dem raschen Happy-End zuliebe, allzu leichtfertig für gerade genommen. Das Vergnügen kann deshalb nicht ganz ohne Vorbehalte sein. Manches, was peinlich sein könnte, gerät noch erträglich, weil SHIRLEY MACLAINE es mit bezaubernder Unbefangenheit ausspielt. Ihre reich und fein abgestufte Mimik ist das beste optische Kapital dieses Films. Neben ihr ist allenfalls noch David Niven, der trockene Schnurrbartengländer als Seniorchef, ein Glanzstück der etwas glatt-herkömmlichen Cinemascopeinszenierung. Die Hauptarbeit vollbringt der Dialog. –

Ein satirisch zugespitztes Lustspiel von einem Mädchen, das sich mit allen Mitteln als Idealfrau verkaufen will. Die richtige Grundhaltung und die köstliche Hauptdarstellerin machen einige allzu frivole Pointen des kecken Textes erträglich.

*Fr., Evangelischer Filmbeobachter*

**Career** (Viele sind berufen)
Produzent: Hal Wallis für Paramount (USA) 1959
Regie: Joseph Anthony
Drehbuch: James Lee (nach seinem gleichnamigen Bühnenstück)
Kamera: Joseph LaShelle
Schnitt: Warren Low
Songs: Sammy Cahn, James Van Heusen
Darsteller und ihre Rollen: Anthony Franciosa (Sam Lawson), Dean
Martin (Maury Novak), SHIRLEY MACLAINE (Sharon Kensington), Caro-
lyn Jones (Shirley Drake), Joan Blackman (Barbara), Robert Middleton
(Robert Kensington), Donna Douglas, Jerry Paris
Deutsche Erstaufführung: 4.11.1960
Länge: 105 Minuten, schwarz/weiß, RegalScope
FBW-Prädikat: Wertvoll

Ein junger Mann fühlt sich zum Schauspieler berufen und geht deshalb
nach New York. Trotz immer wiederkehrender Enttäuschungen hält er
an seinem Ziel fest, auch als seine Frau sich von ihm scheiden läßt. Er
versucht es dann mit allen Mitteln, heiratet die Tochter eines Produzenten und scheitert doch. Als er sich bereits mit seinem Schicksal abgefun-
den zu haben meint, gibt es für ihn doch noch den großen Erfolg.
Es kommt selten vor, daß im Film der mühevolle und dornenreiche Weg
eines sich zum Schauspieler berufen Fühlenden so wirklichkeitsgetreu
und ernsthaft gezeigt wird. Der Film macht da kaum Zugeständnisse und
gewinnt an manchen Stellen das Format einer Tragödie. Auch der versöhnliche Schluß, der Erfolg des Mannes, ist kein Stilbruch, kein billiges
Happy-End, denn er ist hart erkämpft und nicht durch einen Glückszu-
fall oder einen billigen Drehbuchkniff erreicht. Der Film gewinnt auch
dadurch an Echtheit und Lebensnähe, daß er Zeiterscheinungen des
amerikanischen Lebens in glaubwürdiger Weise in seine Handlung einbezieht (Koreakrieg, McCarthy-Ausschuß).
Überzeugend wirkt auch die filmische Gestaltung, wobei in erster Linie
die durchweg guten bis ausgezeichneten Leistungen der Darsteller zu
nennen sind ...
*Evangelischer Filmbeobachter*

Wieder einer der amerikanischen Filme, die mit alles ertötender Bered-
samkeit Probleme zu debattieren meinen. Aus den Mündern der Darsteller quillt Platitüde um Platitüde. Der magere Wortschatz der Popu-
lärpsychologie hält für endlose Analysen her, die geschäftig und zungen-
fertig betrieben werden. Die Pseudodebatte geht um den Satz: kein Leben – ohne Familie und ohne Heim. Und Held ist der Schauspieler Lawson (Franciosa), dessen glücklose Karriere verfolgt wird. Am Unglück

haben teil: der Zweite Weltkrieg, der Koreakrieg und McCarthy, die nacheinander die große Chance vereiteln. Doch siehe: zu guter Letzt erntet der Schauspieler Ruhm und Frau (Jones). – Die Fabel reiht mehr oder minder zufällig Episoden aus dem Leben des Schauspielers aneinander, von denen die wenigen Filmminuten vom Koreakrieg ein Musterbeispiel für die Reduzierung allgemein-folgenträchtiger Ereignisse auf den engen persönlichen Horizont des Bürgers ist, der mit sich und der Welt im Reinen ist. Ebenso wird das Ereignis McCarthy mit dem Schnack von den Leuten, »die ihre patriotische Pflicht erfüllen wollten«, harmonisch aufgelöst.

*D. K., Filmkritik*

... Paraderolle für Anthony Franciosa, den Schönling, leer zuerst, kalte Flamme, bis sich das Herz erwärmt. Dean Martin: von lässiger Gebärde eines Erfolgstyps. SHIRLEY MACLAINE, haltlose Frau im Auf und Ab des Welttheaters: von Alkoholekstasen und Ängsten zerfahren, und wachsend zu stiller Fraulichkeit: wieder in dieser Darstellerin, die volle Kraft der Wandelbarkeit des Menschlichen, fernab der Künstelei. Carolyn Jones – feinspürige Studie der selbstlos dienenden, klaglos verzichtenden Frau. Joan Blackman; die Gegenfigur der liebenswert korrekten Dame. Von Joseph Anthony, dem Regisseur, behutsam geführte Spielerschar – und dahinter und darin: ein Stück New York.

*Westdeutsche Allgemeine, Essen*

**Can-Can** (Ganz Paris träumt von der Liebe)
Produktion: Jack Cummings für 20th Century Fox (USA) 1960
Regie: Walter Lang
Drehbuch: Dorothy Kingsley, Charles Lederer (nach dem Theaterstück von Abe Burrows und Cole Porter)
Kamera: William H. Daniels
Schnitt: Robert Simpson
Musik: Nelson Riddle; Songs: Cole Porter
Darsteller und ihre Rollen: Frank Sinatra (François Durnais), SHIRLEY MACLAINE (Simone Pistache), Maurice Chevalier (Paul Barrière), Louis Jourdan (Philippe Forrestier), Juliet Prowse, Marcel Dalio, Jean Del Val, John A. Neris
Deutsche Erstaufführung: 4.10.1960
Länge: 131 Minuten, Todd-AO, Technicolor
FBW-Prädikat: Besonders wertvoll

... Der Can-Can, so wird hier erzählt, sei damals in Paris als unmoralisch verboten gewesen, doch die junge Nachtlokal-Besitzerin und Tänzerin Simone Pistache (SHIRLEY MACLAINE) ließ ihn trotzdem zur Freude aller

*Shirley MacLaine, Louis Jourdan in ›Can-Can‹*

Lebemänner über die Bühne gehen. Eines Abends jedoch werden sie, ihre Mädchen und die Gäste von der Polizei ausgehoben; nur zwei Richter, die auch im Parkett saßen, können sich als Kellner verkleiden und so der Verhaftung entgehen. Natürlich sind es diese Richter, die den Prozeß zu führen haben, und da der jüngere (Louis Jourdan) für Simone entflammt ist, steht der Ausgang schon fest. Aber es gibt auch den leichtlebigen Verteidiger (Frank Sinatra), der zwar genießen, doch nicht heiraten will. So läßt sich der eine von Simone gegen den anderen ausspielen, bis nach fast zweistündigen Verwicklungen sie den Richter zur Genehmigung des Can-Can und den Verteidiger zum Standesamt gebracht hat. Die MACLAINE macht das mit recht derbem Witz und Spiel, vornehmlich in der Oberlänge auch an Bekleidungsstoff sparend; ihre Stimme klingt sonst, wenn man sie im Original hört, nicht ganz so affektiert dümmlich wie hier in der deutschen Synchronisation ...

*Katholischer Filmdienst*

... Ganz zweifellos erinnert SHIRLEY MACLAINE in diesem Streifen aus der Pariser Ganz- und Halbwelt an »Irma la Douce«. Und das war dann wohl auch der Zweck dieser Filmübung, die wieder eine Paraderolle für die amüsante Amerikanerin bringt, die ihre kessen Rollen zwar frech, doch gekonnt serviert. Man spürt bei jedem Film mit ihr: hier geht nichts schief – und das Gefühl haben die Produzenten schon lange. Wenn dann noch so vergnügliche Mimen wie Frank *Sinatra*, Maurice *Chevalier* und Schönling Louis *Jourdan* den Klamauk mitmachen, muß das Filmgeschäft eigentlich geritzt sein. Es könnte allerdings nicht schaden, wenn man Filmkomödien mal nach einem anderen Rezept mixte. Strumpfbänder hat man jetzt wirklich zur Genüge gehabt.

*Lübecker Nachrichten*

Ursprünglich nannte man ihn »Can-Can«, diesen spritzigen, hitzigen, turbulenten Cinemascope-Film, ein Titel, der besser zutrifft, als der

*Juliet Prowse, Regisseur Walter Lang und Shirley MacLaine bei der Premiere von ›Can-Can‹*

265

neue »träumerische«. SHIRLEY MACLAINE, dieses Persönchen mit dem Explosivstoff im Blut, und so gewichtige Partner wie Frank Sinatra, Louis Jourdan und Maurice Chevalier lockten aus einer einfachen Geschichte ein Maximum an Vergnügen und fröhlichem Jux um die Liebe. Man persifliert ein bißchen, spielt locker und lässig, na, und Sweety Shirley plinkert einfach mit den Augen, sofort verspürt der Zuschauer allergrößte Sympathie mit dieser schlanken Mademoiselle, die so wandlungsfähig ist ...

*Nordsee-Zeitung*

... Das könnte also ein ebenso munteres und freundliches wie harmloses Filmchen sein. Doch nein, es muß ja unbedingt 25 Millionen D-Mark kosten, es muß mit zäher Regiearbeit zur Todd-AO-Monsterschau breitgezogen werden, es muß für jeden etwas hinein (und für das deutsche Publikum muß dann wieder etwas herausgeschnitten werden, etwas vom Besten, nämlich einige Musiknummern). Die pariserische Leichtigkeit erstickt im Überarrangement und in der Hollywood-Protzerei. Und hier liegt das Problem: daß das Hübsche, das offensichtlich gemacht werden könnte, nicht mehr gemacht werden kann, weil es nicht protzig genug ist. Das ist grotesk.

*Evangelischer Filmbeobachter*

**Ocean's Eleven** (Frankie und seine Spießgesellen)
Produktion: Lewis Milestone für Warner-Brothers (USA) 1960
Regie: Lewis Milestone
Drehbuch: Harry Brown, Charles Lederer (nach einer Story von George Clayton Johnson, Jack Golden Russell)
Kamera: William H. Daniels
Schnitt: Philip W. Anderson
Musik: Nelson Riddle
Darsteller und ihre Rollen: Frank Sinatra (Danny Ocean), Dean Martin (Sam Harmon), Sammy Davis Jr. (Josh Howard), Peter Lawford (Jimmy Foster), Angie Dickinson (Beatrice Ocean), Richard Conte (Anthony Bergdorf), Cesar Romero (Duke Santos), Patrice Wymore (Adele Ekstrom), SHIRLEY MACLAINE (betrunkenes Mädchen)
Deutsche Erstaufführung: 17.2.1961
Länge: 127 Minuten, Panavision, Technicolor

Spritzige und spannungsgeladene Kriminal-Komödien sind leider selten. Um so mehr ist es zu begrüßen, hier einem repräsentativen Vertreter dieses Genres zu begegnen. Eine Gruppe alter Kriegskameraden plant ein »Spähtrupp-Unternehmen« besonderer Art: Just in der Silvesternacht Schlag 12 wollen sie fünf der feudalsten Spielhöllen von Las Vegas ausrauben, ohne daß einer von ihnen dabei gesehen wird oder die geringste Spur hinterläßt. Der Coup wird bis ins kleinste vorbereitet – und scheint daher auch zu gelingen. Doch völlig unvorhergesehene Schwierigkeiten tauchen auf. Die wackeren Veteranen sinnen auf neue Auswege, und wieder sind sie vom Glück begünstigt – bis schließlich ein Ereignis eintritt, das diesen großangelegten Millionenraub als eine neckische Farce erscheinen läßt. Die ironisch-amüsante Schlußpointe würde allein schon genügen, um den Film sehenswert zu machen.

Ein Team vorzüglicher tragikomischer Helden begegnet uns hier: Frank Sinatra als ›Francie‹, der seine Kameraden dazu überredet, dieses »tolle Ding zu drehen«, und der in Form von Generalstabsplänen den Coup glänzend vorbereitet, ferner Peter Lawford als Millionenerbe, der sich des Amüsements wegen an dieser Gauner-Serenade beteiligt. Auch Dean Martin und Sammy Davis sind mit von der Partie. Im ersten Drittel hat der Film einige Längen. Dafür ist Regisseur Lewis Milestone der Bank-Überfall mit seinem Vor- und Nachspiel um so besser gelungen. Mit Wortwitz und spannungsreicher Situationskomik eine brillante Filmkomödie.

*H. D., Frankfurter Allgemeine Zeitung*

… Dieser an keiner Stelle erlahmende, gut geschnittene und sauber fotografierte Film ist eine einfallsreiche Persiflage des sich allzu ernst nehmenden Kriminalfilms; kein Schuß fällt, der einzige Tote stirbt an Aufregung.

*Frankfurter Rundschau*

SHIRLEY MACLAINE hat in diesem Film nur eine winzige Gastrolle und wird deshalb in den Besprechungen auch nicht erwähnt.

## The Apartment (Das Appartement)

Produktion: Billy Wilder für United Artists (USA) 1960
Regie: Billy Wilder
Drehbuch: Billy Wilder, I. A. L. Diamond
Kamera: Joseph LaShelle
Schnitt: Daniel Mandell
Musik: Adolph Deutsch; Songs: Adolph Deutsch, Charles Williams
Darsteller und ihre Rollen: Jack Lemmon (C. C. »Bud« Baxter), SHIRLEY MACLAINE (Fran Kubelik), Fred MacMurray (Jeff D. Scheldrake), Ray Walson (Joe Dobisch), David Lewis (Al Kirkeby), Jack Kruschen, Joan Shawlee, Edie Adams
Deutsche Erstaufführung: 16.9.1960
Länge: 125 Minuten, Panavision, schwarz/weiß
FBW-Prädikat: Besonders wertvoll

... Die Mundpropaganda ist auch diesem angeblich gewagten Film schon so weit vorausgeeilt, daß Stichworte genügen, was seinen Inhalt betrifft. Er handelt von einem kleinen Angestellten, der seine Karriere dadurch beschleunigt, daß er seinen Vorgesetzten stundenweise sein »Appartement« überläßt, man versteht; nicht, damit sie dort Patiencen legen. Das geht solange gut, bis der Junggeselle mit Appartement sich dreisterweise selbst in ein Mädchen verliebt. Nun, wir sind nicht in einem anspruchsvollen Film, es ist natürlich ein Mädchen, das sich bereits mit einem jener Vorgesetzten trifft, ohne daß es wüßte, wem das Refugium gehört.

Bis hierhin gewiß ein heiteres Thema, Anlaß für eine Groteske, und am Anfang zielt der Film auch darauf hin. Man freut sich. Aber bald schon kommt Billy Wilder tragisch und moralisch, und dabei verlassen ihn die Einfälle rapide ...

Das Mädchen also liebt den (natürlich verheirateten) Vorgesetzten, er sie weniger, dafür jedoch wäre der schüchterne Appartementbesitzer zu wahrer Liebe bereit. Natürlich bekommt er das Mädchen am Ende auch – weil er ein anständiger Mensch ist und der Vorgesetzte ein Tunichtgut. Und so liebt sie dann nicht mehr den Ehemann, sondern den Junggesellen. O selig, o selig, im Kino zu sein ...

Natürlich ist das alles von Mister Wilder mit Routine inszeniert. Wer Kintopp, richtigen amerikanischen Kintopp sehen will, sei um Himmels willen nicht abgehalten. Nur hatten wir von Billy Wilder ... aber da werden wir wohl schon wieder ungerecht.

Die Kamera hat sich dem Konformismus des Regisseurs vollendet angepaßt. Ohne sich Originalität zu erlauben, fährt sie durch die Räume, Straßen und über die Gesichter.

Richtig schlimm hingegen ist die Musik; meistens einfallslos dahinplätschernd, zuzeiten aufdringlich illustrierend wie die Cornwall-Rhapsodie und die Zuschauer vollends für ahnungslos erklärend: Wer's noch immer nicht gemerkt hat, liebe Zuschauer, daß es auf der Leinwand dramatisch geworden ist, also schön, fortissimo, noch zehn Trompeten mehr ... Ein Fall von Grausamkeit.

Wenn das Opus trotzdem für etwas verwöhntere Besucher noch etwas Versöhnliches hat, so ist das allein SHIRLEY MACLAINE zu verdanken. Sie hat Momente – wie schon in »Verdammt sind sie alle« und »Immer die verflixten Frauen«–, in denen sie beinahe groß ist. Vielleicht gibt es heute keine zweite Filmschauspielerin, in deren Gesicht zugleich so viel Schmerz, Einfalt und Lustigkeit liegen kann. Dagegen nimmt sich dann der bedenkenlos grimassierende, Bob Hope imitierende Jack Lemmon ziemlich kümmerlich aus. Und mit ihm seine Partner. Der Film ist eine große Enttäuschung.

Er wird ein großer Erfolg werden.

*Manfred Delling, Die Welt*

... Und schließlich: SHIRLEY MACLAINE, eine der wenigen Schauspiele-rinnen Hollywoods, die den Mut zur Häßlichkeit haben, als Fahrstuhl-führerin Fran Kubelik, die sich immer im falschen Augenblick in den fal-schen Mann verliebt, bis sie dem gutmütigen Tolpatsch Lemmon in die behütenden Hände fällt, ist »schauspielmäßig« in dieser glänzenden Rol-le wohl kaum zu übertreffen.

Im ganzen: ein Film, der als Auftakt für einen beschwingt-fröhlichen Abend genau das Richtige ist.

*Hans-Peter Kurr, Recklinghäuser Zeitung*

... Diese Geschichte ins Allgemeine zu erheben, erlauben die vielen klei-nen genauen Beobachtungen, mit denen der Film gefüllt ist. Der Regis-seur Billy Wilder machte eine Reportage, die über den Einzelfall hinaus-geht und Symptome einer gesellschaftlichen Fehlentwicklung registriert. Die blinde mechanische Geschäftigkeit, mit der Baxter sich umgibt und mit der er sich abkapselt; die Komik, die er auf den ersten Blick zu bieten scheint und die sich, genauer besehen, als geläufige Verteidigungsstrate-gie erweist, – sie wird von Lemmon so überzeugend dargestellt und von Wilder so gewissenhaft vermerkt, daß die versöhnliche Stimmung des Lustspiels sich nicht einstellt. Gags, Pointen und Komik geben zum La-chen genug Anlaß, aber zu einem Lachen, das trocken und bitter ist. Wil-der hat damit erfolgreich seine Reportage vor dem Unverbindlich-Lusti-gen bewahrt und in die Bereiche der Satire geführt ...

*Filmkritik*

Blendende Schauspieler, allen voran SHIRELY MACLAINE, dieser weinen-de weibliche Clown, der hinter einer Mischung aus kühler Forsche und Mädchencharme eine große Traurigkeit über ein verkorkstes Leben ver-birgt, und Jack Lemmon, ein fahriger, naiver Bursche, in seiner Unbe-holfenheit komisch und erschütternd zugleich, halfen mit, einen Streifen zu schaffen, der zu den großen realistischen Meisterwerken der Film-kunst gehört.

*Der Morgen, Berlin*

**All in a Night's Work** (Alles in einer Nacht)
Produktion: Hal Wallis für Paramount (USA) 1961
Regie: Joseph Anthony
Drehbuch: Edmund Beloin, Maurice Richlin, Sidney Shelton (nach einer Story von Margit Veszi und einem Stück von Owen Elford)
Kamera: Joseph LaShelle
Schnitt: Howard Smith
Musik: André Previn
Darsteller und ihre Rollen: Dean Martin (Tony Ryder), SHIRLEY MAC-

*Dean Martin und Shirley MacLaine in ›Alles in einer Nacht‹*

LAINE (Katie Robbins), Cliff Robertson (Warren Kingsley Jr.), Charles
Ruggles (Warren Kingsley Sr.), Norma Crane (Marga Coombs), Jack
Weston, Gale Gordon
Deutsche Erstaufführung: 3.10.1961
Länge: 94 Minuten, Technicolor

Ein verwegen klingender Filmtitel, hinter dem sich die pure Harmlosigkeit verbirgt. Das amerikanische Lustspiel variiert das alte Thema, daß ein armes, aber anständiges junges Mädchen erst unschuldig in den Verdacht kommt, ein raffiniertes unmoralisches Biest zu sein, dann aber zum Lohn für ihre süße plüschäugige Sittsamkeit einen Nerz und einen Millionär gewinnt. Das geht recht unkompliziert vor sich, auf der Basis der schönen Liebe auf den ersten Blick, und hat seine üblichen Verzögerungen vor dem Happy-End durch Mißverständnisse und falschen Übereifer.

Angenehm wird der kleine Farbfilm durch die mimisch so prächtig bewegliche SHIRLEY MACLAINE. Als Herrlichkeit von Mann, dem sie in die Arme sinken darf, brüstet sich Dean Martin. Inszeniert ist das nach sturmerprobtem Lustspielrezept von Joseph Anthony, der die ebenfalls sturmerprobten Chargenspieler fröhlich grimassieren läßt. Wäre eben nicht die fröhliche, verschmitzt naive SHIRLEY MACLAINE, hätte man nicht allzu viel zu lachen.                    *Ha., Der Tagesspiegel, Berlin*

*Shirley nach dem Bade in ›Alles in einer Nacht‹*

Kleine Angestellte liebt millionenschweren, jungen, virilen Chef und vice versa. Ehe es aber soweit kommt und sie heiraten werden, ist einiges an Hindernissen zu überwinden. Diese sind selbstredend rein moralischer Natur: Sie steht im Verdacht, ihn erpressen zu wollen; er gilt als Leichtfuß. Da man das Ende bei dieser Filmgattung – man nennt sie »sex-and-big-business-comedy« – weiß, bevor man das Kino betreten hat, hängt der Amüsierwert des einzelnen Exemplars vom jeweiligen Arrangement der Situation ab, von den sogenannten Einfällen des Regisseurs und dem Charme der Stars. Hier ist der Fünf-Autoren-Witz mau, Joseph Anthony sucht durch burleskes Überdrehen über die Zeit zu kommen – und SHIRLEY MACLAINE? Sie ist die für Lustspiele begabteste junge Darstellerin, über die Hollywood im Moment verfügt. Welche Möglichkeiten freilich läßt ihr ein Drehbuch, das als Höhepunkte für sie eine Kissenschlacht mit Dean Martin und eine Flucht durch Hotelgänge bereithält, auf der auch noch ihr letztes Kleidungsstück, ein Badetuch, in der Fahrstuhltür hängen bleibt?

*Ktl, Filmkritik*

*Unnachahmliche Shirley.* Wer glaubt, er kenne nun alle kleinen Tricks der Erzkomödiantin SHIRLEY MACLAINE, der irrt sich gewaltig. Dieser Hollywoodstar, den man liebend gern auf gut bayerisch ein »Urvieh« nennen möchte, bringt es mit jedem neuen Film fertig, das Publikum in jenes Entzücken zu versetzen, in dem man nur noch stöhnen kann: »Das darf doch nicht wahr sein!« Aber es ist wahr. Anderthalb Stunden lang amüsiert man sich diesmal der Dame wegen in einem Film, der allerglatteste Hollywoodmache ist. Eine freche kleine Komödie von dem anständigen Büromädchen, das alle ihr zur Last gelegten Laster durch schiere Naivität ad absurdum führt und am Ende den millionenschweren Boß heiratet. Der amerikanische Wunschtraum vom Aschenbrödel mit auf Stromlinie gebrachten, funkelnd aufpolierten uralten Gags und hin und wieder still ätzender Gesellschaftskritik. Neben Shirley hat ihr Partner Dean Martin einen schweren Stand. Aber er gibt keinen Fuß Boden preis. Der Rest ist Jubel, Trubel, Heiterkeit ...

*pl., Hamburger Abendblatt*

... SHIRLEY MACLAINE, diese prächtige Anti-Hollywoodschablone, ist hier erneut der Garantieschein auf amüsante Kinounterhaltung. Sie hat ausreichend Gelegenheit, abwechselnd herzerweichend ungeschickt und übermütig frech zu sein. Eine wirklich erfrischende Person, deren herber Charme nicht zum erstenmal mit dem männlich-eigenwilligen von Dean Martin zusammengespannt wurde. Beide machen sich so ganz nebenbei ein bißchen über sich selber lustig. Wer gern mal eine Weile schmunzelt, ist hier richtig.

*i. f., Rheinische Post, Düsseldorf*

**Two Loves** (Der Fehltritt)
Produktion: Julian Blaustein für Metro-Goldwyn-Mayer (USA) 1961
Regie: Charles Walters
Drehbuch: Ben Maddow (nach dem Roman »Spinster« von Sylvia Asthon-Warner)
Kamera: Joseph Ruttenberg
Schnitt: Frederic Stunkamp
Musik: Bronislau Kaper
Darsteller und ihre Rollen: SHIRLEY MACLAINE (Anna), Laurence Harvey (Paul), Jack Hawkins (Abercrombie), Nobu McCarthy (Whareparita), Ronald Long (Vorsteher Reardon), Norah Howard, Edmund Vargas
Deutsche Erstaufführung: 31.8.1961
Länge: 100 Minuten, Metrocolor, Cinemascope

Nach unorthodoxen Methoden unterrichtet die amerikanische Junglehrerin (MACLAINE) neuseeländische Maori-Kinder. Scheinbar geht in der Schulklasse alles drunter und drüber, doch in Wirklichkeit besteht bester Kontakt zwischen Kindern und Lehrerin; darüber ist ein ältlicher, aber gütiger Schulinspektor baß erstaunt. Der sich anbahnenden Liebesromanze mit dem Junglehrer, der eigentlich Sänger werden wollte, stehen nur die puritanischen Komplexe der Lehrerin entgegen: sie hat, wie der Prospekt schamhaft umschreibt, Angst vor einer Begegnung mit der Liebe. Aus dem Fensterchen eines Hänsel-und-Gretel-Hauses geneigt, hört die spröde den Liebeswerbungen des feurigen Kollegen zu; doch erst muß dieser sich auf seinem Motorrad zu Tode stürzen, ehe sie wenigstens bereit ist, den ältlichen Schulinspektor zu erhören. Einzig interessant an diesem bunt und nichtssagend heruntergefotografierten Film ist das negative Leitbild der puritanischen und sexuell gehemmten Lehrerin; das Ideal der emanzipierten Frau scheint den Amerikanern allmählich zum Schreckbild geworden zu sein. Ebenso stereotyp ist das Gegenbild des ganz und gar Eros und Mutterschaft verkörpernden Maorimädchens (McCarthy), das, obwohl noch im Kindesalter, mit freudigem Konsens aller Erwachsenen ein Kind empfangen darf; nur die »verbohrte« Lehrerin ist dagegen! Trotz allem vermag SHIRLEY MACLAINE ihrer verzeichneten Rolle noch einige Reize abzugewinnen.

*grg, Filmkritik*

… SHIRLEY MACLAINE, eine Komödiantin von Format, hat alle Mühe, in ihrer Rolle eine auch nur passable Schauspielerin zu sein. Sie setzt Drükker auf, ist hysterisch und über die Maßen gequält. Jack Hawkins stellt einfach sich selbst ins Bild und fährt nicht schlecht dabei. Aber auch Laurence Harvey quält sich und uns mit einem Feuerkopf, der in Welt-

*Shirley MacLaine und Laurence Harvey in ›Der Fehltritt‹*

schmerz macht, weil »dieser Schmürz« nun einmal, wie manche Autoren glauben, zur jungen Generation gehört.

*Hr., Neue Züricher Zeitung*

… Eine schüchterne, in den Praktiken der Liebe unerfahrene Lehrerin hat zwei Kollegen auf dem Gewissen. Den einen treibt sie mit frigider Allüre zum Suff (mit anschließendem tödlichem Unfall), den anderen zur Ehescheidung (mit anschließendem schmachtendem Glück in der Geborgenheit). Eine Schülerin, fünfzehn Jahre, wird Mutter und der »Fehltritt« erst am Grabe des Verunglückten offenbar. Dazwischen viel Hühnergegacker und Kindergeschrei; ein Witz jagt fröhlich den andern.

SHIRLEY MACLAINE trägt naive Seriösität zur Schau; das einzig Echte an ihr sind die Sommersprossen. Daneben der ausgezeichnete Laurence Harvey und der zum kleinen Possenspiel gut aufgelegte Jack Hawkins. Die Japanerin Nobu McCarthy weiß den Betrachter mit ihrem »Fehltritt« zu versöhnen. Das schönste an dem Film aber ist Metro-Goldwyn-Mayers brüllender Löwe ...

*Martin Ruppert, FAZ*

## The Children's Hour (Infam)

Produktion: United Artists; William Wyler (USA) 1962
Regie: William Wyler
Drehbuch: John Michael Hayes (nach einem Theaterstück von Lillian Hellman)
Kamera: Franz F. Planer
Schnitt: Robert Swink
Musik: Alex North
Darsteller und ihre Rollen: Audrey Hepburn (Karen Wright), SHIRLEY

*Shirley und Audrey Hepburn in ›Infam‹*

MACLAINE (Martha Dobie), James Garner (Dr. Joe Cardin), Miriam Hopkins (Mrs. Lily Mortar) Fay Bainter, Karen Balkin
Deutsche Erstaufführung: 16.10.1962
Länge: 107 Minuten, schwarz/weiß
FBW-Prädikat: Besonders wertvoll

Verfilmtes Bühnenstück, gepflegtes Kammerspiel, ein bißchen Sigmund Freud, ein bißchen Tennessee Williams – dies die Grundtöne, auf die der Film abgestimmt ist. William Wyler inszenierte ein Seelendrama aus amerikanischen Provinzkreisen in kultiviertem Broadwaystil.

Bei näherem Hinsehen zerfällt der Film jedoch in zwei musikalische Gangarten: Die erste (die bessere) gibt sich als fast heiter-ironisches Allegretto mit dem Leitmotiv »Verleumdung«. Eine Internatsschülerin, ein knollengesichtiges, hinterhältig boshaftes Kapitalistenbalg, behauptet aus purer frühreifer Niedertracht, die beiden Schulleiterinnen hätten etwas miteinander. Darob bringen sämtliche Eltern ihre jugendgefährdeten Töchter in Sicherheit, verwaist ist die Anstalt, Boykott, gesellschaftliche Ächtung und finanzieller Ruin brechen über die beiden harmlosen Lehrerinnen herein.

Das erinnert an »Böse Saat« (Wyler wartet dazu mit dem unsympathischsten Schulfratzen auf, der je auf einer Leinwand die Erwachsenen sekkierte), hat einen Anflug von angelsächsischer College-Atmosphäre und verfeinert sich zu einer subtilen Studie über Entstehung und Folgen eines Gerüchts.

Die zweite Hälfte läßt die beiden verleumdeten Lehrerinnen in einem tränenträgen Largo verdämmern, durchzuckt vom tragischen Erkenntnisblitz: Die beiden sind ja wirklich lesbisch. Sie wußten es nur nicht. Das Scheusal von Schulkind erst kramte mit seiner Lüge die Wahrheit ans Licht. So endet der Film denn höchst melancholisch in einer Elegie der Edelperversion: Die lesbischere von beiden (ausgezeichnet SHIRLEY MACLAINE als Rock-und-Bluse-Typ) erhängt sich, die andere (Audrey Hepburn, herb und klar wie gewohnt) akzeptiert ihre Isolierung.

Das peinliche Lamento um die Frage »Sind sie nun lesbisch oder nicht?« wird letztlich zum sentimentalen Trauergesang für zwei wackere Mädchen mit Hochschulbildung.

*Ponkie, Abendzeitung, München*

… Ein sehr amerikanischer Film, ohne Zweifel, der seine Dimensionen durch den Realismus bei der Schilderung der bedrückenden gesellschaftlichen Eigenarten einer Kleinstadt erhält. Audrey Hepburn und SHIRLEY MACLAINE leisten bei der Darstellung der beiden Direktorinnen Großartiges. Jede Geste, jede Reaktion stimmt.

*-w, Düsseldorfer Nachrichten*

... Es ist ein diffiziles Thema, das Regisseur William Wyler ebenso diffizil angeht. Alles Tragische ist auf Kammerspielton gestimmt. Weder Audrey Hepburn als Karen noch SHIRLEY MACLAINE als Martha sind auf laute, dramatische Effekte bedacht. Das kommt alles von innen her (auch Marthas Ausbruch ist noch beherrscht!) und bezwingt durch Echtheit. Ausgezeichnet auch die anderen Darsteller (Miriam Hopkins, Fay Bainter und James Garner) und kaumn faßbar, mit welcher Intelligenz und Wandlungsfähigkeit die kleine Karen Balkin das böse Mädchen Mary glaubhaft macht.

*TPH, Wiesbadener Kurier*

... Eindrucksvoll und in überzeugender Dichte greift William Wyler das neuralgische Thema auf, immer darauf bedacht, auf jede Art von äußeren sensationellen Effekten zu verzichten. Ein in seiner Konzeption und in seiner Aussage beachtlicher Film, der im Zeichen zweier großartiger darstellerischer Leistungen – Audrey *Hepburn* und SHIRLEY MACLAINE – steht.

*w, Rhein-Neckar-Zeitung, Heidelberg*

**My Geisha** (Meine Geisha)
Produktion: Steve Parker für Paramount (USA) 1962
Regie: Jack Cardiff
Drehbuch: Norman Krasna
Kamera: Shunichuo Nakao
Schnitt: Archie Marshek
Musik: Franz Waxman; Songs: Franz Waxman, Hal David
Darsteller und ihre Rollen: SHIRLEY MACLAINE (Lucy Dell/Yoko Mori), Yves Montand (Paul Farley), Bob Cummings (Bob Moore), Edward G. Robinson (Sam Lewis), Yoko Tani, Alex Gerry
Deutsche Erstaufführung: 9.3.1962
Länge: 119 Minuten, Farbe, Technirama
FBW-Prädikat: Besonders wertvoll

Wenn SHIRLEY MACLAINE, der rothaarige Teufel mit irischem Blut, dessen sportlich gestählte Tänzerinnengestalt nicht im geringsten an eine trippelnde, liebliche und anschmiegsame Geisha erinnert, Harakiri begeht, so ist es selbstverständlich kein echtes Harakiri. Denn wer würde Shirley wohl eine derartige Entgleisung ins Sentimentale glauben? Sie bringt in dem neuen Paramount-Film das Kunststück zustande, trotz eingeblendeter Butterfly-Opernszenen weder Kitsch, noch Sentimentalität in die nette Geschichte zu bringen, deren Grundthema die Radikalkur für amerikanische Ehen ist. Wohlgemerkt, Künstlerehen. Bei bürgerlichen Paaren sind die Probleme, die im Hause der Hollywooder Filmschauspielerin Lucy Dell und ihres Mannes, des Filmregisseurs Paul Farley vorherrschen, nicht so schwerwiegend. Lucy »unterdrückt« ihren Mann teils ungewollt, teils bewußt künstlerisch. Eines Tages beschließt Paul (Yves Montand), in Japan einen Film ohne Weltstar Lucy zu drehen. Worauf Lucy heimlich mit dem allgewaltigen Filmproduzenten Sam (Edward G. Robinson) ins Land der sanften, anpassungsfähigen Mädchen fliegt, sich mittels Perücke und schwarzer Kontaktlinsen in eine Geisha verwandelt, die Hauptrolle in Pauls verfilmter »Madame Butterfly« spielt, ohne daß es der ehrgeizige Ehegatte ahnte, und – leider – außerstande ist, Paul bei einem Seitensprung zu ertappen. Natürlich wäre Paul, der Lucy in der Verkleidung nicht erkennt, gern bereit, seine Frau mit seiner (maskierten) Frau zu betrügen, doch bevor die Szene zum Tribunal wird, entlarvt er Lucy. Die Ehe leidet nur darum keinen Schiffbruch, weil Lucy als Amateurgeisha hellwach in gemeinsamen Dampfbädern und Teehäusern um sich blickt und die Feststellung macht, daß ein anschmiegsames Wesen zu den wichtigsten Requisiten der orientalischen Frau gehört. Wenn sie nicht gestorben sind, so leben Paul und Lucy, alias Yoko Mori, noch heute in Hollywood und lieben einander.

*National Zeitung, Basel*

M. Die jungenhaft-freche SHIRLEY MACLAINE wird von Film zu Film drolliger und aparter. Sie scheint – man darf dies wohl bemerken – eine schauspielerische Labsal seltener, fröhlicher Unverstelltheit inmitten all jener Stars, die eigentlich dem leichten Fache dienen sollten, aber höchstens dem Schlafbedürfnis der Zuschauer ihren Tribut entrichten …

*Die Tat, Zürich*

In puncto amerikanischer Gesellschaftskomödien sind wir in letzter Zeit sehr verwöhnt worden. Der Film »Meine Geisha« mit der großartigen SHIRLEY MACLAINE in der Titelrolle stellt jedoch den derzeitigen Höhepunkt dieser Filmgattung dar. Er ist so elegant geschnitten wie ein japanischer Kimono, so daß selbst der kritische Besucher willig von den Regionen handfester Situationskomik in die tränendrüsenbewegenden Gefilde des Liebesschmerzes folgt, wie Regisseur Jack Cardiff es befahl, und hernach lächelnd verzeiht, wenn er merkt, daß er gepflegtem Kitsch auf den Leim gegangen ist.

Überhaupt die MACLAINE: Kannten wir sie bisher nur als Stimmungskanone und Humornudel, ja als den weiblichen Filmkomiker schlechthin, so zeigt sie sich in diesem Film erstmalig auch in den getragenen Partien von beachtlichem Format. Sie spielt kein armes Aschenputtel mehr, das sich einen Wolkenkratzerprinzen angelt. Sie spielt vielmehr sich selbst, eine kleine Episode, die sich in ihrem Leben tatsächlich zugetragen hat: Als bekannter Star ist sie mit einem Filmregisseur (sehr charmant: Yves Montand) verheiratet, der aber fern von ihr in Japan »Madame Butter-

*Ein strahlendes Paar: Yves Montand und Shirley MacLaine in ›Geisha‹*

fly« drehen will. Um seine Seitensprünge zu überwachen, fliegt sie ihm aber nach, verkleidet sich als Geisha und versteht es, unerkannt die Rolle der Butterfliege zu erhaschen. Alle Situationen, die grotesken wie die fast tragischen, meistert sie mit hinreißender, schmetterlingsgleicher Leichtigkeit.

*Dröscher, Hamburger Echo*

**Two for the Seesaw** (Spiel zu zweit)
Produktion: Walter Mirisch für United Artists (USA) 1962
Regie: Robert Wise
Drehbuch: Isobel Lennart (nach einem Theaterstück von William Gibson)
Kamera: Ted McCord
Schnitt: Stuart Gilmore
Musik: André Prévin

Darsteller und ihre Rollen: Robert Mitchum (Jerry Ryan), SHIRLEY
MACLAINE (Gittel Mosca), Edmond Ryan (Taubman), Elisabeth Fraser
(Sophie), Eddie Firestone (Oscar) Billy Gray (Mr. Jacoby)
Deutsche Erstaufführung: 15.3.1963
Länge: 119 Minuten, Panavision, schwarz/weiß
FBW-Prädikat: Besonders wertvoll

Jerry (Robert Mitchum) ist ein in der Ehe gescheiterter Rechtsanwalt
aus Nebraska und versucht ein neues Leben in New York. Gittel (SHIR-
LEY MACLAINE), krank und als Tänzerin verschlampt, hungert sich tapfer
in der Wolkenkratzerstadt durch. Der Zufall führt die beiden zusammen. Zwei arme Würstchen, die sich in der Not gefunden haben. Aus tie-
fem Mitgefühl wächst die große Liebe. Er hat wieder Erfolg im Beruf.
Sie steckt voller Pläne. Alles scheint harmonisch zu verlaufen. Aber un-
sichtbar steht immer Jerrys Frau dazwischen. Als die Scheidung endlich
ausgesprochen ist, wird ihm klar, daß man einen Menschen, mit dem
man zwölf Jahre verheiratet gewesen ist, nicht über Bord werfen kann
wie eine leere Flasche. Er kehrt zu ihr zurück. Gittel hat es von Anfang
an geahnt und versteht ihn. Tapfer wie immer. Ein Häufchen Elend,
scheint sie zur Schattenseite des Lebens verurteilt.
Robert Wise unternahm das Risiko, William Gibsons bekanntes Broad-
waystück, das fast ausschließlich aus Dialogen besteht, filmisch umzu-
münzen. Äußerlich geschieht wenig, die inneren Vorgänge müssen den
Film tragen. Dank der vorzüglichen Hauptdarsteller, die das strapaziöse
Spiel fast zwei Stunden durchhalten und immer wieder neu beleben,
kann das Experiment als geglückt bezeichnet werden. Wise setzte stets
die richtigen Töne und wich jeder Sentimentalität energisch aus. Um so
stärker die Wirkung der MACLAINE als Mädchen mit dem goldenen Herzen und dem im wahrsten Sinne des Wortes erschütternd ehrlichen
Mundwerk.

*hst Hamburger Abendblatt*

... Wäre der Darsteller des Anwalts, Robert Mitchum, in seinem Spiel
auf der gleichen Höhe wie die hier nach dem »Appartement« erneut mit-
reißende SHIRLEY MACLAINE, es wäre trotz der nur »guten«, nicht außergewöhnlichen Regie Wises ein Spitzenfilm herausgekommen. Es hätte
eben, dem deutschen Titel entsprechend, »Spiel zu zweit« sein müssen.
So war's, trotz der unbestrittenen Qualität Mitchums, mehr Alleingang
der MACLAINE: mit Temperament und Gefühl vom Kuß bis zur Ohrfeige,
vom Ballettschritt bis zum Krankenbett.

*Gerd Ressing, Rheinische Post, Düsseldorf*

... Der szenische Aufbau, die im Film zu oft wiederholte Simultanität des
Spiels unterliegen mehr den Gesetzen des Theaters und weniger denen

des Films. Daß Wises Arbeit dennoch überzeugt, liegt in der unge-
schminkten Zeichnung der Wirklichkeit, liegt vor allem aber an der vorzüglichen Darstellung der Gittel durch SHIRLEY MACLAINE.

Nicht die Sonnenseite New Yorks mit anspruchsvollen Appartements
und immer nur strahlenden Filmgesichtern wird uns hier vorgesetzt, sondern enge, bedrückende Straßen mit wenig komfortablen Wohnungen
bilden das Szenarium, die ärmliche Umgebung Gittels andeutend. Die
Wandlung dieses Geschöpfes der Millionenstadt von einem kleinen bie-
stigen Ding zu einer liebenden, am Ende gar noch entsagenden Frau,
zeichnet SHIRLEY MACLAINE präzise, wenngleich gerade das Ende in seiner Sentimentalität Gibson wahrlich nicht geglückt ist. Glaubhaft spie-
geln sich Skepsis und Zutrauen, Freude und Enttäuschung in SHIRLEY
MACLAINES sprechendem Gesicht wider. Robert Mitchum ist, ein wenig
spröde und nur grob konturiert, ihr Partner, dessen Schwächen wohl
eher bei Gibson als beim Darsteller dieser Rolle zu suchen sind. Zutreffend in seiner realistischen Wiedergabe alltäglicher Banalitäten und beinahe beiläufig fallender Pointen der deutsche Synchrontext. Wenn auch
die eigentlichen Probleme in diesem Stück, in dem sich Gibson weniger
als Analytiker denn als geschickter Szenenbauer erweist, kaum gelöst
werden, so bleibt doch eine beachtliche schauspielerische Leistung. Und
das ist mehr als man heute oft vom Film erwarten kann.

*Volker Baer, Der Tagesspiegel, Berlin*

**Irma La Douce** (Das Mädchen Irma La Douce)
Produktion: Billy Wilder für United Artists (USA) 1963
Regie: Billy Wilder
Drehbuch: Billy Wilder, I. A. L. Diamond (nach dem Theaterstück von
Alexandre Breffort)
Kamera: Joseph LaShelle
Schnitt: Daniel Mandel
Musik: André Prévin
Darsteller und ihre Rollen: Jack Lemmon (Nestor), SHIRLEY MACLAINE
(Irma La Douce), Lou Jacobi (Moustache), Bruce Yarnell (Hippolyte),
Herschel Bernardi (Lefevre), Hope Holiday (Lolita), Joan Shawllee,
Grace Lee
Deutsche Erstaufführung: 12.9.1963
Länge: 147 Minuten, Technicolor, Panavision
FBW-Prädikat: wertvoll

Billy Wilder hat den Film nach der Komödie von Alexandre Breffort inszeniert, die dem auch in Deutschland viel gespielten und erfolgreichen
Musical zugrunde liegt. Die süße Irma spielt grünstrümpfig, schwarzge-

*Wozu dient der Billiardtisch? Na, zum Tanzen für Shirley MacLaine in ›Das Mädchen Irma la Douce‹*

lockt, mit weißen Pekinesen bewaffnet SHIRLEY MACLAINE, ihren Erretter vom horizontalen Gewerbe Jack Lemmon. Der Farbfilm beginnt mit wunderbaren Parisbildern und einer realistischen Schilderung der Rue Casanova in der Nähe der Halles, des Bauches von Paris. Jack Lemmon als ehrpusseliger Flic lädt die Damen vom leichten Gewerbe in den Polizeiwagen, eckt aber bei seinem Dienstvorgesetzten wegen dieser preußischen Methode an und wird entlassen. So gerät er in Irmas Netze (hübsch die Verführungsszene in ihrem »Atelier«, wenn Polizist Nestor die Fenster schamhaft mit Zeitungsbogen verhängt und am anderen Morgen, Irmas Schlafmaske auf der Nase, neben ihr erwacht!). Leider arbeitet der Film im weiteren Verlauf mit etwas groben Pointen – es liegt teilweise bestimmt an der Synchronisation – und zu ausgewalzten Gags, die an sich witzige Veräppelung Albions gerät nicht amerikanisch salopp. Die Kritik der amerikanischen gestrengen Frauenverbände wird der

Film trotz des gewagten und gut gezeichneten Milieus wahrscheinlich wegen des Schlusses mühelos passiert haben: Irma wird ihrem Nestor kirchlich angetraut, allerdings erblickt das Baby schon in der Sakristei das Licht der Welt. Nestor hat Irma durch das anstrengende und auch noch ins Kittchen führende Spielen einer Doppelrolle bekehrt: Einmal ist er ein daddriger englischer Baron, der so großzügig zahlt, daß sich weitere Tätigkeit für Irma erübrigt, dann wieder erscheint er vor ihr als König der Macs (Pariser Zuhälter) und eifersüchtig über sie wachender Liebhaber; während Irma schläft, schuftet er in den Markthallen dem englischen Baron seinen »Sündenlohn« zusammen. Das Gespenst seines anderen Ichs sitzt dann in Gestalt des Barons bei der Trauung plötzlich in der Kirche: Hier, aber auch schon früher, wird deutlich, daß die realistische Inszenierung Wilders dem Libretto nicht voll gerecht wird.

*B.J., Frankfurter Allgemeine Zeitung*

*Shirleys Treffen mit dem mysteriösen Lord X (Jack Lemmon) in ›Das Mädchen Irma la Douce‹*

... Ein freches Lustspiel. Neben der interessanten Theorie über den Kreislauf des Geldes gibt es nämlich auch noch Lebensweisheiten wie »Es ist eine schwere Arbeit, ein leichtes Leben zu führen«. Dazu: witzige Dialoge, Verwechslungskomödie aus der Klamottenkiste, übermütigen Tanz, Soziologie der Zuhälter und vor allem als Irma eine herrliche Schauspielerin: SHIRLEY MACLAINE. Sie ist ein Mädchen mit bestrickendem Wesen, eine, die sich trotz des anrüchigen Gewerbes eine Art von Unschuld bewahrt hat, naiv und gerissen zugleich, kess und sentimental. Und tanzen kann sie auch ...

*Göttinger Tagblatt*

... SHIRLEY MACLAINE, diese unvergleichliche Zauberin der Leinwand, spielte die Irma. Berückend schön, entfaltet sie einen facettierten Reichtum an Mimik, in farbigem Sprühen ihres komödiantischen Temperaments, von romanischer Leichtigkeit, gallisch spritziger Koketterie und blitzender Redeweise, wie die Rolle sie sieht, und die dann in ihrem bisweilen magisch schillernden Spiel einer leisen, fast tonlosen Innigkeit weicht – eine Leistung von bezwingendem Reiz ...

*Hannoversche Presse*

... Erwähnen sollte man die ausgepichte Farblichkeit des Films. Mit welcher Tücke SHIRLEY MACLAINE mit grünen und schwarzen Durchsichtigkeiten behandelt wird, ist ein Einfall für sich, wie denn überhaupt von der Farbe her das ganz Weibliche aufgezogen ist als Voliere tropischer Vögel, ja geradezu als Papageienkral.

*Die Welt*

... Mit einer für amerikanische Verhältnisse erstaunlichen Freimütigkeit, Frechheit und Frivolität widmet sich der Film dem allerdings chemisch gereinigten Sündenmilieu. Weil ja alles nur Komödie ist, sind nicht nur die Farben hübsch sauber und adrett. Und die einzigen Orgien sind die Farborgien, wenn die riesigen Fleisch-, Fisch- und Gemüseansammlungen des »Bauches von Paris« mit in die Handlung einbezogen werden. Die ist, von einigen Vergröberungen abgesehen, insgesamt so beschwingt und witzig, daß sie trotz der Überlänge an Filmmetern nie langatmig wird.
Neben einer Reihe vorzüglicher Typen (vor allem Lou Jacobi als Kneipier Moustache) haben SHIRLEY MACLAINE als grünbestrumpfte Irma und Jack Lammon als Nestor hinreichend Gelegenheit, ihr komisches Talent hinreißend auszuspielen. Das ist schon so gut wie perfekt. Und wenn man nicht auf den hier unsinnigen Gedanken kommt, den Film auf den Wert seiner sozialen oder moralischen Anklage hin zu untersuchen, kommt man aus dem Vergnügen einfach nicht mehr heraus.

*Alfred Müller-Gast, Neue Rhein-Zeitung*

**What a Way to Go** (Immer mit einem anderen)
Produktion: Arthur P.Jacobs für 20th Century-Fox (USA) 1964
Regie: J. Lee Thompson
Drehbuch: Betty Comden, Adolph Green (nach einer Story von Gwen Davis)
Kamera: Leon Shamroy
Schnitt: Majorie Fowler
Musik: Nelson Riddle; Songs: Betty Comden, Adolph Green, Jule Styne
Darsteller und ihre Rollen: SHIRLEY MACLAINE (Louisa), Paul Newman (Larry Flint), Robert Mitchum (Rod Anderson), Dean Martin (Leonard Crawley), Gene Kelly (Jerry Benson), Bob Cummings, Dick van Dyke, Reginald Gardner
Deutsche Erstaufführung: 21.8.1964
Länge: 111 Minuten, Farbe, Cinemascope

Seit einiger Zeit flattert aus Hollywood eine Art »leichte Welle« durch unsere Kinopaläste. Es ist sicher nicht eine der unsympathischsten »Wellen« – im Vergleich zum meisten, was uns der amerikanische Film ansonsten liefert, sogar eine ausgesprochen amüsante und erfrischende Angelegenheit. »Irma La Douce«, »Two in Paris« und vor allem der charmante »Charade« wären hier zu erwähnen; ihnen ist der neueste Film für und um SHIRLEY MACLAINE zuzuzählen. SHIRLEY MACLAINE ist nicht nur eine unvergleichliche Komödiantin (was sie beileibe nicht mehr zu beweisen braucht); sie ist ebensosehr eine Schauspielerin von hohen Graden. »Immer mit einem anderen« wird zu einer unverfälschten Shirley-MacLaine-Show.
Es beginnt (nach einem kurzen Vorspiel) natürlich beim Psychiater. Dort erzählt die schöne Witwe ihre Lebensgeschichte, die sich als eine Folge von Liebesgeschichten erweist. Unglück war ihr ständiger Begleiter: Sie, die das einfache, unbeschwerte Leben schätzte, geriet unfehlbar an einen Mann, der nach kurzer Zeit dem Geldrausch erlag – und zum Opfer seiner Sucht wurde. Durch vier Milieus schweift der Film: amerikanisches Busineß (mit Dick van Dyke), Künstler in Paris (Paul Newman), Managertum (Robert Mitchum) und die Welt der leichten Muse (Gene Kelly). Als ein Handwerker der leichten Muse erweist sich auch der wandlungsfähige J. Lee Thompson (dessen Œuvre so ungleiche Werke wie »Tiger Bay« und »Guns of Navarone« umfaßt): er gibt der Hollywood-Konvention, was ihr gebührt, und läßt den ironischen Witz doch nicht ganz beiseite. Ergötzlich sind die eingeschobenen Parodien auf diverse Filmgattungen, keck die Schlußpointe und hinreißend – noch einmal muß es gesagt sein – der »gute Geist« des Films: SHIRLEY MACLAINE.

*Tages-Anzeiger Zürich*

Dieses ist ein Lustspiel, sein Schluß idyllisch: SHIRLEY MACLAINE als suppenkochendes Frauchen, im bescheiden-aber-netten Heim, mit den lieben Kinderlein und einem braven Daddy. Aber bis es soweit ist: viermal ein neuer Mann, weil der alte kaputtgeht. Denn vier ganz passable Männer richtet sie zugrunde mit ihrer Sucht nach Geld, Geschäft und Ruhm. Sozialprestige steht also gegen Familienglück, ein Wunschtraum gegen den andern? Der Wust an Bildern läßt es gar nicht bis dahin kommen: Supermarkt am Weihnachtsabend. Pilotenkanzel mit bengalischer Beleuchtung, wie im Stuyvesant-Film. Maschinelles Büro mit Galeeren-Tipsen. Steppende, jubelnde Marinetrupps. Bildermalmaschinen, die einen Maler zerquetschen. Liebespaar, in einer gigantischen Sektschale schlummernd, seifenblasenumschwebt. Starvilla in rosa, Swimmingpool rosa, Rasen rosa, alles rosa. Fans, die den Star zertrampeln. Kristallüster, Chinchillamantel, Traumkleider, Traumwagen, Traumappartements, Traumempfänge, Traumsofas, und das Sofa beim Psychoanalytiker. Verschiedenes davon soll Parodie sein. Fox glaubt ihr Firmenzeichen zu verulken, und ein bißchen auch ihre Cleopatra. Kamerageneral Shamroy ließ alles so herrlich fotografieren, wie er Cleopatra selbst hat fotografieren lassen. Hollywoods Wunschträume, Träume und Alpträume sind austauschbar.

H. F., Filmkritik

*Shirley und die Männer.* Spätestens seit »Irma La Douce« ist SHIRLEY MACLAINE in der Filmwelt als quicklebendiges Frauenzimmer bekannt, das sich breit lächelnd und komödiantisch über gängige Moralbegriffe hinwegsetzt und – so viele Rollen sie auch spielen mag – eigentlich sich immer selbst treu bleibt: ein freches, liebenswertes und warmherziges Mädchen im Zwist mit dem Alter.

Auch im neuen amerikanischen Film »*Immer mit einem andern*« gibt sich SHIRLEY MACLAINE nicht anders. Der Streifen ist eine Parodie auf den amerikanischen »Way of life«, frei übersetzt, auf die Lebensart in den USA, in der oft bedauerlicherweise Geld den Wert des Mannes ausmacht, in der Jugend blankes Kapital bedeutet, in der ein Mensch sein Vermögen »macht«, nicht verdient …

Braunschweiger Zeitung

**John Goldfarb, Please Come Home** (Eine zuviel im Harem)
Produktion: Steve Parker für 20th Century-Fox (USA) 1964
Regie: J. Lee Thompson
Drehbuch: William Peter Blatty
Kamera: Leon Shamroy
Schnitt: William B. Murphy
Musik: Johnny Williams

*Unschuld vom Lande: Shirley und Dick van Dyke in ›Immer mit einem anderen‹*

*Einer zuviel im Bett oder im Harem: Richard Crenna und Shirley MacLaine*

Darsteller und ihre Rollen: SHIRLEY MACLAINE (Jenny Ericson), Peter Ustinov (König Fawz), Richard Crenna (John Goldfarb), Scott Brady (Sakalakis), Jim Backus (Miles Whitepaper) Jerome Cowan, Charles Lane
Deutsche Erstaufführung: 30.3.1965
Länge: 96 Minuten, Farbe, Cinemascope

Ein politischer Ulk in schönen Farben (De Luxe), reich an Schauwerten. »Fehlzünder« John Goldfarb wird vom Pentagon mit einer U 2 losge-schickt, über der Sowjetunion ein wenig aufzuklären. Goldfarb landet jedoch in einem winzigen arabischen Königreich. Dort trifft er im Harem seine Todfeindin, eine boshafte Journalistin (MacLaine), die dort heim-lich eine Fotoserie für eine große amerikanische Zeitschrift anfertigt. Beide müssen sich vor den Launen des kindischen Königs (Ustinov) ret-ten, der sich mit US-Entwicklungshilfe eine überdimensionale goldene Spielzeugeisenbahn gebaut hat. Befriedigt zeigt sich der König erst, als Goldfarb eine Football-Mannschaft aus Derwischen aufstellt und ein Match mit der berühmten US-Mannschaft Notre Dame organisiert. Der

Derwisch-Sieg bringt beiden die Freiheit und den USA einen neuen Luftwaffenstützpunkt gegen die Sowjetunion. Die Handlung ist gespickt mit Anzüglichkeiten gegen das Pentagon, das Außenministerium, den American-Football, das Persönlichkeitstest-Verfahren, die Sturheit der Iren und die Verwertung der Entwicklungshilfe. Vor allem wird gealbert. Auf die vergnügliche Tour.

*D.K., Filmkritik*

… Das Drumherum jedoch an außenpolitischer Gehirnerweichung und Geheimdienstler-Schizophrenie zwischen Washington und dem utopischen Moslempalast, in dem Peter Ustinov einen hinreißend idiotischen Spielzeugeisenbahnbetrieb und Zimmerautos mit Düsenantrieb unterhält, ist jedoch pointenlahm und zu mühsam ausgeknobelt, um aus einzelnen Gags Tempo und Linie zu gewinnen. Das wird zum infantilen Geblödel (die Ausgangsposition – frigide Skandalreporterin und braver Pechvogel – ist ohnehin einfältig).
Was gar den unmoralischen Harem betrifft: So einen keimfrei amerikanischen und harmlos kuriosen findet man, an europäischer Liederlichkeit bemessen, bestimmt selten. Das naive Sex-Hopsasa, das SHIRLEY MACLAINE da vorturnt, ist zwar nur mäßig witzig, aber doch auch viel zu kindisch, um sittenverderberisch verrucht zu sein. Fazit: Eigentor!

*Ponkie, Abendzeitung, München*

**The Yellow Rolls-Royce** (Der gelbe Rolls-Royce)
Produktion: Anatole de Grunwald für Metro Goldwyn-Mayer (USA) 1965
Regie: Anthony Asquith
Drehbuch: Terence Rattigan
Kamera: Jack Hildyard
Schnitt: Frank Clarke
Musik: Riz Ortolani
Darsteller und ihre Rollen: SHIRLEY MACLAINE (Mae Jenkins), George C. Scott (Paolo Maltese), Alain Delon (Stefano), Art Carney (Joey), Rex Harrison (Marquis von Frinton), Jeanne Moreau (Marquise von Frinton), Edmund Purdom (John Fane), Ingrid Bergman (Mrs. Gerda Villett), Omar Sharif (Davich), Roland Culver, Lance Percival, Isa Miranda
Deutsche Erstaufführung: 8.4.1965
Länge: 122 Minuten, Farbe, Panavision

Angemessene Unterhaltung für die Insassen von Altersheimen des gehobenen Mittelstandes. Die Kinoveteranen Anthony Asquith und Terence Rattigan benutzen einen alten Rolls-Royce als Vehikel für eine Anzahl

Stars, die denn auch ihre jeweilige Show abziehen: die glückliche Schwedin, die schwierige Französin, Irma La Douce, Prof. Higgins und der Papagallo haben ihre Nummer. Die Auftritte sind in drei Szenenfolgen zusammengefaßt ...

*D.K. Filmkritik*

Am Anfang dieses Filmtriptychons dient er als Liebeslaube für die reife Frau (Jeanne Moreau) eines alternden Diplomaten (Rex Harrison) und dessen Sekretär. In der zweiten Geschichte auf dieselbe Weise für die etwas törichte Braut eines US-Gangsters bei ihrem Flirt mit einem neapolitanischen Papagallo (Alain Delon). Es stört das süße Kind, daß der schiefe Turm von Pisa so viele Säulen hat, aber sie weiß genau, daß ihre Romanze mit dem jungen Mann nicht in Ernst ausarten darf, falls sie überleben soll.

Ingrid Bergman in der Rolle der amerikanischen Besitzerin des Wagens steuert diesen ebenso selbstbewußt wie sich selbst aus der Gefahr, dem geschmuggelten Partisanenführer zur Unzeit ein Liebchen zu werden. Parodistisch entspannt sie dabei die Haltung eisiger Überlegenheit, welche sie in dem Dürrenmatt-Film »Der Besuch« auf die Spitze zu treiben hatte.

Alles in allem: einer der erfreulichsten Episodenfilme der letzten Zeit, mit dem Regisseur Anthony Asquith Hand in Hand mit dem spürsinnigen, für die Pracht sowohl der Natur als auch der Zivilisation empfänglichen Kameramann Jack Hildyard beweist, daß die kleine literarische Form auch für den Film kein Stiefkind zu sein braucht.

*fr., Münchner Merkur*

... Ganz anders die Episode Nr. 2: Sie beginnt in Genua, wo der Rolls Royce von einem amerikanischen Gangsterboß gekauft wird, auf daß er ihn, seine Verlobte und seinen Adjutanten durch Italien trage. Weil der Boß seinen Trip für ein paar Tage unterbrechen muß, um in den USA einen Rivalen »umzulegen«, bekommt sein Liebchen Gelegenheit zu einem Seitensprung mit einem Papagallo. Der gelbe Rolls Royce ist immer dabei. Den Witz dieser Episode machen hauptsächlich Mimik und Gesten der SHIRLEY MACLAINE aus, die sich hier als Erzkomödiantin aufführt. George S. Scott als Gangsterboß, Art Carney als Adjutant und Alain Delon als Papagallo sind ihr würdige Partner. Sehr amüsant obendrein der Gangster- und Gossen-Jargon im Kontrast zu der teuren Umgebung. Er hält der Sentimentalität die Waage.

*-el, Wiesbadener Tageblatt*

Ein Jammer ist es um die großartigen Schauspieler: Jeanne Moreau, SHIRLEY MACLAINE, Ingrid Bergman, Rex Harrison, Alain Delon, Omar Sharif. Sie tun ihr Bestes, und wenn an diesem Film etwas erfreulich ist, dann das hohe Niveau der schauspielerischen Darstellung. Freilich, der

*Shirley mit Art Carney in ›Der gelbe Rolls-Royce‹*

Kampf mit der Kulisse und den Banalitäten der Dialoge hinterläßt auch bei diesen guten Künstlern seine Spuren.

*Göttinger Tageblatt*

Diesen traurigen Geschichten Glanz zu verleihen, hat die englische Produktionsfirma ein imposantes Staraufgebot und eine überwältigende Ausstattung eingesetzt. Pausenlos wird dem Auge Überraschendes geboten, so daß es mitunter gelingt, die geistige Leere der Vorlage zu kaschieren. Denn was sich der Drehbuchautor Terence Rattigan und Regisseur Asquith hier einfallen ließen, mutet mitunter recht dürftig an. Im unablässigen Streben nach umfassender Unterhaltung mischten sie Lächerliches mit Sentimentalem, schoben den dramatischen Höhenflügen gängige Gags unter, quirlten sie eine bunte Mischung aus Kitsch und Komik. Bei diesen Voraussetzungen fällt es selbst den Damen Moreau, Bergman und MacLaine recht schwer, Glaubwürdiges durchblicken zu lassen, von den Herren ganz zu schweigen. Und allein der Aufwand kann ein Gefühl der Langeweile nicht immer verhindern.

*gez., Badische Neueste Nachrichten*

**Gambit** (Das Mädchen aus der Cherry-Bar)
Produktion: Leo L. Fuchs für Universal (USA) 1966
Regie: Ronald Neame
Drehbuch: Jack Davies, Alvin Sargent
Kamera: Clifford Stine
Schnitt: Alma MacRorie
Musik: Maurice Jarre
Darsteller und ihre Rollen: SHIRLEY MACLAINE (Nicole), Michael Caine
(Harry), Herbert Lom (Schahbandar), Roger C. Carmel (Ram), Arnold
Moss, John Abbott, Richard Angarola
Deutsche Erstaufführung: 16.12.1966
Länge: 108 Minuten, Technicolor, Techniscope
FBW-Prädikat: Besonders wertvoll

HW – Gaunerkomödien gibt es in letzter Zeit wie Sand am Meer – der
Spaß am gut durchdachten und pfiffigen Spitzbubenstück scheint allgemein. Diese Komödie kommt aus Amerika, bietet eine reizvolle Varian-
te des Themas, wie angelt man sich eine kostbare Skulptur, und zieht den
Spaß ganz flott über die Bahn.
Wirklich komisch dabei ist die Idee, bildlich vorzuführen, wie es sich ein
junger Gauner denkt, ein hübsches Tingeltangel-Girl wie eine Marionet-
te als Lockvogel bei einem reichen Nabob zu benutzen, während das liebe Kind dann bei der Ausführung der Pläne ganz anders reagiert, nämlich ungeniert weiblich und überaus lebendig.
Es versteht sich, daß der junge Gauner am Ende gar kein Bösewicht ist
und daß das turbulente Versteckspiel versöhnlich endet.
SHIRLEY MACLAINE hat hier Gelegenheit, einmal schlitzäugig starr durch
die Dekorationen zu wandeln und zum anderen mit ihrem schlaksigen
Charme die Umwelt zu bezaubern. Sie spielt immer sich selbst – und selt-
samerweise sieht man ihr immer von neuem gern dabei zu. Denn immer
ist ein Schuß Selbstironie, ein winziges Augenzwinkern des Vergnügens
dabei.
Ihr Partner, ebenfalls ganz witzig, ist Michael Caine, und die Welt der
Basare und Nachtbars sowie der bezaubernden landschaftlichen Schönheit von Hongkong geben dem Film ein zusätzliches buntes Kolorit.

*Der Kurier, Berlin*

Ein Wirbel des Abenteuerlichen, ein großes prickelndes Vergnügen. Mit
einem guten Instinkt für feinen Humor und kultivierte filmische Gestal-
tungsgabe läßt Regisseur Ronald Neame die mit Erotik und Exotik verschwenderisch garnierte Fabel als einen Unterhaltungsfilm erster Ordnung sich abwickeln. Ein reines Vergnügen, zudem hier die unnachahmliche SHIRLEY MACLAINE, Hollywoods derzeit populärste und beliebteste

*Shirley als Tänzerin in der Nachtclub-Szene von ›Das Mädchen aus der Cherry Bar‹*

Charakterdarstellerin, in dieser spannungsvollen und ausgelassenen Unterhaltung nach »Irma La Douce« wohl ihre überzeugendste Rolle spielt. In der männlichen Hauptrolle begegnet man dem großartigen Schauspieler Michael Caine, der bei den diesjährigen Filmfestspielen in Cannes für den Film »Alfie« zum »besten Schauspieler des Jahres« gekürt wurde. Dieses »Mädchen aus der Cherry-Bar« ist auf dem Gebiet der Filmkomödie ein filmischer Wurf erster Ordnung.

*w. f., Rhein-Neckar-Zeitung, Heidelberg*

**Woman Times Seven** (Siebenmal lockt das Weib)
Produktion: Arthur Cohn (Ex.-Prod. Joseph E. Levine) für Embassy-
20th Century-Fox (USA) 1967
Regie: Vittorio de Sica
Drehbuch: Cesare Zavattini
Kamera: Christian Matras
Schnitt: Teddy Darvas, Victoria Mercanton
Musik: Riz Ortolani
Darsteller und ihre Rollen:
1. »Funeral Procession«: SHIRLEY MACLAINE (Paulette), Peter Sellers
(Jean), Elspeth March (Annette)
2. »Amateur Night«: SHIRLEY MACLAINE (Maria Teresia), Rossano
Brazzi (Giorgio), Catherine Samie (Jeannine), Judith Magre (zweite
Prostituierte)
3. »Two Against One«: SHIRLEY MACLAINE(Linda), Vittorio Gassman
(Cenci), Clinton Greyn (MacCormick)
4. »The Super-Simone«: SHIRLEY MACLAINE (Edith), Lex Barker (Rik),
Elsa Martinelli (Frau am Markt), Robert Morley (Psychiater)
5. »At the Opera«: SHIRLEY MACLAINE(Eve Minou), Patrick Wymark
(Henri), Adrienne Corri (Mademoiselle Lisière)
6. »The Suicides«: SHIRLEY MACLAINE (Jeanne), Michael Caine (gutaus-
sehender Fremder), Anita Ekberg (Claudie), Philippe Noiret (Victor)
Deutsche Erstaufführung: 29.9.1967
Länge: 99 Minuten, Farbe
Episodenfilm

Hier brilliert Amerikas großartige Komödiantin SHIRLEY MACLAINE in
sieben darstellerischen Soli. In jeder der sieben Rollen ist sie ein anderer
Mensch, jedesmal vermag sie zu überzeugen. Das nennt man Verwand-
lungskunst! Sie spielt die junge Witwe, die bereits beim Begräbnis ihres
Mannes dank eines beredten Partners zu neuem Leben erwacht. Sie
spielt die überspannte Gattin eines Millionärs, für die bereits die Welt
zusammenstürzt, als sie hört, daß ihre Rivalin auf dem Parkett der High
Society dasselbe Abendkleid in der Oper tragen wird. Sie spielt eine Dolmetscherin und ist ebenso vorzüglich im Dolmetschen dreister Gefühle,
die sie an zwei Besuchern eines wissenschaftlichen Kongresses auf höchst
frivole Art abreagiert. Sie will sich mit ihrem Geliebten in einem ordinären Hotelzimmer das Leben nehmen, nachdem ihre Abschiedsmonologe
auf Band gesprochen sind. Sie bringt sich auf so skurrile Art als vernach-
lässigte Frau eines Modeschriftstellers in dessen Erinnerung, daß der
einen Psychiater kommen läßt. Sie verliebt sich mit einem tüchtigen
Schuß Asphalt-Poesie in einen »Nachsteiger«, der sich als der kleine De-

*Die Witwe mit neuem Galan: Shirley MacLaine mit Peter Sellers in dem
Episodenfilm ›Siebenmal lockt das Weib‹*

tektiv entpuppt, den ihr der eifersüchtige Ehemann auf die Fersen setzte.
Und sie findet schließlich bei der Rückkehr von einem Italien-Urlaub
ihre beste Freundin im Bett ihres Gatten. Mit dem erstbesten Mann will
sie Vergeltung üben, gerät in das Revier der öffentlichen Mädchen, läßt
sich vielseitig beraten und muß erkennen, daß diese Art von Rache nicht
jedes Mädchens Sache ist.
Sieben Episoden – sieben Welten – von Vittorio de Sica mit so lockerer
Hand in Szene gesetzt wie einst sein »Liebe, Brot und sowieso«-Film.
SHIRLEY MACLAINE ist zum erstenmal wieder so hinreißend wie in »Irma
La Douce«.

*Bert Markus, Filmecho-Filmwoche*

Um SHIRLEY MACLAINE geht es in allen Episoden dieses Films, der nicht den reißerischen Titel »*Siebenmal lockt das Weib*« verdient hat. Es sind Alltagsgeschichten aus dem Leben von Frauen verschiedener Gesellschaftsschichten. Ob SHIRLEY MACLAINE aber die mondäne und etwas verrückte Eve spielt oder eine junge Ehefrau, die ihren Mann mit einer anderen findet, immer ist sie der Typ, den sie darstellt, immer gelingt der Schritt vom Romanhaften zur Wirklichkeit. Ihre Partner wechseln. Sie spielt mit Peter Sellers, Lex Barker und Michael Caine zusammen, aber diese Männerrollen sind immer nur Gegenpole, an denen sich die Frechheit oder der Liebreiz der Frau beweist, ihre Verführungskraft und ihre Hilflosigkeit. Außer der schauspielerischen Leistung der Hauptdarsteller liegt das Besondere dieses Films in der neuen Form der Handlungsaufteilung. Vittorio de Sica verfilmte eine Reihe von Kurzgeschichten, zusammengestellt nach einem Gesichtspunkt: Zentralfigur ist immer eine Frau. Auch das Ungewisse des Ausgangs der Geschichten, der Verzicht auf ein direkt gezeigtes Happy-End, das leichte Augenzwinkern in der Darstellungsweise erinnert an die Kurzgeschichte, etwas im Stile eines Maupassant oder, wenn sie nicht alle in Frankreich spielten, auch eines William Saroyan. Die Wirkung aber hängt von der Hauptdarstellerin ab, auf die die Episoden zugeschnitten sind – und SHIRLEY MACLAINE bringt in jeder einzelnen sowohl das Komische wie das Nachdenkliche heraus.

*(th), Kieler Nachrichten*

**The Bliss of Mrs. Blossom** (Hausfreunde sind auch Menschen)
Produktion: Josef Shaftel für Paramount (England) 1968
Regie: Joseph McGrath
Drehbuch: Alec Coppel, Denis Norden (nach dem gleichnamigen Bühnenstück von Alec Coppel)
Kamera: Geoffrey Unsworth
Schnitt: Ralph Sheldon
Musik: Riz Ortolani
Darsteller und ihre Rollen: SHIRLEY MACLAINE (Harriet Blossom), Richard Attenborough (Robert Blossom), James Booth (Ambrose Tuttle), Freddie Jones (Detective Sergeant Dylan), William Rushton (Dylans Assistent), Bob Monkhouse (Dr. Taylor), Patricia Routledge, John Bluthal
Deutsche Erstaufführung: 10.1.1969
Länge: 93 Minuten, Technicolor

Mr. Blossom fabriziert Büstenhalter. Und wenn er eine schöne Frau anschaut, dann nur aus beruflichem Interesse. Selbst die gußeisernen Schönen im Park möchte Mr. Blossom mit Büstenhaltern ausstatten.

Mrs. Blossom ist unglücklich. Einen BH hat sie schon, aber leider keinen Mann mehr. Denn dem sind nach elf Jahren Ehe alle fleischlichen Gelüste fremd.

Ambrose Tuttle ist Mechaniker und schüchtern. Eines Tages repariert er Mrs. Blossoms Nähmaschine. Mrs. Blossom mag Mr. Tuttle. So bleibt er da. Drei Jahre lang. Auf dem Dachboden.

Eine Dreiecksgeschichte also mit überlastetem Ehemann, unbefriedigter Frau und nettem jungen Mann. Die Konstruktion ist nicht eben neu, aber was der englische Regisseur Joseph MacGrath daraus gemacht hat, kann sich sehen lassen. Denn die Geschichte selbst und ihre Verwicklung interessieren ihn nur am Rand.

In der lustigen, bunten Pop-Wohnung der Blossoms spult MacGrath eine

*Der Büstenhalterfabrikant mit Ehefrau: Richard Attenborough und Shirley MacLaine in ›Hausfreunde sind auch Menschen‹*

Kette von absurden, grotesken und parodistischen Gags ab. Im Mittelpunkt stehen die Wonnen der Mrs. Blossom (Originaltitel: »The Bliss of Mrs. Blossom«) mit dem reizenden Ambrose Tuttle. Das Liebesglück der beiden spiegelt sich in immer neuen Kinoklischees wider, die als Traumsequenzen in die Handlung eingelassen sind. Ironisch die Irrealität des Geschehens auskostend, führt MacGrath Mrs. Blossom und ihren Liebhaber in »Schiwago«-, »Zapata«- und »Drei Musketiere«-Posen vor. Seine intelligenten Parodien verraten nicht nur eine genaue Kenntnis der Filmgeschichte, sondern auch seine Begabung für Komödien.

Ein unwahrscheinlich schwuler Polizist und ein überdrehter Psychiater kommen auch vor. Richard Attenborough und James Booth als Dreieck sind vorzüglich. Alles in allem: Ein intelligenter Spaß. (Intimes)

*Hans C. Blumenberg, Kölner Stadt-Anzeiger*

SHIRLEY MACLAINE hat das Glück, daß für sie Filmstoffe gefunden werden, die nur durch sie realisierbar erscheinen. Ihre Komik, ihre sich harmlos gebende Raffinesse, die Individualität ihrer erotischen Ausstrahlung, alles kommt voll zur Geltung, wenn sie die Gattin eines Büstenhalterfabrikanten spielt, die sich auf dem komfortabel möblierten Dachboden einen Liebhaber hält, weil ihr Mann einerseits mit geschäftlichen Dingen, andererseits mit dem Nachdirigieren klassischer Musik überbelastet ist. Auch die absurdesten Situationen wirken bei ihr und durch sie erstaunlich selbstverständlich. Als dann Scheidung und Wiederverehelichung mit dem Hausfreund erfolgt, ist die logische Folge, daß der ehemalige Gatte als Hausfreund im Keller etabliert wird. Richard Attenborough und James Booth ließen sich unter der Regie von Joseph MacGrath in prächtig verrückten Dekorationen mitreißen. Der Spaß erfreut eine volle Spielfilmlänge.

*-ers, Rheinische Post*

… Deutsche Zeitungen freuten sich bei dem sehr britischen Spaß-Stück, das allerorts vom Publikum links liegengelassen wurde, vor allem über SHIRLEY MACLAINE: Kritiker registrierten sie als den »strahlenden Mittelpunkt mit pompöser Garderobe und poppigen Einfällen« und fanden ihre Komik, ihre sich harmlos gebende Raffinesse, ihre erotische Ausstrahlung« beachtlich.

*Frankfurter Rundschau*

**Sweet Charity** (Sweet Charity)
Produktion: Robert Arthur für Universal (USA) 1969
Regie: Bob Fosse
Drehbuch: Peter Stone (basierend auf dem Theaterstück von Neil Simon, Cy Coleman, Dorothy Fields; bearbeitet nach dem Drehbuch »Notti Di Cabiria« von Federico Fellini, Tullio Pinelli, Ennio Flaiano)

298

*Shirley in ›Sweet Charity‹*

Kamera: Robert Surtees
Schnitt: Stuart Gilmore
Musik: Cy Coleman; Songs: Cy Coleman, Dorothy Fields
Darsteller und ihre Rollen: SHIRLEY MACLAINE (Charity Hope Valentine), Sammy Davis Jr. (Big Daddy), Ricardo Montalban (Vittorio Vitale), John McMartin (Oscar), Chita Rivera, Paula Kelly, Barbara Bouchet, Alan Hewitt

Deutsche Erstaufführung: 24.10.1969
Länge: 149 Minuten, Technicolor, Panavision 70

*Wenn Shirley nicht wäre* ... Der Film erzählt die Geschichte des Taxigirls
Charity Hope Valentine und ihrem Traum vom großen (Ehe-)Glück.
Charity ist eins von den Mädchen, die immerzu Pech haben, die stets an
den Falschen geraten und wegen ihrer Gutmütigkeit und Leichtgläubig-
keit von allen für dumm verschlissen werden. Ein Kerl, der sie angeblich
heiraten will, wirft sie ins Wasser und macht sich mit ihrer Handtasche
aus dem Staub. Die so verheißungsvoll begonnene Nacht mit einem berühmten Filmstar muß sie in dessen Kleiderschrank verbringen, weil seine Verlobte plötzlich auftaucht, und der Mann, den sie am Schluß dann
doch noch kriegen soll, läuft erst einmal vom Standesamt weg. Aber was
auch immer geschieht, Charity läßt sich nicht unterkriegen, irgendwie
geht es bei ihr immer weiter, und irgendwie schafft sie am Schluß auch
den Aufstieg aus dem etwas anrüchigen Milieu des Amüsierbetriebes, in
dem sie arbeitet, in die gutbürgerliche Gesellschaft. Und mehr Glück als
ein häusliches ist bei einem Mädchen wie Charity nicht drin.
Regisseur und Choreograph Bob Fosse hat diese Story, die so banal, wie
sie sich vielleicht anhört, nicht ist, so weitschweifig und sentimental inszeniert, daß man, wäre da nicht SHIRLEY MACLAINE in der Titelrolle,
schier davonlaufen möchte. Sie tanzt, lacht, zerfließt in Tränen, ist komisch, und das fast immer gleichzeitig, sie tobt ihr ganzes komödiantisches Talent aus. Im übrigen gibt es in dem Film, außer zwei oder drei gelungenen Tanzszenen vielleicht, wenig Amüsantes zu sehen. Die Kamera schwelgt in modisch aufgeputzten, steril-schönen Bildern, die Haupt-
sache, alles ist schön bunt und sieht teuer aus, und von der Musik Cy Co-
lemans möchte man lieber gar nicht reden. Eins noch: In dem Film
kommt ein farbiger Sänger vor, der so aussieht, wie Sammy Davis jr., nur
viel schlechter singt: Sammy Davis jr.!

*R. O., Süddeutsche Zeitung, München*

... Der Choreograph Bob Fosse, der auch bei der Bühnenfassung Regie
führte, hat seine mild pathologischen Figuren – darunter ein Prediger
(Sammy Davis jr.), der im Pop-Jargon den lieben Gott als großen Disc-
Jockey feiert – mit sarkastischem Witz in Szene gesetzt.
Allerdings, so komisch das Spiel mit seinen Tanz- und Gesangsnummern
auch ist – einem »Funny Girl« oder einer »Fair Lady« gegenüber wirkt
»Sweet Charity« eher wie ein Aschenputtel.

*Der Spiegel*

... SHIRLEY MACLAINE hat ihre mit Wimperntusche gefärbten Kullerträ-
nen ins Studio getragen und zieht vor einer fast unbeweglichen, deshalb
antifilmischen Kamera die Schau des gutmütigen, nach Liebe hungrigen

Tanzgirls ab, so temperamentlos, daß einem der Atem stockt. Das ist nicht einmal mehr Nummern-Kino, wo kleine Handlungen überleiten zu den musikalischen Einschüben, sondern vielmehr eine spannungslose Reihe von farbigen Szenen, in denen sich alle Beteiligten einschließlich Sammy Davis jr. abmühen, ihr Talent ins rechte Licht zu rücken ...

*Hannoversche Allgemeine, Hannover*

SHIRLEY MACLAINE, unvergessen als Irma la Douce, soll sich noch einmal in diesem lockeren Metier versuchen. Diesmal ist sie ein Taxigirl mit supernaivem Einschlag. Auf der Suche nach einem Mann gerät sie immer nur an solche, die es weniger auf ihr gutes Gemüt als auf ihre knapp bemessene Geldbörse abgesehen haben. Doch einmal meint es das Schicksal gut. Sie darf einem berühmten Filmstar begegnen und lange davon zehren. Dann bringt sie einen verklemmten Jüngling auf die ersten erotischen Sprünge und kann schließlich nach den üblichen Verwicklungen mit ihm den Gang aufs Standesamt antreten. Das Happy-End ist gesichert. SHIRLEY MACLAINE hat in diesem Film nicht nur gegen ihr eigenes Image, sondern auch gegen eine Guilietta Masina anzuspielen, denn diesem Film dienten Fellinis »Die Nächte der Cabiria« als Vorlage, die der Regisseur Bob Fosse kurzerhand zu einem Musical mit Luxuschic umfunktionierte. Zwischen den perfektionierten Tanzeinlagen von choreographischer Brillanz, in denen auch Sammy Davis jr. sein Gesangs- und Tanztemperament zeigen darf, hat die MACLAINE Mühe, in diesem Hochglanzmusical amerikanischer Machart ihre schauspielerischen Qualitäten hervorzukehren.

*Kn, Der Tagesspiegel, Berlin*

**Two Mules for Sister Sara** (Ein Fressen für die Geier)
Produktion: Martin Rackin, Carroll Case für Universal (USA) 1970
Regie: Don Siegel
Drehbuch: Albert Maltz (nach einer Story von Budd Boetticher)
Kamera: Gabriel Figueroa
Schnitt: Robert F. Shugrue
Musik: Ennio Morricone
Darsteller und ihre Rollen: SHIRLEY MACLAINE (Schwester Sara), Clint Eastwood (Hogan), Manolo Fabregas (Colonel Beltran), Alberto Morin (General LeClaire), Armando Silvestre, John Kelly
Deutsche Erstaufführung: 12.2.1970
Länge: 114 Minuten, Technicolor

Ein augenblicklich für die mexikanische Revolution arbeitender Westerner trifft unterwegs im unwirtlichen Ödland eine Nonne, die in die Hände dreier Strauchdiebe gefallen ist. Er befreit sie und erfährt, daß auch

*Zwei Verbündete: Shirley und Clint Eastwood in ›Ein Fressen für die Geier‹*

sie sich der Befreiung Mexikos verschworen hat, wenngleich aus anderen Motiven: während Hogan ausschließlich an dem Gewinn (die französische Militärkasse) interessiert ist, handelt Schwester Sara aus Patriotismus. Die beiden erleben eine Reihe gefährlicher Abenteuer, bis der Überfall mexikanischer Guerillas auf die französische Garnison gelingt. Hogan gelangt in den Besitz der Kriegskasse, und Schwester Sara entpuppt sich als attraktive Bordelldame, was für ihren Partner eine nicht unerfreuliche Überraschung darstellt.

Diese dünne und einfältige Geschichte (Story Budd Boetticher!), in der zum ungezählten Male Klischeefiguren Klischeerevolutionen durchzustehen haben, ist erträglich, ja zum Teil interessant nur durch das

schmückende Beiwerk. Inszenierung, Kamera und vor allem die Musik
Ennio Morricones lassen nichts unversucht, um die stereotype Geschichte vom Revolutionär aus Gewinnsucht auf Hochglanz zu polieren. Man
muß bestätigen, daß es zumindest in einzelnen Sequenzen gelungen ist,
wozu nicht zuletzt das hübsche Spiel der SHIRLEY MACLAINE beigetragen
hat. Die blutige Massenschlächterei gegen Schluß hätte sich ein so re-
nommierter Regisseur wie Don Siegel ersparen sollen, zumal er offensichtlich nicht gewillt war, hier auch nur einen neuen Einfall zu investie-
ren.

*Evangelischer Filmbeobachter*

... Dabei feiert der Witz, der geistreiche Humor, in diesem neo-amerika-
nischen Western ein Comeback. Auch die leichte Ironisierung der Kirche hat nichts Verletzendes. Daß die Dialoge Farbe und Frische bekommen, liegt nicht zuletzt an den zwei Schauspielern. SHIRLEY MACLAINE
als schießende und betende Sara, die mit dem glitzernden Kreuz die An-
greifer zu verscheuchen weiß, und Clint Eastwood als Söldner Hogan
spielen nämlich doppeltes Spiel und liefern sich darin gegenseitig ein Hu-
sarenstück, in dem sie sich als andere ausgeben, als sie sind. Sara spielt
sich aus in der Rolle eines wilden Geschöpfes, auf der einen Seite wage-
mutig bis dort hinaus, auf der anderen die personifizierte Unschuld vom
Lande, fromme Betfrau und Feldwebel in einem. Clint Eastwood muß
sich ordentlich anstrengen, um mitzuquirlen.

*AH, Wiesbadener Kurier*

**Desperate Characters** (Verzweifelte Menschen)
Produktion: Frank D. Gilroy für Paramount (USA) 1971
Regie: Frank D. Gilroy
Drehbuch: Frank D. Gilroy (nach dem Roman von Paula Fox)
Kamera: Urs Furrer
Schnitt: Robert Q. Lovett
Musik: Lee Konitz, Jim Hall, Ron Carter
Darsteller und ihre Rollen: SHIRLEY MACLAINE (Sophie), Kenneth Mars
(Otto), Gerald O'Loughlin (Charlie), Sada Thompson (Claire), Jack So-
mack (Leon), Chris Gampel (Mike), Mary Ellen Hokanson, Robert
Bauer, Carol Kane
Deutsche Erstaufführung: 15.1.1973
Länge: 87 Minuten, Farbe
Lief unter dem deutschen Titel »Sophie und Otto« bei den Internationa-
len Filmfestspielen 1971 in Berlin. Ausgezeichnet mit zwei »Silbernen
Bären«, Autor und Regisseur Frank D. Gilroy für das »beste Drehbuch
und Dialoge« und SHIRLEY MACLAINE als »beste Schauspielerin«.

303

In der Nachbarschaft New Yorks in einem verwirrenden Häusermeer lebt in seiner Wohnung – und dadurch von der Außenwelt abgeschirmt – ein kinderloses Ehepaar: Sophie und Otto. Die Slum-Umwelt hat in ihrer deprimierenden Eintönigkeit eine gewisse Ähnlichkeit mit dem Alltagseheablauf dieser beiden. Otto ist Anwalt, er trennt sich von einem alten Freund beruflich. Sophie erlebt kleine Merkwürdigkeiten, die bei einem Katzenbiß beginnen und sich steigern und bei ihr eine Art Symbolbedeutung gewinnen. Sie gehen zu Parties und erinnern sich an Störungen ihrer Ehe; im Krankenhaus, wo sich Sophie ihren geringfügigen Katzenbiß behandeln läßt, erleben sie die erschreckende Umwelt einer Unfallstation. Daheim stören sie anonyme Telefonanrufe auf. Als sie in ihr Sommerhaus fahren, entdecken sie, daß es Einbrecher ausgeräumt und zerstört haben, dennoch finden sie beide in ihrer innerlich angestauten Situation Zeit, sich zu vereinen, dann kehren sie zurück in die desolate Alltäglichkeit in Brooklyn Heights.

Es geschieht nicht allzuviel in diesem Film, der den Weltstar SHIRLEY MACLAINE einmal ganz anders, nämlich von der überlegenen, ernsten Rollengestaltung her, zeigt. Nur selten sieht man sie hier lächeln. Der Film gewinnt seine Spannung aus den sich langsam steigernden und auftürmenden Ereignissen, die die Ehe belasten, aber durch die gemeinsame Bewältigung andererseits auch wieder ent-lasten. Es ist kein Film, der eine freundliche »Love Story« erzählt, sondern die enervierende Geschichte einer amerikanischen Durchschnittsehe von heute im Steinmeer New Yorks. SHIRLEY MACLAINES reife Kunst und die robuste Männlichkeit Kenneth Mars' tragen den Film über die karge Eheprödigkeit in einer schier hoffnungslosen Welt.

*Evangelischer Filmbeobachter*

… Die Kritikerin Karena Niehoff schrieb über dieses Psychogramm amerikanischer Krankheiten und Neurosen: »Etwas in Sophie (SHIRLEY MACLAINE) will den Mann Otto (Kenneth Mars) nicht mehr; er ist stramm amerikanisch, so positiv, so phantasielos.« Sophie ist sensibler, macht die Unruhe um sich herum zu ihrer eigenen, greift ihren Mann mit dem Schlüsselsatz des Films an: »Das ist Amerika: kein Zweifel erlaubt.« Es sei nicht so, daß Gilroy das Monstrum New York auseinandernehme. Er begnüge sich mit dem zerborstenen Wahrnehmungsfeld Sophies. »SHIRLEY MACLAINE hat ein klares, reifes Gesicht bekommen, in dem sich unsentimental Erschrecken und Fragen ausbreitet.«

*hermy, Abendzeitung, München*

… Diese Auszeichnung ging auch an SHIRLEY MACLAINE, deren Darstellung einer durch ihre zunehmende Isolation irritierten Upper-class-Hausfrau zu den eindrucksvollsten Leistungen ihrer Kino-Laufbahn zählt. Die damals 36jährige Schauspielerin, bis dahin hauptsächlich als

*Kenneth Mars (Mitte), Shirley MacLaine in ›Verzweifelte Menschen‹*

Komödiantin in Lustspiel-Hits wie »Das Appartement«, »Irma la Douce« oder »Das Mädchen aus der Cherry-Bar« erfolgreich, konnte sich damit endgültig auch als Charakterdarstellerin von Rang etablieren.

*Frankfurter Rundschau*

## The Possession of Joel Delaney
(Die Besessenheit des Joel Delaney)
Produktion: ITC, Sir Lew Grade (England) 1971
Regie: Waris Hussein
Drehbuch: Matt Robinson, Grimes Grice (nach einem Roman von Ramona Stewart)
Kamera: Arthur J. Ornitz
Schnitt: John Victor Smith
Musik: Joe Raposo
Darsteller und ihre Rollen: SHIRLEY MACLAINE (Norah Benson), Perry King (Joel Delaney), Michael Hordern (Justin Lorenz), David Elliot

305

(Peter Benson), Lisa Kohane (Carrie Benson), Barbara Trentham, Robert Burr
Deutsche Erstaufführung: Internationale Filmfestspiele, Berlin 1972
Länge: 105 Minuten, Technicolor

Nach innen, aber schon sehr nach innen hat Regisseur Waris Hussein sein Drama verlegt, das – wie »Rosemary's Baby« von Polanski – nach einem Roman entstanden ist. Und das Übersinnliche passiert hier auch einfach so in der guten Stube. Nur der Grusel, den Polanski so perfekt produzierte, befällt hier mehr die Darsteller – den erstaunten Zuschauer verschont er weitgehend, es sei denn, er habe persönlichen Kontakt zum Voodoo-Kult. Und wer hat das schon?

Der Roman von Ramona Stewart also berichtet vom merkwürdigen Schicksal eines ordentlichen jungen Mannes in New York, der sich im puertoricanischen Viertel an sonderbare Freunde anschließt.

Der Geist eines toten Freundes fährt in ihn ein – und so besessen, wird er zum Mörder. Der Thriller spitzt sich zu. SHIRLEY MACLAINE reist mit ihren Film-Kindern eigens an die donnernde See, wo ihr geliebtes und besessenes Brüderchen alsbald mit einem abgeschnittenen Frauenkopf auftaucht und fürchterliche Thriller-Sachen anstellt.

Es ist ja durchaus guter Stil für die erste Filmdamen-Garnitur, in Gruselstücken zu erscheinen. So ist SHIRLEY MACLAINES Wahl nicht überraschend, aber ihre Rolle gibt wenig her. Das ewig Angstvolle und innerlich Gepeinigte hat bei ihr wenig Chancen. Sie wirkt wohl auch ein bißchen zu gesund und vernünftig, um die kleine, spinnerte Bedrohung hinzukriegen, die solche Rollen fürs Publikum schmackhaft macht. Der Versuch einer Seelenaustreibung von Voodoo-Spezialisten bei Schallplatten-Musik rettet auch nichts mehr. Der ruhelose Geist möge spuken, wo der Pfeffer wächst, und lieber nicht bei Festspielen. Ein dolles Ding – trotz Shirley: Geist mit Macke.

*Elvira Reitze, Der Abend, Berlin*

### The Other Half of the Sky: A China Memoir

Produktion: SHIRLEY MACLAINE (USA) 1973
Regie: SHIRLEY MACLAINE, Claudia Weill
Drehbuch: SHIRLEY MACLAINE
Kamera: Claudia Weill
Schnitt: Aviva Slesin, Claudia Weill
Länge: 74 Minuten, Farbe
Dokumentarfilm

Im Frühjahr 1973 baten Vertreter der Volksrepublik China SHIRLEY MACLAINE, der ersten Delegation amerikanischer Frauen bei ihrem Besuch in China vorzustehen. Sie sollte eine Gruppe »normaler amerikanischer Frauen« zusammenstellen, keine Berühmtheiten. Mit elf Frauen kam sie am 19. April in China an. Es waren Claudia Weill, Fernseh-Kamerafrau aus New York (später Regisseurin von »Girlfriends«); Joan Weidman, Kamerafrau aus Los Angeles; Nancy Schreiber, Scriptgirl aus New York; die Fotografin Cabell Glickler; Rosa Marin, Leiterin der Sozialarbeitsstudien an der Universität von Puerto Rico; Pat Branson aus Port Arthur, Texas; Margaret Whitman aus Manchester, Massachussetts; Phyllis Kronhausen, Sexologin und Leiterin des Museums für Erotische Kunst in San Francisco; Ninibah Crawford, Navajo-Indianerin aus Fort Defiance, Arizona; Unita Blackwell, eine schwarze Zivilrechtsarbeiterin aus Marysville, Mississippi, und Karen Boutillier, eine Zwölfjährige, die an der Kampagne für Senator George McGovern 1972 mitarbeitete. Ihr gemeinsam erarbeiteter Filmbericht ist eines der ersten Zeugnisse aus dem für westliche Besucher lange verschlossenen China.

Fast jeder ist neugierig auf China, aber nur wenige werden eine bessere Gelegenheit haben, es kennenzulernen, als jene, die »The Other Half of the Sky: A China Memoir« sahen. Dieser Filmbericht über das, was eine Delegation von elf amerikanischen Frauen sah, ist ein intensiver Sprung vorwärts in eine Gesellschaft, deren Werte sich von den unseren so sehr unterscheiden, daß China faszinierend und erschreckend aufscheint.

*Newsweek*

Der Film ist erstaunlich gut zusammengestellt, sein Inhalt wird durch die genauen Fragen gestützt, die SHIRLEY MACLAINE ihren chinesischen Gastgebern stellt. Was ihn wertvoller macht als anderes Filmmaterial, das ich über das heutige China gesehen habe, ist Shirleys ständige Suche nach Rollen und Beziehungen und ihr ständiger Wunsch nach Verstehen.

*Saturday Review*


**The Turning Point** (Am Wendepunkt)
Produktion: Herbert Ross, Arthur Laurents für 20th Century-Fox (USA) 1976
Regie: Herbert Ross
Drehbuch: Arthur Laurents
Kamera: Robert Surtees
Schnitt: William Reynolds
Musik: John Lanchbery
Darsteller und ihre Rollen: Anne Bancroft (Emma), SHIRLEY MACLAINE (Dedee), Mikhail Baryshnikov (Yuri), Leslie Brown (Emilia), Tom

*›Am Wendepunkt‹: Leslie Brown, Shirley MacLaine*

Skerritt (Wayne), Martha Scott (Adelaide), Antoinette Sibley, Marshall
Thompson, Anthony Zerbe
Deutsche Erstaufführung: 17.3.1978
Länge: 119 Minuten, Farbe
FBW-Prädikat: Besonders wertvoll

Die eine hat einen Haushalt und drei Kinder, die andere arbeitet unver-
heiratet an ihrer Karriere: Zwei Frauen, Freundinnen und ehemals be-
gabte Ballett-Konkurrentinnen, stellen plötzlich fest, daß sie ihre dama-
ligen Entscheidungen überprüfen müssen.
Wieder steht, wie in Zinnemanns »Julia«, eine Frauenfreundschaft im
Mittelpunkt, doch hat das keinerlei emanzipatorische Züge im Sinne von
»Women's Lib«, eher frönt Herbert Ross' Film der modischen Welle der
»Midlife Crisis«.
SHIRLEY MACLAINE, im Film Deedee als Mutter dreier Kinder, von de-
nen das älteste, die junge Emilia, ihre Tanzbegabung geerbt hat, trifft

308

ihre Freundin Emma (Anne Bancroft) bei einem Gastspiel der Truppe wieder. Beide beneiden sich um ihr gegenseitiges vermeintliches Glück: Deedee trauert immer noch dem Verlust der Chance nach, ihre Begabung öffentlich bewiesen zu haben.

Emma, schon fast zu alt als Primaballerina, muß mit der Tatsache fertig werden, daß es für den Mann, der sie gern hat, aber auch für den Ruhm zu spät ist.

Beide vereinen ihre Frustrationen in der Starthilfe für die junge Emilia (Leslie Brown), der es in der Tat gelingt, den ganz großen Durchbruch zu schaffen.

Daß der Film dabei in wundervollen Ballettszenen schwelgt, wird nur die ärgern, denen Aktion wichtiger ist als schöne Bilder.

In einem furiosen Gerangel, in denen beide sich wilde Beschuldigungen entgegenschleudern, meistern sie zugleich ihre Krise, weil sie doch erkennen, daß man nur allein für den Gang seines Lebens verantwortlich ist, und daß jede von ihnen doch wieder so und nicht anders entschieden hätte.

Während Emilia hoffnungsfroh ihre steile Karriere beginnt, stellen beide, in leiser Wehmut vereint, fest, daß man den Kindern zwar die Ballettschritte, aber nicht diese Erkenntnisse vermitteln kann.

Der Film, der in den USA hohe Auszeichnungen erhielt, ist vor allem durch die beiden Hauptdarstellerinnen zu einem sehenswerten, sensiblen Streifen geworden. Wenn er auch hier und da ein bißchen ins Sentimentale abrutscht – wer sagt denn auch, daß in der Bewältigung von Lebenskrisen nicht auch ein bißchen Gefühlsduselei stecken darf!

*Marlis Haase, Neue Ruhr-Zeitung, Essen*

… SHIRLEY MACLAINE und Anne Bancroft gestalten ihre Rollen überzeugend und eindrucksvoll. Daß die jungen Tänzer nicht auch ausdrucksstarke Schauspieler sind, wurde bei der Rollenzeichnung berücksichtigt. Bemerkenswert die Farbgestaltung; schon lange wurde Farbe nicht so bewußt und geschmackvoll eingesetzt.

Die Begegnung zweier Freundinnen, von denen eine den Tanz aufgegeben und geheiratet, die andere Karriere als Primaballerina gemacht hat. Psychologisch zutreffend, genau im Detail, macht der Film die menschliche Problematik eindringlich bewußt. Hervorragend gespielt, mit faszinierenden Ballettszenen.

*Katholischer Filmdienst*

… Nach vierjähriger Filmpause glänzt SHIRLEY MACLAINE in der Rolle der Deedee als rothaarig-quirlige amerikanische Hausfrau – allerdings ohne eine einzige Tanzszene. Im Gegensatz dazu demonstriert ihre Gegenspielerin Anne Bancroft beim Ballett-Training eine Körperbeherrschung von bestechender Eleganz. *WAZ, Essen*

… SHIRLEY MACLAINE (die übrigens auch Tanzausbildung hat) bekam als Deedee rein darstellerische Aufgaben, Anne Bancroft muß als Emma keine akrobatischen Leistungen vollbringen. Dafür sind beide erstklassige Schauspielerinnen, die sich in das Milieu vollkommen einfügen.

*Evangelischer Filmdienst*

**Being There** (Willkommen, Mr. Chance)
Produktion: Lorimar, Andrew Braunsberg (USA) 1979
Regie: Hal Ashby
Drehbuch: Jerzy Kosinski (nach seinem gleichnamigen Roman)
Kamera: Caleb Deschanel
Schnitt: Don Zimmerman
Musik: John Mandel
Darsteller und ihre Rollen: Peter Sellers (Chance), SHIRLEY MACLAINE (Eve Rand), Melvyn Douglas (Benjamin Rand), Jack Warden (Präsident Bobby), Richard Dysart (Dr. Robert Allenby), Richard Basehart (Vladimir Skrapinov), Ruth Attaway, Dave Clennon
Deutsche Erstaufführung: 19.9.1980
Länge: 130 Minuten, Technicolor
FBW-Prädikat: Besonders wertvoll

… Die Komik des Films beruht auf einem genial einfachen Trick: da gerät ein geistig etwas zurückgebliebener Gärtner auf zufällige Weise in das Haus eines langsam dahinsiechenden Wirtschaftsmagnaten und Präsidentenberaters, der die naiven Aussagen des Mr. Chance »Gardener« über das Wachstum von Bäumen und Rosen als politische und wirtschaftliche Weisheiten mißversteht. Nachdem auch der beeindruckte Präsident der USA in einer Rede Chance zitiert, avanciert dieser zu einem einflußreichen Mann, ohne selbst davon irgend etwas zu ahnen. Der Medienrummel, der sich an seiner Person entzündet, läßt ihn unberührt, einzig der Auftritt in einer TV-Talk-Show findet sein Interesse. Indes, der Erfolg verändert ihn nicht, auch nicht die angetragene Nachfolge des sterbenden Wirtschaftsmagnaten in Gesellschaft und Ehe schmälert nicht sein Interesse für die Rosen im Garten. Am Ende wandelt er gedankenverloren über das Wasser davon …

*Meinolf Zurhorst, Filmbeobachter*

… Und im Hause des auf medizinisches Eis gelegten Wirtschaftskapitäns bietet ihm dessen Frau sich als erotisches Brachland für die gärtnerische Pflege an. Und es verdrießt die (im Spiel SHIRLEY MACLAINES) hinreißend aus ihrem Frust aufblühende Gattin keineswegs, daß der vom Schauen Verwöhnte sich auch hier weitgehend voyeuristisch begnügt …

*Der Spiegel*

*Gala mit Sowjet-Botschafter: Peter Sellers, Shirley MacLaine, Elya Baskin in ›Willkommen Mr. Chance‹*

... »Willkommen, Mr. Chance« ist ein Film zum Lachen: nicht über den stoischen Peter Sellers (der ohne seine üblichen Verkleidungen und Masken fast schockierend nackt wirkt), sondern über unsere Bereitschaft, den sanften Idioten mit den temperierten Manieren zum Anführer zu küren. Weil nichts in ihm ist, erregt er keinen Anstoß, ist er für jeden Aufstieg gut: ein monströses Bildschirmbaby, eine Erfindung des Fernsehens, der ideale Bürger des Jahres 1984. So stirbt, von Hollywoods neuem Star-Kameramann Caleb Deschanel in dunklem Prunk gemessen zelebriert, die alte Welt der Melvyn Douglas (der einst Greta Garbo als Ninotschka liebte) und SHIRLEY MACLAINE an ihrer Arglosigkeit. Und merkt es nicht einmal.

*Hans C. Blumenberg, Die Zeit*

... Das klassische Farcen-Motiv von der verwechselten Identität hätte leicht ins Schwankhafte abgleiten können, doch läßt es Ashby selten dazu kommen. Er gibt seine Charaktere nicht billiger Lustigkeit preis, benützt sie auch nicht nur als Funktionsträger einer Botschaft. SHIRLEY

311

MACLAINE und Melvyn Douglas als Eve und Benjamin Rand haben durchaus menschliche Konturen, was schon fast eine Kunst ist, berücksichtigt man den stinkreichen Rahmen, in dem sie sich bewegen müssen. Daß sie nicht nur Stichwortlieferanten sind für die Irrungen und Wirrungen um Chances Identität, scheint mir symptomatisch für den ganzen Film: »Being There« überfällt uns nicht mit dem heftigen Gestus der zornigen Satire und derem traditionellen Stilmittel des Realitätsentzuges; »Being There« zupft uns zaghaft, aber beharrlich am Ärmel. Angesichts der bevorstehenden Präsidentschaftswahlen, angesichts dieses makabren Entweder-Oder wünscht man dem »absurden« kleinen Film die Beachtung, die er verdient, um so eindringlicher.

*Pia Horlacher, Zoom*

**Loving Couples** (Ein Walzer vor dem Frühstück)
Produktion: Rank (Renee Valente) USA 1980
Regie: Jack Smight
Drehbuch: Martin Donovan
Kamera: Philip Lathrop
Schnitt: Frank Uriostef, Grey Fox
Musik: Fred Karlin
Darsteller und ihre Rollen: SHIRLEY MACLAINE (Evelyn), James Coburn (Walter), Susan Sarandon (Stephanie), Stephen Collins (Gregg), Sally Kellerman (Mrs. Liggett), Nan Martin, Shelly Batt
Deutsche Erstaufführung: 1984 auf Video
Länge: 98 Minuten, Metrocolor

Ein Vier-Personen-Stück im Stil seichter Boulevardkomödien: Ein Ehepaar in den »besten Jahren« hat sich auseinandergelebt. Nur zu leicht gibt die Frau einem jüngeren gutaussehenden Häusermakler nach. Ihr Mann tröstet sich inzwischen mit dessen Freundin. Auch nachdem die beiden Verhältnisse bekannt werden, ist man weder zu Konsequenzen noch Einsichten in der Lage. Der alte Lebenswandel und die alten Eigenschaften der einzelnen übertragen sich auf die neuen Paare, bis sich schließlich die alten Probleme einstellen. So kehrt der ältere Ehemann wieder zu seiner Frau zurück, da ihre Liebe im Grunde nie erloschen war. – Diese triviale Geschichte wird allenfalls aufgewertet durch berühmte Stars, luxuriöses Dekor und einigem zündenden Sprachwitz, der ahnen läßt, daß hier der Versuch einer »screwball«-Komödie unternommen werden sollte. Viel mehr als ein anspruchsloses Lustspiel ist dabei nicht herausgekommen. Die Probleme werden zu »Problemchen« verniedlicht, um gar nicht den Eindruck entstehen zu lassen, man hätte es bei den vier Personen mit realen Menschen zu tun.

*HPK, Katholischer Filmdienst*

**A Change of Season** (Jahreszeiten einer Ehe)
Produktion: TCF (Martin Ransohoff) USA 1980
Regie: Richard Lang
Drehbuch: Erich Segal, Ronni Kern, Fred Segal
Kamera: Philip Lathrop
Schnitt: Don Zimmerman
Musik: Henry Mancini
Darsteller und ihre Rollen: SHIRLEY MACLAINE (Karen Evans), Bo De-
rek (Lindsey Rutledge), Anthony Hopkins (Adam Evans), Michael
Brandon (Pete Lachapelle), Mary Beth Hurt (Kasey Evans), Ed Winter,
Paul Regina
Deutsche Erstaufführung: 20. Februar 1981
Länge: 102 Minuten, Farbe

Ein Uni-Professor verliebt sich in eine Studentin (Bo Derek) – als Reaktion holt sich die wütende Ehefrau (SHIRLEY MACLAINE) einen hübschen
Tischler ins Bett – dann fahren alle vier zusammen in die Skihütte, wo die
Tochter des Ehepaars mit Liebeskummer hereinplatzt, aber gottlob
gleich wieder wegfährt – und dann kommt noch der Vater der Studentin
und verliebt sich in die Ehefrau ...
Eine Geschichte, wie sie das Leben nicht so oft schreibt, worüber man
herzlich froh sein kann. Als Komödie hat das Ganze seine Schwächen,
weil Regisseur Richard Lang optisch phantasielose Dialogszenen aneinanderreiht; als moralische Aufrüstungskampagne für die Frau um vier-
zig, die sich auch einmal einen jungen Seitensprung leisten soll, ist's gar
zu dick aufgetragen. SHIRLEY MACLAINE allerdings ist eine Augenweide
und bewahrt tapfer ihre Haltung gegenüber den Schauspielversuchen
von Bo Derek, die sich besser wieder ganz ihrem Ehemann widmen sollte.
*Vivian Naefe, Abendzeitung, München*

... Regisseur Richard Lang wußte offenbar auch nicht viel mit der Vorlage anzufangen, sonst wäre er nicht immer wieder auf langatmige, schön
photographierte Skifahrten ausgewichen. Schade nur um SHIRLEY
MACLAINE, die hier so albern überzogen und aufgedreht emanzipiert tun
muß, daß man ihre guten Filme glatt vergessen könnte. Welchen Umständen Bo Derek den Titel des Sex-Symbols der Achtziger verdankt,
wird mir ewig schleierhaft bleiben.
*Filmbeobachter*

... Bo Dereks Hilflosigkeit gegenüber einem Charakterstar wie SHIRLEY
MACLAINE hilft dem Film sogar in manchen Passagen zur Glaubwürdig-
keit. Schließlich aber verliert im letzten Drittel die Geschichte völlig ihre
Fassung: wenn Töchterchen Kasey Evans auf der Hütte erscheint, ver-

wirrt ist wegen der Doppelmoral ihrer Eltern und denen ganz gehörig den Kopf wäscht. Nicht der Einfall an sich ist schwach, sondern die Unfähigkeit der Regie, damit fertig zu werden.

So bleiben die »Jahreszeiten einer Ehe« schließlich immer dann faszinierend, wenn SHIRLEY MACLAINE dominiert und sie mit ihren Partnern Michael Brandon und Anthony Hopkins umzuspringen versteht.

*HRB, Rheinische Post*

## Terms of Endearment (Zeit der Zärtlichkeit)

Produktion: Paramount (USA) 1983

Regie: James L. Brooks

Drehbuch: James L. Brooks (nach einem Roman von Larry McMurtry)

Kamera: Andrzej Bartkowiak

Schnitt: Richard Marks

Musik: Michael Gore

Darsteller und ihre Rollen: SHIRLEY MACLAINE (Aurora Grennway), Debra Winger (Emma Horton), Jack Nicholson (Garrett Breedlove), Jeff Daniels (Flap Horton), Danny DeVito (Vernon Dahlart), John Lithgow (Sam Burns), Lisa Hart Carroll, Betty R. King, Huckleberry Fox

Deutsche Erstaufführung: 19.2.1984 (Internationale Filmfestspiele, Berlin)

Länge: 132 Minuten, Farbe

»Zeit der Zärtlichkeit« ist ein perfektes Industrieprodukt aus Hollywood. Renommierte Stars in einem anrührenden Melodram über Liebe, Trennung, Tod, Sex und Puritanismus. Hübsch aneinandergereihte Großaufnahmen, die sich später auch einmal für das Fernsehen eignen. Spritzige, aber nicht zu freche Dialoge, die die ganze Familie akzeptiert. In den USA soll der Film wieder einmal alle Besucherrekorde eingestellt haben. Und nun bekam er gleich fünfmal den »Oscar«. Über einen Zeitraum von dreißig Jahren wird die gespannte Beziehung der Witwe Aurora Grennway zu ihrer Tochter Emma (Debra Winger) verfolgt. Die neurotisch egozentrische Mutter ist gegen Emmas Heirat, weil sie den Schwiegersohn mit dem bezeichnenden Namen Flap für eine Niete hält, und gegen die Geburt von Emmas Kindern, weil sie durch sie zur Großmutter wird. Daß sie dennoch an ihrer Tochter hängt, belegen nur die ständigen, stets ungelegenen Telephonate, mit denen sie sich in dem plüschig hergerichteten Vorstadthaus in Texas die Zeit vertreibt. Erst durch die Affäre mit ihrem Nachbarn, dem Ex-Astronauten und alternden Playboy Garrett Breedlove, entdeckt Aurora die jugendliche Zärtlichkeit (auch zu ihrer Tochter) wieder. Die Episode ist eine komödiantische Paradenummer für die Stars, die augenzwinkernd ihr eigenes Image reproduzieren: SHIRLEY MACLAINE als »verrückte Nudel«, stets aufgetakelt wie Irma la Douce, und Jack Nicholson als augenrollender Vitalbolzen mit deutlichem Bauchansatz. Schließlich findet die zerstrittene Familie dann doch am Sterbebett der krebskranken Emma zusammen. Und der Zuschauer, der sich bei diesem wohlkalkulierten Bombardement auf seine Emotionen prächtig amüsiert hat, muß zum Taschentuch greifen. Nach der Vorstellung sind die Tränen freilich rasch wieder vergessen.

*Krischan Koch, Die Zeit*

... SHIRLEY MACLAINE hat als amerikanische Tüllrüschen-Zicke von prüdem Puritanergeist ein Mutter-Repertoire auf Lager, das man gesehen haben muß: Mit einer untrüglichen Nase für die miese Durchschnittlichkeit unerwünschter Schwiegersöhne nervt sie ihre Tochter (ein Inbegriff von stählerner Sanftmut: Debra Winger), wird aber halbwegs menschlich, als die Tochter nach dem dritten Kind Krebs und sie selbst den Lotternachbar Jack Nicholson, einen sexgierigen Astronauten a. D., ins reinliche Bett bekommt ...

*Ponkie, Abendzeitung, München*

... Den Titel des besten Regisseurs erhielt James Brooks für »Terms of Endearment«. SHIRLEY MACLAINE wurde für ihre Rolle in demselben Film zur besten Hauptdarstellerin des Jahres gekürt, ihr Partner Jack Nicholson zum besten Nebendarsteller. Bester männlicher Hauptdarsteller war nach Ansicht des Kritikergremiums Tom Conti in den Filmen »Reuben, Reuben« und »Merry Christmas, Mr. Lawrence«.
Der angesehene »Nationale Ausschuß für Kritik«, in dem Filmkritiker, -historiker und Filmemacher sitzen, veröffentlicht seine Bestenliste seit 1920.

*Rhein-Zeitung, Koblenz*

... Und er führt eine Figur ein, die der Roman nicht kennt, die aber dem Film eine dynamische Spannung gibt. Jack Nicholson – er tritt mit viel Mut zur Häßlichkeit auf den Plan – ist Auroras Nachbar Garrett Breedlove, ehemals Astronaut, abgetakelter Frauenheld mit Bauchansatz und meist schlecht rasiert, der hinter Taktlosigkeit und miserablen Manieren seine Gefühle und seine Einsamkeit verbirgt. Nachdem er und Aurora sich jahrelang über den Gartenzaun hinweg argwöhnisch und schweigsam belauert haben, kommt es zwischen diesem nur scheinbar ungleichen Paar zu einer überraschenden Liebesbeziehung. In brillant zugespitzten Dialogen spielen sich SHIRLEY MACLAINE und Nicholson gegenseitig die Bälle zu und entfachen ein launiges Feuerwerk aus Witz und Geist, aus Komik und Tragik. Sie machen aus der anspruchslosen Geschichte einen Schauspielerfilm von Rang. So schnell wird man dieses hinreißende Paar nicht wieder vergessen können.

*Doris Blum, Die Welt*

… Das Duell der beiden Traumfabrik-Veteranen MACLAINE und Nicholson als Liebespaar im zweiten Frühling brachte den beiden prompt je
einen Oscar ein. Zu Recht, denn so komisch-menschlich hat man eine
ähnliche Beziehung lange nicht mehr im Kino gesehen …

… Alles – und das ist die Stärke des Films – ist nie nur komisch oder nur
tragisch, sondern immer ein guter Schuß von beidem. Und der Tod voll-
zieht sich so sauber, daß man vor dem Film noch sehr gut seinen Hamburger verzehren kann. Eine gute Gegenleistung also für die
Kinoeintrittskarte, und für die MACLAINE- und Nicholson-Freunde geradezu ein Sonderangebot.

*Bodo Fründt, Süddeutsche Zeitung, München*

**Cannonball Run II** (Auf dem Highway ist immer noch die Hölle los)
Produktion: Golden Harvest/Warner Brothers (USA) 1983
Regie: Hal Needham
Drehbuch: Harvey Miller, Albert S. Ruddy, Hal Needham
Kamera: Nick McLean
Schnitt: Carl Kress, William Gordean
Musik: Al Capps
Darsteller und ihre Rollen: Burt Reynolds (J. J. McClure), Dom
DeLuise (Victor/Chaos), Dean Martin (Blake), Sammy Davis Jr. (Fen-
derbaum), SHIRLEY MACLAINE (Schwester Veronica), Telly Savalas (Hy-
mie), Jamie Farr, Jack Elam, Frank Sinatra, Richard Kiel, Marilu Hen-
ner
Deutsche Erstaufführung: 24.8.1984
Länge: 105 Minuten, Farbe


Geile Schlitten, dicke Knete, heiße Bräute, dufte Typen: wieder so ein
Film, der einen glauben machen will, er habe nicht nur all das zu bieten,
was man sich überhaupt wünschen könne, sondern seine gewagten
Stunts, spektakulären Tricks, populären Stars und aufwendigen Hub-
schrauberperspektiven würden das Versprechen auch einlösen.
Nun gut, wer nimmt, was er bekommt, der wartet auf die Stellen im blue
movie. Und seltsam, hier wie da versucht abgestandene Heiterkeit die
peinliche Langeweile der Situationen zu dementieren; die Kalauer und
Gags behaupten kumpelhaftes Einverständnis mit dem betrogenen Publikum.
Kein Wunder jedenfalls, daß »Highway 2« in einer Szene Coppolas »Paten« parodieren will: denn das Erzählkino hält noch immer, womit dieser
Reklamefilm wirbt.

*Michael Esser, Zitty, Berlin*

# Bibliographie

Christopher Paul Denis: The Films of Shirley MacLaine. Secaucus N. J.: Citadel Press, 1980.

Patricia Erens: The Films of Shirley MacLaine. New York: A. S. Barnes and Co., Inc., 1978.

Handbuch der Katholischen Filmkritik, Filme 1959–1984 (5. Bd.), Köln: Verlag J. P. Bachem/Verlag Katholisches Institut für Medien-Information e. V.

Lothar Just, Filmjahr 80/81; 81/82; 1985, München: Filmlandpresse, 1981–1986.

Shirley MacLaine: Raupe mit Schmetterlingsflügeln (Deutsche Ausgabe von »Don't Fall off the Mountain«, 1970). Frankfurt: Goverts Krüger Stahlberg, 1972.

Shirley MacLaine: »You Can Get There from Here«. New York: W. W. Norton & Company, Inc., 1975; Taschenbuchausgabe Bantam Books Inc., 1976.

Shirley MacLaine: Zwischenleben (Deutsche Ausgabe von »Out On a Limb«, 1984). München: Wilhelm Goldmann, 1984.

Shirley MacLaine: Dancing in the Light. New York: Bantam Books, 1985.

Variety Film Reviews, Vol. 9–16, New York: Garland Publishing, 1985.

Paul Werner, Uta van Steen: Rebellin in Hollywood. Frankfurt am Main/Dülmen: tande, 1986.

Maurice Zolotow: Billy Wilder in Hollywood. New York: G. P. Putnam's Sons, 1977.

# Register

Abbott, George 26
Abbott, John 170
A Chance of Season (Jahreszeiten einer Ehe) 228 ff.
Adiarte, Patrick 160
Allen, Valerie 66
All in a Night's Work (Alles in einer Nacht) 115 ff.
Alvarez, Edmundo Rivera 206
Anthony, Joseph 71, 91, 95
Anton, Susan 238
Apartment, The (Das Appartement) 105 ff.
Arkin, Alan 176
Around the World in 80 Days (In 80 Tagen um die Welt) 44 ff.
Artists and Models (Maler und Mädchen/Der Agentenschreck) 38 ff.
Ashby, Hal 220
Ask Any Girl (Immer die verflixten Frauen) 85 ff.
Attaway, Ruth 221
Attenborough, Richard 178, *179, 297*

Bach, Catherine 239
Backus, Jim 86
Bainter, Fay 124
Baker, Herbert 40
Balkin, Karen 124
Bancroft, Anne 215, *216*
Barker, Lex 176
Basehart, Richard 224
Beatty, Warren 15, *15,* 136
Beaty, Ira O. 14
Being There (Willkommen, Mr. Chance) 220 ff.
Bergman, Ingrid 166
Bernardi, Herschel 149
Bill, Frau 222
Blackman, Joan 92, *95*
Blatty, Peter 160
Bliss of Mrs. Blossom, The (Hausfreunde sind auch Menschen) 178 ff.
Boetticher, Budd 200
Booth, James 179, *181*
Booth, Shirley 60, *61,* 63, *65,* 72, *75,* 251
Bouchet, Barbara 184
Boyer, Charles 47
Brandon, Michael 228, *229 f.*
Brazzi, Rossano 177
Brooks, James L. *237,* 238
Browne, Leslie 216, *217, 308*

Caine, Michael 176, *177*
Can-Can (Ganz Paris träumt von der Liebe) 96 ff.
Cannonball Run II (Auf dem Highway ist immer noch die Hölle los) 238 ff.
Cantinflas 49, *51,* 52, *53, 247, 249*
Cardiff, Jack 129
Career (Viele sind berufen) 91 ff.
Carney, Art 165, *167, 291*

Carol, Martine 47
Carroll, Lisa Hart 236
Cartwright, Veronica 126
Chevalier, Maurice 97 f., *99*
Children's Hour, The (Infam) 122 ff.
Clennon, Dave 222
Coburn, James 227
Coleman, Herbert 28
Collins, Stephen 226
Comden, Betty 156
Connelly, Mike 142
Conte, Richard 105
Crenna, Richard 161, *161, 288*
Cummings, Bob 130, 157
Cummings, Jack *101*

Daniels, Jeff 233
Dano, Royal *29,* 244
Danza, Tony 238
Davidson, Michael 40
Davies, Jack 170
Davis, Sammy jr. 38, *103,* 104, 184, 238, *241*
Delon, Alain 166, *167,* 167, *168*
Derek, Bo 228
de Sica, Vittorio 172, *173,* 173
Desperate Characters (Verzweifelte Menschen) 201 ff.
Dietrich, Marlene 49
Douglas, Melvyn *221,* 222
Douglas, Scott *219*
D'Paulo, Dante 183
Dyke, Dick van *287*
Dysart, Richard 223

Eastwood, Clint 195, *195, 197, 302*
Ekberg, Anita 176
Elam, Jack 240
Elliott, David *205,* 206

Fabregas, Manolo 197, *197*
Farr, Jamie 238
Fernandel 47
Figueroa, Gabriel 200
Ford, Glenn 68, *71, 253, 254*
Ford, Paul 72
Forsythe, John *28,* 32, *33, 35*
Fosse, Bob 182
Franciosa, Anthony 92, *95*

Gabor, Eva 42
Gambit (Das Mädchen aus der Cherry-Bar) 168 ff.
Gardiner, Lisa 18
Garner, James 124, *125*
Gassman, Vittorio 175
Gilroy, Frank D. 204 f.
Grade, Lew 200, 205
Green, Adolph 156
Gregorio, Rose 202
Greyn, Clinton 175
Gwenn, Edmund *28 f.,* 32, *35*

318

Haney, Carol 26 f., 44, 58
Hamill, Pete 213
Hardwicke, Sir Cedric 47
Harrison, Doane 154
Harrison, Rex 164
Harvey, Laurence *121*, 121, *274*
Hawkins, Jack 121, *123*
Hellman, Lillian 122
Henner, Marilu *239*
Hepburn, Audrey 123, *124, 125, 127*, 128, *129, 275*
Higgins, Michael 202
Hitchhcock, Alfred 28, 30
Holiday, Hope *145*, 151, *155*
Holliman, Earl *61, 63*, 64, *251*
Hopkins, Anthony 228
Hopkins, Miriam 125
Hopper, Hedda 143
Hot Spell (Hitzewelle) 60 ff.
Hurt, Mary Beth 229
Hyer, Martha 76

Irma La Douce (Das Mädchen Irma La Douce) 144 ff.

Jacobi, Lou 148
Jacobi, Lon *155*
John Goldfarb, Please Come Home (Eine zuviel im Harem) 160 ff.
Jones, Carolyn 92
Jourdan, Louis 97 f., *264*

Kanter, Hal 40
Keaton, Buster 50, *249*
Kelly, Gene *157*, 158
Kelly, Paula *183*, 183
Kennedy, Arthur 76
Kennedy, Robert 190
Kiel, Richard 238
Kimbrough, Clint 64
King, Perry 206, *207*
Kingsley, Dorothy 97
Kohane, Lisa *205*, 206
Kruschen, Jack 107

Lang, Richard 228
Lang, Walter 96 f., *265*
Lawford, Peter 38
Lederer, Charles 97
Lemmon, Jack *106*, 107, 110, *145*, 148 f., *151, 153*, 153, *155, 283*
Lennart, Isobel 137
Lewis, Jerry 38, *41*, 43, *245*
Lithgow, John 234
Lom, Herbert 170, *171*
Lorre, Peter 48
Lou Keim, Betty 78
Loving Couples (Ein Walzer vor dem Frühstück) 226 ff.

MacLean, Kathlyn 14
MacMurray, Fred 107
Maddow, Ben 119
Malone, Dorothy 40, *245*
Mann, Daniel 62, 64
Mars, Kenneth 201, *203, 305*
Marshall, George 67

Martin, Dean 38, 40, 77, 82, 84, 91 f., 105, *114*, 115, *117*, 158, *159*, 238, *241, 245, 257, 270*
Martinelli, Elsa 176
Matchmaker, The (Die Heiratsvermitttlerin) 70 ff.
Mathers, Jerry *28, 31*, 244
Mayehoff, Eddie 40
McCarthy, Nobu 121
McGovern, George 190
McMartin, John 184, *191*
Middleton, Robert 92
Milestone, Lewis 104
Minnelli, Vincente 76, 79
Mitchell, James 216
Mitchum, Robert 137, *139, 141*, 158
Montalban, Ricardo 184
Montand, Yves 130, *131*, 134, *279*
Moreau, Jeanne 164
Morris, William 30
Morse, Robert 72
My Geisha (Meine Geisha) 129 ff.

Natwick, Mildred *28 f.*, 32, *35*
Neal, Patricia 154
Neame, Ronald 168
Newman, Paul 158
Newton, Robert 47, *51*
Nicholson, Jack *232*, 233, *237*, 238
Nielsen, Leslie 68
Niven, David *45*, 47, *49, 51*, 52, 85, *87*, 87, *89*, 90, *247, 249*
Noiret, Philippe 176

Ocean's Eleven (Frankie und seine Spießgesellen) 104 ff.
O'Loughlin, Gerald 202
Other Half ot the Sky, The: A China Memoir 209 ff.

Pack, Rat 105
Panput, Hermes *101*
Parker, Steve 8, 22, *23*, 24, 27, 30, 44, 56, 129, 134, 160, 213, 240
Peck, Steven 79
Perkins, Anthony *73, 75*
Porter, Cole 96
Possession of Joel Delaney, The (Die Besessenheit des Joel Delaney) 205 ff.
Powell, Lovelady 206
Prince, Hal 27
Prowse, Juliet *101, 265*
Purdom, Edmund 165

Quinn, Anthony 60, *61*, 63 f.

Rackin, Martin 193
Regina, Paul 230
Reilly, Charles Nelson 239
Reynolds, Burt 238, *241*
Reynolds, Debbie 141
Rivera, Chita *183*, 183
Robertson, Cliff 117
Robinson, Edward G. 130, *135*
Roland, Gilbert 47
Ryan, Edmond 138

319

Sachiko, Stephanie 8, 55
Samie, Catherine *173*
Sarandon, Susan 227
Saunders, Phillip *217*
Savallas, Telly 239
Scott, George C. 165, *167*
Scott, Martha 216
Sellers, Peter 174, 221, *223*, *295*, *311*
Sharif, Omar 166
Shaughnessy, Micky *67*, 68, *69*
Sheepman, The (Colorado City/In Colorado ist der Teufel los) 67 ff.
Siegel, Don 195, 198
Silvestre, Armando *199*
Sinatra, Frank 38, 49, 76, *77*, *79*, *81*, 81, 84, 95, 97 f., *99*, 100, 104, 240, *241*, *257*
Skelton, Red 40, 49
Skerritt, Tom 215, *219*
Slesin, Aviva 210
Somack, Jack 202
Some Came Running (Verdammt sind sie alle) 74 ff.
Stevens, Warren 65
Sweet Charity (Sweet Charity) 182 ff.

Tani, Yoko 130
Taylor, Rod 86, *91*
Terms of Endearment (Zeit der Zärtlichkeit) 231 ff.
Thompson, Sada 202
Tillis, Mel 238
Todd, Mike 44, 52, 55
Trouble With Harry, The (Immer Ärger mit Harry) 28 ff.

Turning Point, The (Am Wendepunkt) 214 ff.
Two for the Seesaw (Spiel zu zweit) 137 ff.
Two Loves (Der Fehltritt) 119 ff.
Two Mules for Sister Sara (Ein Fressen für die Geier) 193 ff.

Valenti, Jack 211
Van Dyke, Dick 158
Vanocur, Sander 213

Wallis, Hal 27, 37, 58 f., 114, 185
Walters, Charles 85, 88, 119
Warden, Jack 224
Weill, Claudia 209 f.
What a Way to Go (Immer mit einem anderen) 156 ff.
Wilder, Billy 105 f., 110 f., 144, 146, 148, *153*, 153 f., *155*
Wilson, Perry 72, 75
Winger, Debra 232, *233*, 238
Winter, Ed 229
Wise, Robert 137, *141*
Wolfe, Jan 116
Woman Times Seven (Siebenmal lockt das Weib) 172 ff.
Wyler, William 122

Yarnell, Bruce 148,
Yellow Rolls-Royce, The (Der gelbe Rolls-Royce) 164 ff.
Young, Gig 86, 87, *93*

Zavattini, Cesare 172 f.